Smak szczęścia

czyli o dietach, pielęgnacji urody w zgodzie z naturą
i szukaniu piękna w sobie

AGNIESZKA MACIĄG

Smak szczęścia

czyli o dietach, pielęgnacji urody w zgodzie z naturą
i szukaniu piękna w sobie

zdjęcia Robert Wolański

OTWARTE

Kraków 2015

Tę książkę dedykuję
Tobie ♡

SPIS TREŚCI

URODA

WEWNĘTRZNA HARMONIA

JOGA

NATURA

PIĘKNO

POCZĄTEK
NOWEJ PRZYGODY

Życie jest podróżą poprzez wzgórza i doliny. Każda z nas znajduje się czasem na szczycie i czuje się spełniona, a innym razem, stojąc w zacienionej dolinie, ma poczucie, że nie da rady wspiąć się na kolejne wzniesienie. Ale przezwycięża lęk i idzie dalej. Odnajduje w sobie siłę, by pokonać przeciwności i zdobyć kolejny szczyt.

Nie mam uniwersalnej recepty na szczęście. Każda z nas jest istotą niepowtarzalną i różne są nasze sposoby na lepsze życie. Ja pragnę podzielić się swoim, by dodać Ci wiary, radości i otuchy. Opisuję metody, które uczyniły moje życie prostszym, pełniejszym i szczęśliwszym. Mam nadzieję, że staną się dla Ciebie inspiracją. Zaczęłam ich szukać, gdy sama znalazłam się w „zacienionej dolinie". Takie chwile są często początkiem niezwykłej przygody.

Spotkałam wielu inspirujących, życzliwych i mądrych nauczycieli. Dzielili się ze mną swoją wiedzą, bym teraz ja mogła przekazać ją Tobie. Opowiem Ci o moich sposobach na dietę, która daje zdrowie, siłę, energię i jest zgodna z naturą oraz potrzebami człowieka. Nie będę zachęcała do drakońskich metod. Wręcz przeciwnie! Życie jest po to, by się nim cieszyć, a pożywienia nie możemy się wyrzekać ani traktować go jak swojego wroga. Żywność jest naszym dobroczyńcą.

Opowiem o skutecznych sposobach na stres, jakimi są dla mnie optymizm, życzliwość, joga, medytacja, zmiana sposobu myślenia i kilka praktycznych ćwiczeń pomagających uwolnić się od napięć. Opowiem o modzie, która nie wpędza w kompleksy, ale służy naszemu pięknu i dobremu samopoczuciu. O sposobach na urodę, która ma źródło… w Twoim sercu. Wreszcie o poczuciu wiecznej młodości i twórczym spełnieniu, które dostępne jest dla każdej z nas, jeśli przestaniemy się bać i zaczniemy lepiej siebie traktować.

Pragnę zainspirować Cię i wzmocnić, byś żyła odważnie i świadomie, ponieważ życie jest wielką i niepowtarzalną przygodą. Jestem pewna, że prawdziwego Mistrza każda z nas nosi w sobie. Jeśli jeszcze go nie odnalazłaś, wszystko przed Tobą. Z całą pewnością nadejdzie dzień, gdy zaufasz swojej wewnętrznej mądrości, sile oraz mocy i uwierzysz w swoje piękno. Ja w nie wierzę.

Będę szczęśliwa, jeśli za sprawą tej książki stanę się częścią Twojej podróży.

Z ciepłymi pozdrowieniami
Agnieszka

DIETA

Często najwięcej uczymy się w chwilach najtrudniejszych.
Te trudne momenty są także magiczne. Stanowią
początkowy etap naszej wędrówki.

Melody Beattie

Nie lubimy słowa „dieta". Kojarzy nam się z ograniczeniami i reżimem. Z walką, porażką, rozczarowaniem i przegraną. Dlaczego tak się dzieje?

Słowo „dieta" pochodzi od łacińskiego *diaeta*, które oznacza zalecony sposób życia. Odżywianie stanowiło zaledwie jeden z jego elementów. W pierwotnym założeniu dieta była więc zbiorem wskazówek dotyczących stylu życia: sposobu odżywiania, myślenia, ruchu, twórczości, kontaktów międzyludzkich i związku z naturą. W dzisiejszych czasach odeszliśmy jednak od całościowego myślenia o człowieku, rozłożyliśmy je na czynniki pierwsze, a poszczególne dziedziny aktywności człowieka z czasem oddaliły się od siebie jak puzzle, które – rozdzielone – nie przedstawiają całości obrazu. Dzisiaj słowo „dieta" oznacza już tylko odżywianie ograniczone do pewnych pokarmów.

Moim zdaniem dieta wcale nie musi być ograniczeniem. Może stać się dobrowolnym i świadomym wyborem. W każdej sferze życia musimy dokonywać wyborów – rezygnować z tego, co nam nie służy, i wybierać to, co jest dla nas najlepsze. Dlaczego w przypadku odżywiania ma być inaczej? Pragniemy zupełnej swobody i wolności w kwestii sposobu naszego odżywiania, często nie zdając sobie sprawy, że to, co znajduje się na naszych talerzach, ma wpływ nie tylko na nasz wygląd, lecz również energię, zdrowie i samopoczucie. Możemy rozwijać się, podejmować wyzwania, efektywnie pracować i dawać z siebie to, co najlepsze, tylko wtedy, gdy dbamy o siebie i czujemy się dobrze. Dla mnie odżywianie się jest filozofią, a dieta stylem życia i świadomym wyborem, nie zaś nagłym zrywem i „daniem sobie w kość" przez kilka tygodni, aby zrzucić zbędne kilogramy. Taki sposób na zdrowie i ładną sylwetkę nie działa, a wręcz wyrządza nam krzywdę.

Odkąd zaczęłam swoją przygodę z „dietami cud", minęło wiele czasu, zanim zrozumiałam, że pożywienie nie jest moim wrogiem. Dotarło do mnie, że organizm człowieka to niezwykle inteligentny system współzależności. Na moje samopoczucie wpływa przecież nie tylko sposób, w jaki się odżywiam, ale również to, jak oddycham, myślę, poruszam się, wyrażam twórczo i kontaktuję z otoczeniem. Moja dieta stała się więc bardzo istotnym elementem spełnienia, które możliwe jest tylko wtedy, gdy cały organizm funkcjonuje bez zakłóceń. Jestem nie tylko tym, co jem, ale również tym, co myślę, co piję, czym oddycham. Dzięki temu mogę żyć w pełni – pracować, realizować swoje marzenia, uczyć się i rozwijać. Wybrałam dietę, która szanuje życie i je daje.

Na temat zdrowego odżywiania wiemy coraz więcej. Na całym świecie prowadzone są liczne badania dotyczące tego, co człowiek powinien jeść. Mimo to

już ponad 50% Polaków cierpi z powodu nadwagi i otyłości, a miliony z nas szukają sposobów na to, jak pozbyć się zbędnych kilogramów. Powstają setki leków i preparatów, które mają nam pomóc stracić na wadze.

Każdego dnia media proponują mnóstwo diet i nie jest łatwo ocenić, która z nich jest dla nas naprawdę dobra. Reklamy w telewizji, internecie, na łamach kolorowych pism obiecują natychmiastowy efekt w walce ze zbędnymi kilogramami i osiągnięcie sukcesu w każdej dziedzinie życia. Po obejrzeniu zdjęć „przed" i „po", jesteśmy w stanie wydać spore sumy, by jak najszybciej przejść tę cudowną metamorfozę.

Odchudzanie stało się ulubionym tematem rozmów towarzyskich, ponieważ za piękne uważane są obecnie osoby bardzo szczupłe, a wiele modelek, aktorek i podziwianych przez nas gwiazd z każdym sezonem staje się coraz chudszych. Gubimy się pośród „diet cud" i mozolnie liczymy kalorie. Ostatnie badania wykazały jednak, że ich tabele często bywają zafałszowane, zaś samo obliczanie kaloryczności posiłków jest dalece nieskuteczne. Gdyby wszystkie szeroko reklamowane diety i środki odchudzające spełniały obietnice producentów, osób otyłych byłoby zdecydowanie mniej. Niestety problem otyłości staje się coraz poważniejszy.

„Diety cud", których próbujemy, zwykle kończą się udręką i fatalnym efektem jo-jo. Ciężko opisać rozczarowanie, gdy mimo utrzymywania surowego reżimu diety w krótkim czasie z nawiązką odzyskujemy z trudem utracone kilogramy. Dlaczego tak się dzieje?

Cała prawda na temat diet

Szybka dieta – szybki rezultat?

Gdy stosujemy drastyczne diety jako doraźne kuracje mające na celu szybką utratę kilogramów, z całą pewnością skazane jesteśmy na porażkę. Jako gatunek ludzki w ciągu tysiącleci miewaliśmy okresy zarówno dobrobytu, jak również niedostatku żywności. Ewolucja wyposażyła nas w możliwość kumulowania energii zawartej w pożywieniu na czas głodu. Gdy zaczynamy drastycznie pozbawiać nasz organizm jedzenia, otrzymuje on wiadomość, że należy się zmobilizować i zabezpieczyć. Nasze ciało nie odróżnia spadku ilości pożywienia, które spowodowane jest chęcią noszenia ubrań w mniejszym rozmiarze, od sytuacji związanej z przymusowym głodem. Mimo tego, że jemy mniej, nie jesteśmy w stanie schudnąć. Przemiana materii staje się wolniejsza, podobnie jak spalanie tłuszczu.

Każdą, nawet najcudowniejszą dietę trzeba kiedyś zakończyć. Nie możemy bowiem spędzić całego życia na nieustannym liczeniu kalorii lub jedzeniu potraw z listy. Po zakończeniu kuracji i powrocie do sposobu odżywiania, do jakiego jesteśmy przyzwyczajone, następuje efekt jo-jo. Organizm, który otrzymywał drastycznie mniejsze porcje pożywienia, czuje się zagrożony i zaczyna domagać się większych ilości pokarmu. Następnie kumuluje je, by zabezpieczyć się na okres kolejnego niedoboru. Z tego punktu widzenia bardzo nieskuteczne, a nawet szkodliwe są diety, które polegają na ograniczeniach, ponieważ zaburzają naturalny metabolizm i prowadzą do tycia.

Dieta PŻ

Co oznacza ten skrót? Wiele osób doskonale wie – Przestań Żreć. Okazuje się jednak, że odmawianie sobie jedzenia jest złym pomysłem. Potwierdziły to badania psychologów z Uniwersytetu Hertfordshire. Uczeni losowo wytypowali grupę pań, której zabroniono myśleć o czekoladzie. Druga grupa została natomiast poproszona o wyrażenie swoich opinii na temat słodyczy. Następnie podano obu grupom czekoladę. Okazało się, że kobiety, które odmawiały sobie myślenia o niej, zjadły jej o 50% więcej niż te, które wyraziły jedynie swoje zdanie na temat słodyczy. Pokazuje to, że strategia unikania, odmawiania i wypierania przynosi rezultat odwrotny do zamierzonego. Specjaliści od spraw żywienia coraz częściej przekonują, że w kontroli wagi znacznie bardziej pomaga jedzenie w sposób racjonalny niż wprowadzanie ostrych zakazów. Odpowiednie nastawienie psychiczne ma podstawowe znaczenie. Gdy chcemy schudnąć, nie należy zakazywać, ale z a m i e n i a ć. Zamiast słodyczy – owoce, zamiast tłustych i smażonych potraw – warzywa, zamiast przekąsek – pełnowartościowe produkty, które są zdrowe i dobrze nam służą. Jeśli nauczymy się zamieniać, jakość posiłków i wielkość porcji nie musi być ograniczona. Nie przytyjemy od nawet dużej ilości surówki, sałaty, gotowanych warzyw lub sporej miski jarzynowej zupy (bez zasmażek, śmietany, mąki, zacierek czy makaronu!).

Herbaty przyspieszające trawienie

Niepowodzenia związane z dietą prowadzą do szeregu problemów psychologicznych. Wiele z nas odczuwa w stosunku do siebie rozczarowanie i oskarża się o brak konsekwencji. Nieumiejętność przestrzegania ostrego reżimu diety i radzenia sobie z nagłymi napadami niepohamowanego głodu często kończy się objadaniem, co powoduje złe samopoczucie. Wiele z nas sięga wtedy po herbatki „odchudzające" i przyspieszające trawienie. Chociaż produkty te robią wrażenie niewinnych, mogą prowadzić nawet do bulimii (obsesyjne, kompulsywne jedzenie, po którym następuje potrzeba szybkiego pozbycia się spożytego pokarmu). Jeśli zaś nie spowodują aż tak poważnych problemów, to prawdopodobnie rozregulują układ trawienny, który stanie się rozleniwiony i nie będzie potrafił radzić sobie z przetwarzaniem pokarmu bez środków wspomagających. Odpowiednie, zdrowe i szybkie trawienie może nam zapewnić jedynie dobrze zbilansowana dieta – bogata w pożywienie naturalnego pochodzenia, błonnik, warzywa i owoce.

Diety proteinowe

Bardzo niebezpieczne są diety, które polegają na eliminacji pewnych składników pokarmowych. Modne ostatnio diety niskowęglowodanowe (proteinowe – które kładą nacisk na wysokie spożycie białka i wykluczenie z jadłospisu węglowodanów) rzeczywiście mogą skutkować utratą kilogramów, jednak nie są bezpieczne, ponieważ węglowodany są niezbędne do prawidłowego funkcjonowania organizmu. Osoby, które stosowały diety proteinowe, początkowo wprawdzie chudły, skarżyły się jednak na bóle głowy, rozdrażnienie i problemy z brakiem koncentracji.

Chcąc schudnąć za wszelką cenę, często zapominamy, jak ważne jest prawidłowe odżywianie dla działania naszego ciała, w tym również mózgu i psychiki. To, co jemy, ma wpływ na nasz nastrój, a co za tym idzie na jakość życia. Abyśmy mogli cieszyć się zdrowiem fizycznym i psychicznym, w naszym organizmie musi zachodzić równowaga między poziomem glukozy, serotoniny i beta-endorfin. Brak tej równowagi może prowadzić do chronicznego zmęczenia, rozdrażnienia, a nawet depresji. Liczne badania potwierdzają, że stosowanie diet niskowęglowodanowych (proteinowych) może skutkować pojawieniem się przygnębienia, napięcia, smutku, a nawet silnej złości.

Niektórzy dietetycy zalecają kuracje wysokoproteinowe, tłumacząc, że podczas odchudzania nasz organizm pobiera proteiny z mięśni, w związku z czym tracą one swoją urodę. Uważają więc, że należy skoncentrować się wyłącznie na dostarczaniu im budulca. Zastanawiam się jednak, dlaczego wygląd mięśni jest ważniejszy niż sprawne funkcjonowanie naszego mózgu oraz dobre samopoczucie. Zastanawiam się również, dlaczego takiego wyboru mamy w ogóle dokonywać. Odpowiednio zbilansowana dieta powinna zapewnić nam zarówno piękne mięśnie, jak i optymalną sprawność intelektualną i świetne samopoczucie.

Warto także pamiętać, że zbyt duże spożycie białka jest dla nas niezwykle szkodliwe (zakwasza organizm, obciąża nerki i wątrobę, prowadzi do osteoporozy). Szczupłe osoby, które utrzymują stałą, optymalną wagę, przeważnie nie stosują diety ubogiej w węglowodany. Wręcz przeciwnie – wysokie spożycie białek charakteryzuje diety osób otyłych i z nadwagą.

Z mojego punktu widzenia skuteczność diet proteinowych opiera się dokładnie na tych samych zasadach co diety niełączenia, w której nie je się jednocześnie białek i węglowodanów. Jednak dieta niełączenia zapewnia optymalne zbilansowanie wszystkich grup pokarmowych niezbędnych do prawidłowego funkcjonowania organizmu, a diety proteinowe niestety nie.

Węglowodany nie są naszym wrogiem

Osobom, które chcą schudnąć i pozbyć się stresu, zaleca się dietę bogatą w węglowodany, jednak wyłącznie z ł o ż o n e. Na tym polega cały sekret! Znajdziemy je w nieoczyszczonych, pełnoziarnistych produktach zbożowych. Węglowodany złożone poprawiają nasze samopoczucie. Ich niedobór może prowadzić do obniżenia poziomu serotoniny odpowiedzialnej za uczucie zadowolenia i szczęścia. Serotonina ma wpływ również na samokontrolę i zdolność planowania, które są niezbędne, by radzić sobie w życiu, w pracy lub w szkole.

Niekorzystne są dla nas natomiast węglowodany p r o s t e. Znajdują się między innymi w białej mące i produktach, które z niej powstają. Niewątpliwą zaletą diet proteinowych jest całkowite wyeliminowanie węglowodanów prostych, których Polacy spożywają ogromne ilości. Rezygnacja z jasnego pieczywa i makaronu, ciast, ciastek, pączków i słonych przekąsek (paluszki, precelki itd.) na pewno przyczyni się do spadku wagi ciała. Jednak diety proteinowe są niczym wylewanie dziecka z kąpielą – nie można przecież w ten sam sposób traktować węglowodanów prostych i złożonych.

Liczne badania wykazują, że we współczesnej diecie spożywamy zbyt dużo białek, co prowadzi do powstawania wielu chorób cywilizacyjnych. Po konsultacji z kilkudziesięcioma najwybitniejszymi specjalistami od spraw żywienia na świecie Światowa Organizacja Zdrowia (WHO) za najlepiej skomponowaną dietę uznała tę, w której dzienne spożycie produktów żywnościowych wygląda następująco:

- 45% warzywa i owoce,
- 40% produkty zbożowe i rośliny strączkowe,
- 15% produkty bogate energetycznie – mięso, ryby, jaja, nabiał oraz oleje i tłuszcze.

Diety z Hollywood

Nie dajmy się uwieść dietom tworzonym przez dietetyków z Hollywood. Nawet jeśli przyniosły skutek u najpiękniejszych gwiazd filmowych, dla nas mogą okazać się bezużyteczne. Podczas opracowania optymalnej diety nie możemy pominąć tak ważnego czynnika jak klimat, w którym żyjemy. W Kalifornii jest ciepło, zimy są łagodne i często świeci słońce. Zastosowanie diety skonstruowanej w takim klimacie w naszych warunkach pogodowych musi zakończyć się niepowodzeniem. Innych potraw potrzebujemy latem, a innych zimą. Jedzenie wyłącznie zimnych dań, gdy na zewnątrz panują chłody, prowadzi do ciągłego uczucia głodu, a co za tym idzie niekontrolowanego podjadania między posiłkami. Zwraca na to uwagę już starożytna chińska filozofia Pięciu Przemian, która podkreśla, że wychłodzenie śledziony prowadzi do silnego łaknienia potraw słodkich i tłustych, czym możemy tłumaczyć chociażby nasze zimowe „rzucanie się" na czekoladę. Rozwiązaniem jest jedzenie ciepłych potraw, na przykład zup. W Kalifornii są one raczej mało popularne.

Aby zapewnić naszemu organizmowi to, czego najbardziej potrzebuje, musimy zrozumieć jego potrzeby i reagować na nie w sposób świadomy. Pamiętajmy także, że jesteśmy częścią natury i choć czasami wydaje nam się, że jesteśmy od niej mądrzejsi, to – czy nam się to podoba, czy nie – żyjemy w ścisłej od niej zależności.

Oprócz tego w Polsce występują też owoce i warzywa, które nie są popularne w Kalifornii, a wiadomo, że najlepiej służą człowiekowi rośliny występujące w jego strefie klimatycznej. I chociaż nie musimy się do nich ograniczać, to powinny one stanowić podstawę naszego jadłospisu. Czy znacie jakiś pochodzący z Kalifornii dobry przepis na potrawę z buraczków? Ja nie.

Polska tradycja

Odżywianie się w zgodzie z naszym klimatem nie oznacza jednak jadłospisu opartego na tradycyjnej kuchni polskiej. Jeśli ma nam ona służyć, wiele potraw wymaga modyfikacji, ponieważ diametralnie zmieniły się warunki naszego życia. Warto pamiętać, że nasi przodkowie dużo się ruszali i ciężko pracowali fizycznie. Mężczyźni jeździli konno, rąbali drewno, pracowali na roli. Kobiety wykonywały czynności, przy których dzisiaj zastępują je pralka, odkurzacz czy robot kuchenny. Nie możemy odżywiać się tak samo jak nasze babcie, ponieważ warunki i styl życia są teraz zupełnie inne. Mimo to polska dieta nie stała się lżejsza, a ulubionym daniem Polaków nadal jest schabowy z ziemniakami.

Wpływ genów na sylwetkę

Powszechny jest pogląd, że nasza waga ściśle związana jest z genami. Nie sądzę jednak, by na to, jak wyglądamy, geny miały tak duży wpływ. Możemy oczywiście dziedziczyć po rodzicach wzrost i kształt sylwetki, jednak w największej mierze nasza waga zależy od sposobu odżywiania i stylu życia. Poprzez nieodpowiednie nawyki żywieniowe dziedziczymy również choroby. Z pokolenia na pokolenie Polacy jedzą coraz obfitsze i tłustsze posiłki, a ruszają się coraz mniej.

Zmiany sposobu odżywiania się i stylu życia mogą w diametralny sposób poprawić stan naszego zdrowia i samopoczucia – nawet na poziomie genetycznym i komórkowym! To, co zjadamy każdego dnia, oraz sposób, w jaki żyjemy, ma ścisły związek ze starzeniem się komórek naszych organizmów. Okazuje się, że nie wszystko zapisane jest w naszych genach. To dieta i styl życia mają decydujący wpływ na nasze zdrowie oraz jakość i długość życia. Jeśli nie jesteśmy zadowoleni z naszej wagi, nie patrzmy z wyrzutem na rodziców. To, co zrobimy z naszym ciałem, zależy wyłącznie od nas.

Kalorie a wartości odżywcze

Wiele kobiet wpada w pułapkę liczenia kalorii. Przez ostatnie lata nasze sklepy zostały zalane „nowoczesną" żywnością. To, co kiedyś było niedostępne, teraz znajduje się na wyciągnięcie ręki. W czasach kryzysu marzyliśmy o półkach sklepowych pełnych różnorodnych produktów. Kiedy do nas dotarły, staliśmy się jednym z krajów wysoko rozwiniętych, gdzie spożywane są ogromne ilości żywności przetworzonej. Biała mąka (najpopularniejszy wśród Polaków jest biały chleb), jasny makaron, cukier i wędliny to produkty, które obecne są na naszych stołach każdego dnia. Stale zwiększające się tempo życia zachęca też do sięgania po potrawy instant i gotowe do spożycia. Dostarczają one organizmowi określoną ilość kalorii, jednak ich wartość odżywcza jest znikoma. Ilość kalorii i wartość odżywcza produktu to dwa oddzielne wskaźniki. W produktach przetworzonych substancje odżywcze zostały utracone podczas procesu obróbki. Nie powinien więc dziwić nikogo fakt, że wiele osób otyłych, których podstawą diety są produkty wysoko przetworzone, cierpi na niedobór witamin i minerałów, a nawet anemię i awitaminozę. Spożywanie kalorii, które nie zawierają żadnych lub prawie żadnych substancji odżywczych, jest paradoksem – tyjemy, choć w rzeczywistości głodzimy się.

Wielu dietetyków jest zdania, że jedną z głównych przyczyn epidemii otyłości w krajach wysoko rozwiniętych jest właśnie spożywanie żywności przetworzonej. Organizm człowieka do sprawnego funkcjonowania potrzebuje odpowiedniej ilości substancji odżywczych. Tak jesteśmy stworzeni przez naturę i od tysięcy lat witamin i minerałów dostarczało nam naturalne pożywienie. Dziś produkty spożywcze zawierają puste kalorie, które nie odżywiają. Organizm zatem, mimo że otrzymał pewną ilość energii, nie został „nakarmiony". Konsekwencją tego jest stałe poczucie łaknienia, prowadzące do objadania się, a w efekcie do nadwagi i otyłości. Nie można postawić znaku równości między kromką białego pieczywa a kromką chleba z mąki pełnoziarnistej, nawet jeśli zawierają one dokładnie taką samą ilość kalorii. Wartość odżywcza obu produktów jest przecież zupełnie inna. Wybierając pożywienie, należy więc zwracać uwagę nie tylko na cenę, walory smakowe i ilość kalorii, ale głównie na jego jakość.

Nowoczesna żywność

Dla zapewnienia jej lepszego wyglądu, smaku i trwałości produkowana współcześnie żywność często zawiera duże ilości substancji chemicznych. Ich kumulowanie się w organizmie jest przyczyną alergii, przewlekłych bólów głowy, chronicznego zmęczenia, problemów z przemianą materii i koncentracją. W krajach słabiej rozwiniętych, gdzie dieta jest prostsza, oparta na produktach roślinnych, a spożycie mięsa i jego przetworów bardzo znikome, choroby cywilizacyjne (w tym otyłość) prawie w ogóle nie występują. Ludzie długowieczni nie są nigdy otyli. Zawsze byli szczupli i odżywiali się w sposób bardzo prosty. Dostarczymy organizmowi kilkaset kalorii dziennie mniej, gdy odrzucimy pokarmy przetworzone na rzecz pełnoziarnistych i nieprzetworzonych. Unikajmy także potraw instant. Najlepiej odżywimy nasz organizm, spożywając posiłki świeżo przygotowane. Gotowe potrawy są w pewnym sensie „stare", nawet jeśli termin ich przydatności do spożycia jeszcze nie upłynął.

Pożywienie dla dorosłych

Coraz częściej mówi się o stosowanej przez najszczuplejsze gwiazdy diecie, która polega na spożywaniu pokarmów wyłącznie w płynnej postaci. Osobiście znam modelki, które przez cały dzień małymi łyczkami popijają przeciery i soczki. Dla mnie to widok absurdalny i przerażający zarazem. Jestem przekonana, że taka dieta nie jest zdrowa. Jedzenie trzeba gryźć. Natura wyposażyła nas w zęby i układ trawienny, który przystosowany jest do trawienia kawałków pożywienia. Jednak w naszej cywilizacji dokłada się starań, by pożywienie było miękkie i rozpływało się w ustach.

Moja znajoma, dojrzała kobieta, bardzo wyraźnie schudła i twierdzi, że udało się jej to, ponieważ zaczęła jeść jedzenie „dla dorosłych". Zrezygnowała z wszelkich papek i przecierów i wkrótce okazało się, że gdy zaczęła dokładnie przeżuwać pożywienie, traciła kilogramy. Jej przypadek potwierdza też eksperyment, który przeprowadziła brytyjska telewizja. Kilku śmiałków udało się do Szkocji, by tam przez miesiąc odżywiać się wyłącznie w taki sposób, w jaki jadano w średniowieczu. Spożywali głównie warzywa i mięso przyrządzone w najprostszy sposób. Przypuszczano, że członkowie grupy wyraźnie przytyją. Okazało się jednak, że pożywienie było tak twarde, że jego konsumpcja trwała bardzo długo. Wszyscy członkowie eksperymentu schudli – każdy stracił około 7 kilogramów. Przygotowanie i przeżucie pokarmów pochłaniało więcej energii niż zawierało samo pożywienie!

Dieta indywidualna

Podczas konstruowania indywidualnej diety ważny aspekt powinien stanowić wiek. Choć z roku na rok zmieniamy się, a nasz organizm potrzebuje coraz mniej kalorii, to nasze przyzwyczajenia żywieniowe pozostają zwykle takie same. Zapewne dlatego osoby po czterdziestym roku życia, przyzwyczajone do diety odpowiedniej dla nastolatków, zaczynają tyć. Szczupła pięćdziesięciolatka to dzisiaj prawdziwa rzadkość.

Obliczono, że wystarczy spożywać każdego dnia zaledwie 20 kalorii więcej, niż wynosi zapotrzebowanie organizmu, by w ciągu roku przytyć kilogram. W przeciągu dziesięciu lat niepostrzeżenie przybywa nam aż dziesięć kilogramów!

Nie można polecać tej samej diety nastolatkowi, który przechodzi okres dojrzewania, i pięćdziesięcioletniej kobiecie – osoby te mają różne potrzeby i inny metabolizm. Warto też pamiętać, że innej dawki energii potrzebuje ktoś, kto pracuje w biurze, do którego dojeżdża samochodem, stojąc kilka godzin dziennie w korkach, i nie uprawia żadnego sportu, a inna potrzebna

jest osobie, która chodzi do pracy na piechotę, opiekuje się małymi dziećmi i dużo się rusza. Innych substancji odżywczych domaga się organizm dorosłej osoby pracującej umysłowo czy ucznia intensywnie przygotowującego się do egzaminów. Tych wszystkich aspektów nie biorą jednak pod uwagę dietetycy, którzy konstruują „cudowne diety" odpowiednie dla wszystkich, czyli tak naprawdę dla nikogo.

Moja dieta

Po długich poszukiwaniach i licznych doświadczeniach związanych z rozmaitymi dietami przekonałam się, że nie istnieje jedna, ściśle określona dieta idealna dla wszystkich. Nabrałam też pewności, że wielu twórców „diet cud" nie zwraca najmniejszej uwagi na zdrowie i samopoczucie – liczy się dla nich jedynie szybki i spektakularny efekt, który nie musi być nawet długotrwały. Bo co zrobią dietetycy, gdy całe społeczeństwo będzie szczupłe? Stracą pracę! To oczywiście tylko żart, ale warto o tym pomyśleć, gdy sięgamy po kolejną rewolucyjną kurację.

Zanim udało mi się znaleźć optymalny dla mnie sposób odżywiania, minęło wiele lat. Gdy po urodzeniu dziecka chciałam schudnąć bezpiecznie, zdrowo i trwale, trafiłam na dietę niełączenia. Stosowanie się do jej zasad okazało się bardzo proste. Jestem im wierna do dziś. Nie głodzę się i nie odmawiam sobie posiłków. Przeciwnie, celebruję radość jedzenia. Kobiety często pytają mnie, czy bardzo przestrzegam diet i czy ograniczam jedzenie. Kiedy mówię, że nie robię tego wcale, nikt mi nie wierzy. Tymczasem prawda jest taka, że gdy odżywiamy się w sposób zdrowy, rozsądny i zgodny z naturą, nie tyjemy. Nie są nam potrzebne żadne kuracje odchudzające, tabletki, preparaty czy herbatki ułatwiające trawienie. Cieszę się jedzeniem do syta, a na moim stole pojawia się prawdziwe bogactwo zdrowego pożywienia. Świeże warzywa, owoce i wszelkie produkty naturalnego pochodzenia to podstawa mojego odżywiania. Mają niewielką ilość kalorii, a połączone w odpowiedni sposób są łatwo i szybko trawione.

Różnorodność pożywienia, obfitość smaków i aromatów diety niełączenia okazała się dla mnie idealna. Jako przedstawicielka żywiołu Ziemi mam tendencje do tycia, ponieważ nie lubię sobie niczego odmawiać. Moja potrzeba doświadczania i celebrowania życia dotyczy również sfery kulinarnej. Dieta niełączenia nie ogranicza, a wręcz przeciwnie – zachęca do różnorodności posiłków i słuchania potrzeb własnego organizmu. Życie jest po to, aby się nim cieszyć, a nie bezustannie liczyć kalorie i wyrzekać się jedzenia.

Zanim dieta niełączenia na dobre stała się moim sposobem na odżywianie, jak każdy człowiek ulegałam pokusom. Czasem oddawałam się kulinarnemu szaleństwu i folgowałam sobie. Wracałam też do tradycyjnej kuchni, do jakiej się przyzwyczaiłam w rodzinnym domu. Przybierałam na wadze, a potem w panice sięgałam po najmodniejsze „diety cud", by jak najszybciej pozbyć się zbędnych kilogramów. Na własnej skórze przekonałam się, jak bardzo taki sposób odchudzania się jest nieskuteczny, nierozsądny, a nawet szkodliwy. Dlatego zawsze wracałam do diety niełączenia, aż wreszcie stała się ona moim sposobem na życie. Z czasem przekonałam się, że nie istnieje bardziej przyjazny, różnorodny i obfity sposób odżywiania się, który jednocześnie gwarantuje szczupłą sylwetkę, dobre samopoczucie i zdrowie. Jadam pyszne dania i cieszę się każdym posiłkiem. Od wielu lat noszę ten sam rozmiar ubrań i mam dużo energii. Nie kupuję powszechnie reklamowanych leków na trawienie, po prostu nie są mi potrzebne. Konsekwentnie oddzielając od siebie różne grupy produktów żywieniowych, jadam dużo, smacznie i zdrowo, a moja waga od lat się nie zmienia.

Sposób odżywiania dobry dla wszystkich

O skuteczności diety niełączenia przekonałam się nie tylko ja, ale też moi znajomi i rodzina. O swojej diecie opowiadam chętnie wielu osobom, ale nie każdy korzysta z jej prostych zasad. Rezygnacja z jedzenia jednocześnie mięsa i ziemniaków lub chleba i wędliny dla wielu osób okazuje się zbyt dużym wyzwaniem.

Mój brat i jego żona mieli znaczną nadwagę. Odżywiali się w sposób tradycyjny, byli więc ociężali, apatyczni i podobnie jak większość Polaków cierpieli na liczne dolegliwości, które są skutkiem nieprawidłowego odżywiania. Przywykli do swojego sposobu jedzenia i byli pewni, że jest dla nich najodpowiedniejszy. Trzy lata temu, gdy jedliśmy wspólnie obiad, moja bratowa przyglądała się, jak oddzielam od siebie produkty zgodnie z zasadami diety niełączenia.

– Ależ ty jesteś konsekwentna – powiedziała. – Jesteś szczupła, a w sumie sporo jesz. Twoje zasady wcale nie są takie skomplikowane. Skoro ty możesz, to ja też mogę!

Zaczęła stosować moją dietę, a zaraz potem przyłączył się do niej mój brat. W ciągu roku schudła 23 kilogramy, a mój brat 36 kilogramów! Bez głodzenia się i bez efektu jo-jo. Mieli wtedy po 46 lat. Wiele osób uważa, że schudnięcie w tym wieku jest bardzo trudne, a nawet niemożliwe.

Dzisiaj patrzę na nich z wielką radością. Odmłodnieli, mają więcej energii i entuzjazmu. Inaczej się ubierają i są atrakcyjni. Zainteresowali się zdrowym żywieniem, które stało się ich pasją. Są zupełnie innymi ludźmi i całe ich życie zmieniło się na lepsze. A wszystko zaczęło się od kuchni i diety niełączenia.

Jeśli oni mogli schudnąć i zmienić swoje życie, to Ty też możesz!

Od czego zacząć?

Każda zmiana zaczyna się od podjęcia decyzji. Aby na trwałe zmienić sposób odżywiania się i wyrobić sobie nowe nawyki, musisz najpierw wiedzieć, dlaczego chcesz to zrobić. Dobrym sposobem, by się nad tym zastanowić, może okazać się szczera rozmowa ze sobą. Potrzebna jest tylko kartka papieru i coś do pisania. Odpowiedz sobie na pytania:

◆ Jak teraz się czuję?
◆ Dlaczego chcę schudnąć?
◆ Jak będę się czuła, gdy moja waga będzie optymalna?

Spróbuj też rozstrzygnąć bardzo ważne, choć trudne kwestie:

◆ Jak wyobrażam sobie siebie za rok?
◆ Jak chcę wyglądać za pięć, dziesięć, dwadzieścia lat?
◆ Czy chcę być zdrowa i w pełni cieszyć się życiem po siedemdziesiątce, czy tylko schudnąć teraz?

Erica Jong w książce *Jak ocalić swoje życie* pisze: „Przygotuj się na swoje osiemdziesiąte siódme urodziny". Jedząc, każdego dnia decydujemy o tym, jakie jest nasze życie i zdrowie dzisiaj i jakie będzie w przyszłości.

Teraz pomyśl, ile chcesz ważyć. Zapisz tę liczbę i poczuj się tak, jakbyś już tyle ważyła.

Wyobraźnia jest Twoim ważnym sprzymierzeńcem. Poczuj, jak to jest mieć optymalną wagę. Będziesz mogła nosić ubrania, o jakich zawsze marzyłaś? Będziesz sprawniejsza fizycznie? Bardziej pewna siebie? Wyruszysz w podróż? Zaczniesz tańczyć? To zależy tylko od Ciebie. Pamiętaj, że wiele osób zaczęło zmianę swojego życia od zmiany sposobu odżywiania się. Jeśli będziesz mieć kontrolę nad tym, co jesz, zatroszczysz się o siebie i zaczniesz dokonywać świadomych wyborów, przekonasz się, że masz również wpływ na inne aspekty swojego życia. Możesz spełniać swoje marzenia. Pozytywne nastawienie czyni cuda.

Daj sobie czas. Ważne są realne cele, inaczej zniechęcenie jest gwarantowane. Nie zakładaj, że w ciągu miesiąca schudniesz 20 kilogramów. Jeśli nawet Ci się to uda, to po tak szybkiej utracie wagi to, że gwałtownie powrócisz do punktu wyjścia, jest więcej niż pewne. Stała i skuteczna utrata wagi wymaga czasu. Nie narzucaj sobie drastycznych norm. Słyszałam o wielu osobach, którym udało się schudnąć w ciągu tygodnia więcej niż 4 kilogramy i gwarantuję, że żadna z nich wagi tej nie utrzymała. Odchudzanie jest procesem stopniowym i aby dało trwałe efekty, musi odbywać się w zgodzie z naszym organizmem.

Nie odkładaj zmiany na jutro ani na żaden inny moment, który wydaje ci się lepszy. Wiele osób zamierza wprowadzić zmiany od 1 stycznia, od początku wiosny lub w dniu swoich urodzin. W radiowej Jedynce słyszałam opowieść pewnej pani, której przyjaciółka powiesiła sobie nad łóżkiem kartkę z napisem: „Od jutra się odchudzam!". Każdego ranka, gdy otwierała oczy, oddychała z ulgą: „Uff... to dopiero jutro". Ta zabawna anegdota dokładnie charakteryzuje podejście wielu z nas do zmian. Ostatni dzień kulinarnej wol-

ności zawsze oznacza szaleństwo i najadanie się na zapas. Trudno o bardziej skuteczny sposób na przytycie.

Zapoznaj się z zasadami diety niełączenia i stwórz jej indywidualną wersję dostosowaną dokładnie do Twoich potrzeb. Nie należy jednak traktować tej diety jak doraźnej kuracji, ale jako sposób odżywiania się, który wprowadzisz na stałe. Tylko to może zapewnić długotrwały efekt. Nie obawiaj się, dieta niełączenia nie ma nic wspólnego z głodówką. To nie reżim, ale świadomy wybór pożywienia, które ma Ci służyć. Jeśli stary sposób odżywiania doprowadził Cię do punktu, w którym ważysz zbyt wiele lub masz problemy zdrowotne, to z całą pewnością był niewłaściwy i należy go zmienić.

Skąd się wzięła dieta niełączenia?

Odkrycie doktora Haya

Na początku XX wieku, kiedy wiedza na temat żywienia nie była tak bogata jak obecnie, lekarz Howard Hay, który cierpiał na szereg dolegliwości, zainteresował się sposobem odżywiania ludów pierwotnych. Jego szczególną uwagę zwróciła długowieczna społeczność Hunza żyjąca w Himalajach. Hay zauważył, że pośród jej członków w ogóle nie występują choroby cywilizacyjne. Nikt nie wiedział, co to jest nadwaga, nadciśnienie, cukrzyca, wrzody żołądka, zaparcia czy depresja. Członkowie tej społeczności dożywali w zdrowiu i zadziwiającej sprawności bardzo sędziwego wieku. Gdy doktor Hay poznał zwyczaje, styl życia i sposób odżywiania ludu Hunza, zauważył bezpośredni wpływ diety na zdrowie i samopoczucie. Dostrzegł również, że z powodu surowych warunków życia Hunza w naturalny sposób zmuszeni są do specyficznego sposobu łączenia pewnych grup pokarmowych. Białko i węglowodany nie były jadane jednocześnie (tak jak w kulturach wysoko rozwiniętych), spożywano je w połączeniu z warzywami. To zachęciło doktora do głębszej analizy.

Na podstawie wyciągniętych wniosków doktor Hay stworzył sposób odżywiania się polegający na rozdzieleniu pewnych grup pokarmowych. Jak się okazało, powodował on szybsze i lżejsze trawienie. Doktor Hay opracował dietę opartą na świeżych, naturalnych produktach połączonych ze sobą w odpowiedni sposób, zaczął ją stosować i zalecił swoim pacjentom. Ponieważ cierpiał na przewlekłe zapalenie nerek (w tamtych czasach bardzo poważną chorobę, uznawaną za nieuleczalną), jego przyjaciele po fachu z dużą dezaprobatą przyjęli wiadomość o diametralnej zmianie sposobu odżywiania się doktora, który miał wówczas 47 lat. W krótkim czasie zauważyli jednak, że zarówno on, jak i wszystkie pozostałe osoby stosujące dietę niełączenia, odzyskali świetną kondycję, stracili na wadze i przestali mieć problemy z trawieniem. Powrócił im dobry nastrój, poczucie lekkości i doskonałe samopoczucie. Przez kolejnych 27 lat życia doktor Hay cieszył się świetnym zdrowiem. Zmarł w wieku 74 lat na skutek wypadku.

Podstawowe założenia diety

Analizując dolegliwości swoje oraz swoich pacjentów, a także zdrowe nawyki ludu Hunza, doktor Hay zauważył, że podstawą zdrowia jest wielka trójca, którą stanowi: pożywienie, przemiana materii i wydalanie.

Uznał, że zachowanie zdrowia możliwe jest tylko wtedy, gdy te trzy elementy pozostają w harmonii i każdy z nich przebiega bez zakłóceń. Zauważył, że głównym powodem powstawania wielu chorób są problemy z trawieniem i wydalaniem. Ocenił, że organizm może funkcjonować bez zakłóceń tylko wtedy, gdy w sprawny sposób przebiega usuwanie z niego wszelkich szkodliwych i zbędnych substancji. Gdy ten proces jest zaburzony, pojawia się poczucie ogólnego zmęczenia, bóle głowy oraz zaburzenia trawienia, takie jak wzdęcia, zgaga, niestrawność i problemy z wypróżnianiem. Do tej listy Hay dołożył bóle mięśni i kończyn, osłabienie, problemy ze skórą, włosami i paznokciami, zły nastrój oraz depresję. Nagromadzenie toksyn w organizmie uznał też za przyczynę nadmiernej senności, zaburzeń koncentracji i braku odporności (osłabienie systemu immunologicznego). Doktor Hay uznał, że

aby ułatwić trawienie i wydalanie, podstawą pożywienia powinny być naturalne, jak najmniej przetworzone produkty roślinne. Za bardzo ważną uznał też
zasadę rozdzielenia pokarmów ze względu na zawartość w nich węglowodanów i białek, które nie powinny być spożywane jednocześnie.

Jak to działa, czyli klucz do utraty wagi

Gdy organizm rozkłada pożywienie, w zależności od rodzaju spożytego pokarmu powstają substancje reagujące kwasowo lub zasadowo. Ważne jest, by
znajdowały się one w równowadze. Gdy jest ona zaburzona, układ trawienny
i krwionośny zostają nadmiernie obciążone.

Jeśli jednocześnie spożywamy dużo produktów, które powodują powstawanie kwasów (wysokobiałkowych lub o dużej zawartości cukrów), możemy
doprowadzić do poważnych zaburzeń. Nadmierne zakwaszenie organizmu
w pierwszej kolejności objawia się bólem – to sygnał, że w organizmie dzieje
się coś niewłaściwego. Stosowanie środków przeciwbólowych lub leków wspomagających trawienie odsuwa uwagę od źródła dolegliwości. Powoduje, że
przyzwyczajamy się do nich, traktując je jako coś naturalnego. Tolerowanie
chronicznych problemów z trawieniem kończy się bardzo poważnymi chorobami. Zwalczyć przyczyny tych dolegliwości możemy tylko poprzez zmianę
sposobu odżywiania.

Osobną sprawą jest ilość reklam poświęconych środkom ułatwiającym trawienie. Popularność tego rodzaju preparatów świadczy o tym, że problem
niestrawności masowo dotyka Polaków. To także dowód na to, że klasyczny
sposób odżywiania się, polegający na łączeniu pokarmów, po prostu się nie
sprawdza.

Węglowodany trawione są w środowisku zasadowym, a trawienie białka wymaga środowiska mocno zakwaszonego. Doktor Hay uznał, że soki trawienne nie
mogą być jednocześnie kwasowe i zasadowe, dlatego dla optymalizacji procesu
trawienia należy spożywać białka i węglowodany oddzielnie. Złe łączenie pokarmów (a więc spożywanie podczas jednego posiłku białek i węglowodanów)
spowalnia metabolizm i obciąża narządy trawienne. To powoduje powstawanie szkodliwych substancji na skutek fermentacji i gnicia niestrawionego pożywienia. Efekty to między innymi zgaga, wzdęcia i uczucie ciężkości.

Jeśli grupy pokarmowe są w odpowiedni sposób od siebie oddzielone, spalanie pokarmu przebiega szybciej i bez zakłóceń. W związku z tym pożywienie naprawdę dostarcza energii organizmowi, który nie musi męczyć się i pożytkować jej wyłącznie na trawienie niewłaściwie skomponowanego posiłku. Przy odpowiednim połączeniu produktów szybko można odczuć poprawę nastroju i przypływ energii. Ale, co równie istotne (zwłaszcza dla osób, które chcą pozbyć się zbędnych kilogramów), odpowiednio zaplanowana dieta sprawia, że organizm skuteczniej i szybciej spala kalorie.

Dla prawidłowego funkcjonowania przewodu pokarmowego bardzo istotny jest błonnik. W przypadku jego niedoboru trawienie może trwać nawet trzy razy dłużej! Pożywienie bogate w błonnik syci, jest bogate w witaminy i minerały i dostarcza relatywnie niewielkiej ilości kalorii. Warzywa i owoce pobudzają jelita do pracy. W przypadku ich niedoboru stajemy się ociężali i leniwi, a zaleganie pokarmu w jelitach prowadzi do jego fermentacji i gnicia. Doktor Hay zalecał też ograniczenie spożycia mięsa i tłuszczów zwierzęcych. Lud Hunza mięso jadał sporadycznie i w niewielkich ilościach.

Dieta niełączenia w praktyce

Z chemicznego punktu widzenia całkowite oddzielenie białek i węglowodanów nie jest możliwe, ponieważ większość produktów zawiera oba typy związków chemicznych. Występują one jednak w różnych ilościach, dlatego przy wyborze pokarmu należy brać pod uwagę ten związek, który przeważa, i jednocześnie unikać pokarmów najsilniej kwasotwórczych (są to głównie produkty pochodzenia zwierzęcego). Pamiętajmy również, że cała gama chemicznych dodatków do pożywienia reaguje silnie zasadowo, co prowadzi do zakwaszenia organizmu.

Doktor Hay zalecił rozdzielenie produktów o wysokiej zawartości białek od produktów o wysokiej zawartości węglowodanów, co oznacza, że typowe dla nas łącznie chleba i sera lub mięsa i ziemniaków jest niewłaściwe. Należy jadać je osobno, najlepiej w połączeniu ze świeżymi warzywami i sałatami.

Kiedy mówię znajomym, że dieta niełączenia wyklucza spożywanie tradycyjnych kanapek (pieczywa w połączeniu z wędliną lub serem), to widzę w ich oczach przerażenie. Z ich spojrzeń można wyczytać: „O nie, chyba umrę z głodu". Ich strach wynika jednak tylko z siły przyzwyczajenia. A nawyki można przecież zmienić. Kanapki są jak najbardziej dozwolone: pyszne, pełnoziarniste pieczywo (pieczywa z białej mąki w ogóle nie używamy) w połączeniu z surowymi lub pieczonymi warzywami. Przecież właśnie tak robią Włosi. Pycha!

Właściwe proporcje spożywanych produktów

Główny element naszej diety powinny stanowić warzywa (najlepiej świeże, ale w zależności od pory roku również gotowane lub pieczone), sałaty i owoce, rośliny strączkowe, kasze, nieoczyszczone, pełnoziarniste produkty zbożowe i ryż (również pełnoziarnisty, czyli brązowy).

Najrzadziej spożywać należy produkty białkowe, a więc ryby czy nabiał. Jeśli nie jesteśmy z stanie zrezygnować z mięsa, niech pojawia się na naszym stole sporadycznie, razem w warzywami (z wyłączeniem ziemniaków) lub sałatami.

Na początku to może być trudne, ale trzeba całkowicie zmienić sposób myślenia o komponowaniu posiłków – danie główne stanowią warzywa i sałaty, a mięso (i ryby), ryż lub makaron są dodatkiem. W takim sposobie odżywiania warzywa są pełnowartościowym posiłkiem, a nie jedynie barwnym akcentem.

Komponując dietę, należy pamiętać o właściwych proporcjach. Na 400 gramów warzyw powinno przypadać 100 gramów mięsa, kaszy lub ryżu. Natomiast ilość pożywienia jest sprawą indywidualną. Ma na nią wpływ wiek, płeć, styl życia, a także klimat.

Warzywa i owoce

Ważna jest wysoka jakość produktów. Najlepiej wybierać warzywa i owoce z upraw ekologicznych – zawierają najwięcej substancji odżywczych i najmniej chemicznych (w dzisiejszych czasach całkowita „czystość" pokarmów jest praktycznie niemożliwa).

Staraj się jeść warzywa i owoce sezonowe, które rosną w pobliżu miejsca Twojego zamieszkania, najlepiej jak najszybciej od momentu ich zebrania. Oczywiście osoby żyjące w dużych miastach mogą mieć z tym spory problem. Aby zachować jak najwyższą zawartość składników odżywczych warzyw i owoców, staraj się zjadać potrawy zaraz po przyrządzeniu.

W diecie niełączenia nie ma zakazanych warzyw czy owoców. Wiadomo jednak, że bardziej „tuczące" są warzywa, które zawierają dużą ilość skrobi, dlatego na przykład ziemniaki należy jadać w rozsądnych ilościach i nie co- dziennie. Nie należy z nich jednak zupełnie rezygnować, ponieważ odpowied- nio skomponowane (z dodatkiem sałat lub innych warzyw) stanowią zdrowy i odżywczy składnik posiłku. Wbrew pozorom ziemniaki są lekkostrawne, nie zawierają tłuszczu i mają niewiele kalorii (średnio 77 w 100 gramach). Są bo- gate w potas oraz magnez, który poprawia przemianę materii, łagodzi stany zmęczenia i stres. Ziemniaki zawierają też żelazo, wapń i fosfor, witaminy A, B1, B2, B3, B6, C i PP oraz błonnik, który ułatwia trawienie, pomaga w walce z nadwagą i obniża poziom cholesterolu. Tak naprawdę stają się kaloryczne jedynie poprzez dodatki (mleko, masło czy inne tłuszcze).

Podobnie rzecz ma się z owocami. Dieta niełączenia nie wyklucza ich, wręcz przeciwnie – zachęca do jak najczęstszego ich spożywania. Istnieją jednak owo- ce, które są bardziej kaloryczne niż inne. Duże ilości cukru zawierają winogro- na, dlatego należy jadać je w rozsądnych ilościach. Złą sławą cieszą się również banany i większość osób na diecie zupełnie wykreśla je ze swojego *menu*. Jest to błąd, ponieważ banany są bogate w składniki odżywcze. Zawierają dużo potasu, magnezu, a także cynk i mangan. Pobudzają perystaltykę jelit, usuwają nadmiar wody z organizmu oraz obniżają zbyt wysokie ciśnienie krwi. Zawar- te w bananach pektyny obniżają poziom cholesterolu i zmniejszają apetyt. 100 gramów bananów zawiera około 90 kalorii. Nie należy przesadzać z ilością tych owoców. Wystarczy jeden banan raz na jakiś czas.

Nie powinnyśmy również rezygnować ze spożywania suszonych owoców – su- szone śliwki regulują przemianę materii i zawierają ogromne ilości przeciwu- tleniaczy, które pomagają w walce ze skutkami starzenia i usuwają z organizmu wolne rodniki. Suszone owoce najlepiej kupować w sklepach ze zdrową żyw- nością, gdyż te ogólnie dostępne zawierają dużo siarki. W sklepach spożyw- czych morele mają kolor pomarańczowy, a te suszone na słońcu powinny być brązowe. Wystarczającą ilością jest kilka suszonych owoców w ciągu dnia.

Mój sposób na proste i szybkie gotowanie ryżu

Najzdrowszy jest ryż pełnoziarnisty, dziki lub razowy – jednym słowem: jak najniżej przetworzony. Podczas gotowania pochłania bardzo dużo wody (dzięki temu jest niskokaloryczny) i zawiera ogromne ilości błonnika, więc na długo pozostawia uczucie sytości (zawarty w ryżu cukier jest wolno trawiony, przez co znika zapotrzebowanie na słodycze). Jedzenie takiego ryżu doskonale wpływa na ciało, które staje się zwarte, jędrne i sprężyste. Pełnowartościowy ryż gotuje się dłużej niż oczyszczony, niektóre gatunki nawet przez godzinę. Jeśli nie masz czasu i się spieszysz, lepszym wyjściem jest ugotowanie białego, popularnego ryżu basmati niż tego w plastikowym woreczku. Czas przygotowania będzie niemal dokładnie taki sam.

Na dnie garnka (o grubym spodzie) rozpuść odrobinę tłuszczu (najlepiej masła klarowanego, ale może być też dobry olej) i przez chwilę podgrzewaj na nim 1 szklankę suchego ryżu. Gdy wszystkie ziarenka lekko pokryją się tłuszczem i staną się półprzezroczyste, zalej je 2 szklankami wrzącej wody, dokładnie wymieszaj (by ryż nie przywarł do dna) i dodaj szczyptę soli. Gotuj pod przykryciem na bardzo wolnym ogniu, aż woda całkowicie się wchłonie. Czas gotowania uzależniony jest od gatunku ryżu. Zwykle trwa to od 10 do 20 minut. W ten sam sposób można ugotować kaszę gryczaną czy jęczmienną.
Gdy robisz ryż curry, do roztopionego masła dodaj łyżeczkę curry i wszystko przygotuj tak jak w przepisie powyżej.

Kasze, ryż i ziarna zbóż

Kaszę i ryż kupujmy pełnoziarniste, nieoczyszczone i razowe. W wielu „dietach cud" są zupełnie zabronione, ponieważ uważa się, że zawierają dużo kalorii. Jest to niezwykle szkodliwy mit, ponieważ te kalorie mają bardzo wysoką wartość odżywczą. Karmią nas i zapewniają poczucie sytości. Kasze i ryż są najbardziej wartościowym pożywieniem, jakie możemy sobie wyobrazić. Ziarna zbóż (na przykład płatki owsiane lub inne) zawierają mnóstwo błonnika, który wypełnia żołądek, dając uczucie sytości, a także reguluje pracę przewodu pokarmowego, ułatwiając trawienie. Zawartość kaloryczna dotyczy suchego produktu, a przecież kasze, ryż, a także ziarna zbóż pęcznieją w wodzie. Z kubka ryżu czy kaszy po ugotowaniu otrzymujemy garnek potrawy, którą możemy nakarmić całą rodzinę! Kupując te produkty, musimy zwracać jednak uwagę, by były jak najmniej przetworzone.

Pisałam już o tym w *Smaku życia*, ale nie zaszkodzi powtórzyć – nigdy nie należy kupować ryżu lub kasz w plastikowych woreczkach do gotowania, które podobno ułatwiają i przyspieszają przygotowanie posiłku. Nie jest to prawdą. Spożywanie tak ugotowanego ryżu czy kaszy jest niezdrowe i zupełnie pozbawione sensu – nie można przecież liczyć na to, że jedzenie będzie zdrowe, jeśli się je gotuje w foliowym woreczku. Nie oszukujmy się, gotowany plastik nie jest zdrowy, nawet jeśli spełnia wszelkie wymogi bezpieczeństwa. Nikt przy zdrowych zmysłach nie wrzuca przecież do przygotowywanej potrawy foliowego worka!

Mięso, drób i ryby

W diecie niełączenia mięso jada się w niewielkich ilościach i nie codziennie: ryby można spożywać kilka razy w tygodniu, drób dwa razy w tygodniu, a czerwonego mięsa nie zaleca się wcale.

Mięso powinno pochodzić z odpowiedniej hodowli, w której zwierzęta traktowane są z szacunkiem i troską. Te hodowane na przemysłową skalę karmione są żywnością modyfikowaną genetycznie, hormonami, antybiotykami i chemią. Wszystkie substancje toksyczne kumulują się w mięsie, które traci wartości odżywcze i staje się szkodliwe.

Jajka

Dieta niełączenia dopuszcza spożywanie jajek, ale w rozsądnych ilościach (dwa razy w tygodniu) w połączeniu z warzywami.
Kupując jajka, należy zwrócić uwagę na ich oznakowanie:

Cyfra 0 – oznacza najwyższą jakość. Jajko pochodzi z hodowli ekologicznej od kury z wolnego wybiegu. Na 1 m² kurnika przypada najwyżej sześć ptaków, zaś karma pochodzi z upraw ekologicznych.

Cyfra 1 – oznacza, że jajko zostało zniesione przez kurę z wolnego wybiegu. Ptaki mogą opuszczać kurnik, w którym mają do dyspozycji miejsca na grzędach i ściółce.

Cyfra 2 – oznacza, że kury są trzymane w kurniku, nie mają możliwości wyjścia na świeże powietrze. Mogą jednak swobodnie poruszać się po kurniku, nie są trzymane w klatkach. Co najmniej jedna trzecia kurnika jest pokryta ściółką.

Cyfra 3 – oznacza najniższą jakość. Jajko zostało zniesione przez kurę z chowu klatkowego. Kury stoją na podłodze z drucianej siatki i nie mogą się swobodnie poruszać.

Najpopularniejsze i najtańsze są jajka oznakowane cyfrą 3. W wielu sklepach sprzedawane są tylko takie, ponieważ stanowią aż 90% jajek produkowanych w naszym kraju. Pamiętajmy jednak, że zostały zniesione przez kury, które przez całe swoje życie trzymane są w klatkach tak małych, że nie są w stanie się obrócić. Każdej z kur przysługuje powierzchnia mniejsza od kartki A4. Klatki stoją piętrowo, jedna na drugiej, w kurnikach, które nie mają okien. Ptaki karmione są sztucznym pokarmem. Warto mieć świadomość, że osoby kupujące jajka oznakowane cyfrą 3 wspierają finansowo takich hodowców.

Robiąc kiedyś zakupy, spytałam sprzedawczynię o jajka oznakowane cyfrą 0 lub 1. Odpowiedziała, że są tylko oznaczone cyfrą 3, ponieważ są najlepsze! Uważała tak, ponieważ jajka te są duże, a żółtka mają ciemną barwę (co jej zdaniem jest oznaką zdrowia). W rzeczywistości jajka osiągają taką wielkość, bowiem do pokarmu kur dodawana jest chemia, antybiotyki i żywność modyfikowana genetycznie. Intensywna barwa to zasługa pigmentów, które również podawane są z pokarmem, czasem w takich ilościach, że żółtko ma barwę prawie pomarańczową.

Najzdrowsze jaja, nawet jeśli nie biją rekordów pod względem wielkości, pochodzą od szczęśliwych kur, które mają dostęp do świeżego powietrza, ruchu, słonecznego światła, a na wolności wybierają naturalne składniki odżywcze, które są im najbardziej potrzebne.

Rośliny strączkowe

Doktor Hay zalecał wyłączenie z diety roślin strączkowych (grochu, fasoli, soczewicy i tym podobnych), ponieważ zawierają zarówno dużo białek, jak i węglowodanów. Jego zdaniem są obciążające dla systemu trawiennego. Nie mogę się jednak z tym zgodzić. Analizując sposób odżywiania się ludu Hunza, nie sposób przeoczyć faktu, że jego przedstawiciele białko czerpią głównie z roślin strączkowych. Jedzenie mięsa ograniczyli do minimum, natomiast spożywają dziennie około 50 gramów białka właśnie pochodzenia roślinnego. W ich codziennym *menu* znajduje się soczewica (z której robią dhal), cieciorka, biało-czarna fasola, fasola fava (z której wyrabiają mąkę). Latem do sporządzania sałatek wykorzystują kiełki ziaren roślin strączkowych.

Życie ludu Hunza nie byłoby w ogóle możliwe bez roślin strączkowych, które poza białkiem dostarczają również doskonałego błonnika i witamin z grupy B. Sycące, ale nie tuczące, są idealnym pożywieniem dla osób na diecie. Wszelkie zaburzenia trawienia można i należy niwelować poprzez dodanie do potraw ziół: kminku, kminu rzymskiego, majeranku, tymianku czy rozmarynu. W kuchni hinduskiej dla ułatwienia trawienia roślin strączkowych dodaje się asafetydę – przyprawę, którą można już kupić w Polsce w sklepach ze zdrową żywnością.

Potrawy z roślin strączkowych najlepiej spożywać w warzywach, bez dodatku pieczywa czy ziemniaków. Moim jedynym odstępstwem od diety niełączenia jest kitri, czyli potrawa składająca się z ryżu, nasion roślin strączkowych i warzyw. Jest to tradycyjne połączenie w kuchni hinduskiej, wegetariańskiej i wegańskiej. Podchodziłam do tego z dużym dystansem i po latach stosowania diety niełączenia miałam pewne obawy. Okazało się jednak, że zupełnie niepotrzebnie. Takie połączenie sprawia, że białko zostaje bardzo dobrze przyswojone przez organizm. Podczas trawienia powstają ciała ketonowe, które bardzo skutecznie hamują apetyt. Po takim posiłku po prostu nie ma się ochoty na nic słodkiego, a uczucie sytości utrzymuje się przez długi czas.

Czy to, co jemy, rzeczywiście ma wpływ na nasze zdrowie?

Badania wykazały, że ponad 70% Polaków jest zdania, iż dobrze się odżywia. Jednocześnie już ponad 50% z nas cierpi z powodu nadwagi i otyłości. Choroby, które najczęściej nas nękają, wynikają także ze złego odżywiania i niewłaściwego stylu życia.

Przyjrzyjmy się liście chorób, na które najczęściej cierpią i umierają Polacy.

Miażdżyca

Ta jedna z najniebezpieczniejszych chorób układu krążenia zajmuje trzecie miejsce na liście. Atakuje tętnice, prowadząc do zmniejszenia ich elastyczności i zwężenia przekroju. Uznawana jest za główną przyczynę śmierci ludzi w krajach Europy Zachodniej, czyli w państwach wysoko rozwiniętych, gdzie nadwaga i otyłość są powszechnym problemem. Najczęstszym skutkiem miażdżycy jest choroba niedokrwienna serca i zawał mięśnia sercowego. Przyczynia się ona również do powstawania choroby wieńcowej i zaburzeń przepływu krwi, które mogą prowadzić do udaru mózgu lub zaburzeń funkcjonowania innych narządów (na przykład nerek). Jej przyczyną jest niewłaściwy sposób odżywiania się i niezdrowy tryb życia (zbyt mało ruchu, zbyt wiele używek) oraz przewlekły stres.

Nadciśnienie tętnicze

To jedna z najczęściej występujących chorób układu krążenia, na liście chorób zajmuje drugie miejsce. W Polsce dotyka aż 50% osób po sześćdziesiątym piątym roku życia. Samo nadciśnienie nie jest chorobą śmiertelną, jednak jego efektami mogą być prowadzące do śmierci choroba wieńcowa, udar mózgu, ostra niewydolność serca, a nawet zawał mięśnia sercowego.

Nadciśnienie tętnicze to choroba bardzo podstępna i coraz bardziej powszechna. Jej przyczynami są zła dieta, brak aktywności fizycznej, duża ilość używek i stres.

Zawał serca

To właśnie na zawał umiera największa ilość Polaków. Choroby układu sercowo-naczyniowego są również główną przyczyną zgonów na świecie. Co roku z ich powodu umiera 17,2 miliona ludzi. W Polsce kłopoty związane z układem krążenia odpowiadają za 48% wszystkich zgonów. Ryzyko zawału wzrasta wraz z pojawieniem się otyłości (cierpi na nią 16 milionów Polaków), kłopotów z prawidłowym poziomem cholesterolu (16 milionów), nadciśnienia (9 milionów) i paleniem papierosów (10 milionów).

Czy pożywienie wysokiej jakości jest naprawdę droższe?

Pożywienie jest naszym paliwem. Jeśli będzie niskiej jakości, nasz organizm na tym ucierpi. Nie oczekujemy, że nasz samochód będzie sprawny przez wiele lat, jeśli wlewamy do niego kiepskie paliwo. Mamy jednak złudzenie, że nasz organizm wszystko przetrawi i ze wszystkim sobie poradzi, a jeśli nie, to pomożemy mu odpowiednimi lekami lub środkami wspomagającymi trawienie. Dziwimy się potem, że nasze organy szwankują. Niewłaściwy sposób odżywiania musi odbić się na zdrowiu. Nawet jeśli optymistycznie sądzimy, że zachorować może każdy, tylko nie my.

Pożywienie nieprzetworzone, ekologiczne, niemodyfikowane genetycznie i zdrowe jest droższe, podobnie jak każdy inny produkt wysokiej jakości. Robimy wszystko, by kupić najlepszy samochód, na jaki nas stać, jednak w przypadku jedzenia często machamy ręką i kupujemy to, co najtańsze. Jemy każdego dnia, a to, co kładziemy na talerzu, ma ogromny wpływ na nasze zdrowie i przyszłość.

Kiedy proponuję zmianę sposobu odżywiania, słyszę czasem argument: dieta, którą polecasz, jest kosztowna. Zastanówmy się jednak, czy tańsze okażą się całe lata leczenia przewlekłych chorób, których można uniknąć, stosując odpowiednią dietę. Jeśli przeliczymy wszystkie kwoty wydane na wizyty lekarskie, lekarstwa i sanatoria, to okaże się, że inwestowanie w siebie za pomocą zdrowej i pełnowartościowej diety jest zdecydowanie bardziej opłacalne. Zamiast zjeść dwie kromki białego, taniego pieczywa, które będzie nam szkodziło, zjedzmy jedną kromkę droższego pieczywa razowego, które odżywi nasz organizm.

Co jeść, żeby być zdrowym?

Jemy po to, aby się odżywiać i to słowo powinno być dla nas kluczem do konstruowania codziennego *menu*. Postarajmy się zrezygnować ze wszystkich produktów, których spożywanie nie przyniesie nam korzyści, a będzie szkodzić. Do takich należą na pewno białe pieczywo, wędliny, dania gotowe do

Kitri, czyli hinduski sposób na danie idealne

Istnieje ogromna ilość wariantów kitri. Można ugotować ryż, rośliny strączkowe i warzywa oddzielnie, jednak w moim przepisie przygotowywane są razem.

200 g fasolki mung (w połówkach)
250 g pełnowartościowego ryżu basmati lub brązowego
1,6 l wody
½ kalafiora
2 średniej wielkości marchewki
4–5 średniej wielkości pomidorów
2 łyżeczki świeżego imbiru startego lub dokładnie posiekanego
2 łyżeczki kminu rzymskiego w całości
2 łyżeczki kminu rzymskiego mielonego
2 łyżeczki kurkumy
½ łyżeczki asafetydy
1–2 łyżeczki soli
2 łyżki klarowanego masła (ghee) lub oleju z pestek winogron
sok wyciśnięty z ½ dużej cytryny
duża garść świeżej, posiekanej kolendry

Fasolkę mung oraz ryż umyj i odsącz. Warzywa umyj, obierz i pokrój. W garnku o grubym dnie rozgrzej tłuszcz, dodaj kmin rzymski w całości, a gdy lekko nasączy się tłuszczem, dodaj pozostałe przyprawy oraz imbir. Wrzuć pokrojone marchewki, a po chwili różyczki kalafiora. Mieszaj warzywa przez 3–4 minuty, a następnie dodaj ryż oraz fasolkę mung. Przesmażaj przez minutę, stale mieszaj. Dodaj wodę, sól i doprowadź do wrzenia. Następnie zmniejsz ogień do minimum i gotuj z lekko uchyloną pokrywką przez mniej więcej 40 minut (od czasu do czasu mieszaj, by potrawa nie przykleiła się do dna garnka). Niektóre gatunki brązowego ryżu mogą wymagać dłuższego gotowania. Należy wówczas gotować potrawę tak długo, aż ryż i fasolka będą całkowicie miękkie. Jeśli przed zakończeniem gotowania woda zostanie całkowicie wchłonięta, dolej trochę gorącej wody.
Na 10 minut przed zakończeniem gotowania dodaj obrane ze skórki i pokrojone w kostkę pomidory. Gdy potrawa będzie ugotowana, dodaj sok z cytryny i w razie potrzeby świeżo mielony czarny pieprz. Całość delikatnie wymieszaj widelcem i posyp obficie posiekaną kolendrą.

spożycia, słodzone napoje, które pełne są sztucznych barwników, aromatów i konserwantów. One na pewno nie są odpowiednim „paliwem" dla organizmu człowieka. Popularne napoje typu *light* mają w składzie prawie całą tablicę Mendelejewa. Ich jedyną zaletą jest to, że nie tuczą, natomiast lista wad jest dużo dłuższa. Czysta woda również nie tuczy, a oczyszcza nasz organizm. Kupując soki, sprawdzajmy na opakowaniu ich skład (uwaga na cukier i konserwanty). Najzdrowsze są te, które same przygotujemy w domu. Warto spróbować i poświęcić na to czas, bowiem smak takiego soku jest nie do opisania.

W zdrowej diecie nie ma też miejsca na paluszki, precelki, popcorn, chipsy, frytki, hamburgery, czyli ogólnie fast food i wszelkie „błyskawiczne" potrawy. Wyeliminujmy także słodycze (z wyjątkiem gorzkiej czekolady o zawartości minimum 70% kakao) oraz ciastka i ciasta, oprócz tych, które sami pieczemy w domu na święta. Warto zrezygnować z potraw smażonych, które są szczególnie szkodliwe (z wyjątkiem smażonych krótko, na przykład w woku, z małą ilością tłuszczu).

Jeśli chcemy jeść mięso, lepiej żeby nie było smażone i dodatkowo obtoczone w panierce. Najzdrowszym sposobem przyrządzania go jest pieczenie, gotowanie lub duszenie. Grillowanie również nie jest zdrowe, co wiele osób na pewno zasmuci. Oczywiście jeśli zjemy coś smażonego lub grillowanego raz na jakiś czas, nic nam się nie stanie. Jednak takie potrawy nie mogą stanowić podstawy naszego odżywiania, a smażenie nie powinno być podstawowym sposobem przygotowywania potraw.

Jedzenie powinno dostarczać składników odżywczych. Od ich ilości zależy prawidłowe funkcjonowanie naszego ciała i umysłu. Najlepsza dieta to zatem taka, która dostarcza ich wystarczająco dużo. Sposobem na to jest wypełnienie *menu* warzywami, owocami, złożonymi węglowodanami i wszelkimi produktami pochodzenia naturalnego. Dieta niełączenia ze względu na wybór produktów najwyższej jakości i odpowiedni sposób ich przyrządzenia powoduje, że układ trawienny zostaje odciążony. To wielka ulga dla organizmu, który zaczyna trawić w prawidłowy sposób, przez co zwiększa się jego wydajność. Po powrocie do naturalnego, pełnowartościowego pożywienia nadwaga znika, ciśnienie wraca do normy, podobnie jak poziom cholesterolu i cukru we krwi, a układ pokarmowy zaczyna funkcjonować prawidłowo. Wzmacnia się system odpornościowy, ustępują takie dolegliwości jak chroniczne zmęczenie, apatia, bóle głowy, problemy ze snem, uczucie rozdrażnienia i wszelkie dolegliwości związane z nieprawidłowym trawieniem. Skóra się oczyszcza i zostaje odpowiednio nawilżona, włosy odzyskują blask. Wyrównane zostają niedobory witamin i minerałów. Powraca naturalna energia, lekkość i optymalna waga. Zmianie ulega całe nasze życie, ponieważ samopoczucie i zdrowie mają bezpośredni wpływ na jego jakość. Wzrasta wydajność w pracy, jakość kontaktów międzyludzkich, pojawiają się siła i energia do realizowania planów i zamierzeń. Zmiana naszego życia zaczyna się na talerzu.

Grupy produktów

W diecie niełączenia produkty spożywcze zostały podzielone na trzy grupy: białka, węglowodany i grupę neutralną. Ten podział wynika z ilości białek i węglowodanów znajdujących się w danym produkcie, ale również ze względu na to, czy podczas rozkładu produktu w organizmie powstają kwasy czy zasady.

W diecie niełączenia nie jemy razem białek i węglowodanów, łączymy je jedynie z produktami z grupy neutralnej.
To znaczy, że właściwe są połączenia:
białka + grupa neutralna
węglowodany + grupa neutralna

Zasada rozdzielności białek i węglowodanów dotyczy nie tylko danej potrawy, ale całego posiłku. Jeśli nasz obiad składa się z dwóch dań, to nie możemy zjeść dania zawierającego węglowodany, a chwilę potem potrawy, w której przeważają białka.

Grupa 1 BIAŁKA

SERY – wszelkie ich odmiany
JAJKA – całe jajka i białko
RYBY – wszystkie gatunki ryb, skorupiaków i owoców morza (gotowane, smażone, wędzone, surowe)
MIĘSO – wszystkie rodzaje i gatunki mięsa, drób i podroby
MLEKO – o każdej zawartości tłuszczu
ROŚLINY STRĄCZKOWE, w tym SOJA oraz wszelkie jej przetwory, takie jak tofu, makaron sojowy, mleko sojowe
NAPOJE – soki owocowe i warzywne, herbaty owocowe, białe i czerwone wino, szampan

Grupa 2 WĘGLOWODANY

ZBOŻA – żyto, jęczmień, pszenica, owies, proso, orkisz, ryż, pęczak, kasza gryczana, kasza jęczmienna, kasza jaglana, kasza manna, kuskus, kukurydza
PRODUKTY ZBOŻOWE – mąka, chleb, płatki zbożowe, otręby, wyroby piekarnicze
MAKARONY – wszystkie (z wyjątkiem makaronu sojowego – grupa białek)
WARZYWA – ziemniaki, skorzonera, bataty (ze względu na dużą zawartość skrobi)
OWOCE – banany, świeże figi, daktyle, kasztany jadalne, suszone owoce (z wyjątkiem rodzynek, które są w grupie neutralnej)
MIÓD, CUKIER, MELASA, SYROP KLONOWY, SŁODYCZE

Grupa 3 NEUTRALNA

WARZYWA – wszystkie surowe i gotowane warzywa liściaste, korzeniowe, owocowe i kapustne, bulwy, wszystkie rodzaje sałat, grzyby (z wyjątkiem ziemniaków, batatów, skorzonery – grupa węglowodanów)
KIEŁKI – świeże kiełki wszystkich warzyw
OWOCE – wszystkie świeże i mrożone, suszone rodzynki (inne suszone owoce są w grupie węglowodanów)
OLIWKI
PRZETWORY MLECZNE – wszystkie zakwaszone przetwory mleczne: masło, jogurty, kefiry, kwaśna i słodka śmietana
ZIOŁA – wszystkie, świeże i suszone
NASIONA, ORZECHY, PESTKI – wszystkie, świeże i suszone
TŁUSZCZE ROŚLINNE – wszystkie oleje i oliwy
ŻÓŁTKA JAJEK, ŚRODKI ŻELUJĄCE, ŚWIEŻE I SUSZONE
DROŻDŻE, PRZYPRAWY, MUSZTARDA, CHRZAN

Produkty z grupy 1 łączymy tylko z produktami z grupy 3.
Produkty z grupy 2 łączymy tylko z produktami z grupy 3.

Ważne jest, żeby przy planowaniu posiłków myśleć racjonalnie. W wielu publikacjach ser o zawartości tłuszczu powyżej 45% w suchej masie znajduje się w grupie produktów neutralnych, a poniżej (chude sery) przypisane są do grupy białkowej. Być może z naukowego punktu widzenia ma to jakiś sens, jednak doświadczenia moje i moich znajomych dowodzą, że łączenie sera i węglowodanów jest niewskazane i powoduje wyraźne zahamowanie utraty wagi ciała. Najbardziej szkodliwe i tuczące jest popularne spożywanie sera z białym pieczywem. Dobrym wyznacznikiem jest prostota: i pieczywo, i sery łączmy tylko z warzywami.

Gotowanie w zgodzie z dietą niełączenia

Gotowanie według zasad diety niełączenia wbrew pozorom nie jest skomplikowane. Wypróbuj moje sprawdzone przepisy na dania z warzyw oraz sycące zupy, które są najlepszym pożywieniem na chłodne dni.

Bakłażany

Bakłażany doskonale wpływają na poprawę przemiany materii. Są cennym źródłem błonnika. Zawierają wiele wartościowych pierwiastków (wapń, żelazo, fosfor, potas) oraz witaminy, między innymi C, A oraz B2. Mają właściwości odtruwające. Polecane są osobom, które przyjmują dużo leków, spożywają produkty przetworzone lub są po kuracji antybiotykowej. Ponadto bakłażany obniżają poziom złego cholesterolu i pomagają w leczeniu wątroby. Należy kupować tylko dojrzałe warzywa, ponieważ niedojrzałe zawierają solaninę i są trujące.

Bataty, pataty, czyli różne nazwy słodkich ziemniaków

Usain Bolt w jednym z wywiadów udzielonych zaraz po zdobyciu mistrzostwa świata w biegu na 100 metrów powiedział, że swój sukces zawdzięcza… batatom. Słodkie ziemniaki to specjalność gminy Trelawny na Jamajce, z której gwiazda sportu pochodzi. Bolt jest zwolennikiem diety obfitującej w warzywa, której podstawą są bataty. Mieszkańcy regionu wierzą, że mają one własności lecznicze. Słodkie ziemniaki stanowią też podstawę diety mieszkańców japońskiej wyspy Okinawa. Ludność zamieszkująca ten region oficjalnie uznana jest za najdłużej żyjącą populację naszej planety. W diecie mieszkańców wyspy bataty znajdują się niemal każdego dnia, najczęściej w połączeniu z zielonymi warzywami – zgodnie z dietą niełączenia. Bataty zawierają skrobię, dlatego w posiłkach najlepiej komponują się z warzywami z grupy neutralnej.

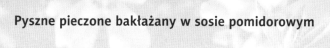

Pyszne pieczone bakłażany w sosie pomidorowym

2 bakłażany (około 600 g)
2 pory
3 ząbki czosnku
4 duże mięsiste pomidory
1 cebula
3 łyżki oleju z pestek winogron
1 łyżka suszonej bazylii
sól morska, świeżo mielony czarny pieprz, opcjonalnie 1 łyżka inuliny

Bakłażany umyj i pokrój w kostkę. Cebulę obierz i pokrój w paski. Pory
oczyść, umyj, przekrój wzdłuż i pokrój w paski.
Wszystkie warzywa (oprócz pomidorów) wyłóż na blachę, polej 2 łyżkami
oleju z pestek winogron, posyp suszoną bazylią i wstaw do piekarnika
z termoobiegiem nagrzanego do temperatury 150°C. Piecz około 15 minut,
aż warzywa staną się miękkie i lekko zarumienione.
Pomidory sparz wrzątkiem, obierz ze skórki i pokrój w kostkę. W garnku
rozgrzej 1 łyżkę oleju z pestek winogron, dodaj świeżo mielony czarny pieprz,
posiekany czosnek i przesmażaj przez chwilę. Następnie dodaj pokrojone
pomidory. Gdy puszczą sok, wrzuć upieczone warzywa. Duś przez mniej
więcej 5 minut na wolnym ogniu.
Całość dopraw solą i ewentualnie inuliną (zagęszcza, nadaje lekką słodycz,
wzbogaca potrawę dodatkową dawką błonnika).
Przed podaniem możesz obficie posypać potrawę posiekaną natką
pietruszki, świeżą bazylią, kolendrą bądź koperkiem. Podawaj na zimno
lub na gorąco, jako samodzielne danie lub z dodatkiem ryżu, makaronu czy
pieczywa.

Bataty to warzywa bulwiaste, słodki odpowiednik naszych ziemniaków. Niektóre odmiany mają pomarańczowy kolor i zawierają duże ilości beta-karotenu, który jest cennym przeciwutleniaczem. Mniej popularne są odmiany o białym miąższu i fioletowej skórce w odcieniu bladego bakłażana.

Na czym polega fenomen batatów? Badania dowodzą, że spożywanie ich może zmniejszyć ryzyko zachorowania na choroby nowotworowe, w tym raka płuc nawet u byłych palaczy. Bataty są bogate w inhibitory proteaz, które hamują rozwój komórek nowotworowych i wirusów. Spożywanie batatów może wpływać na obniżenie poziomu złego cholesterolu we krwi. Warzywa te zawierają także liczne substancje przeciwutleniające, które wpływają nie tylko na poprawę zdrowia, ale także hamują procesy starzenia.

Bataty są przedmiotem badań naukowców od czasu, gdy w 1943 roku udało się uzyskać z nich progesteron – żeński hormon. Wyciąg z tej rośliny używany jest do łagodzenia dolegliwości związanych z menopauzą (wyrównuje poziom hormonów żeńskich), a także z zapaleniem stawów.

Mitem okazało się twierdzenie, że słodkie ziemniaki wymagają ciepłego klimatu. Z powodzeniem uprawia je w Polsce na Podkarpaciu pani Barbara Krochmal-Marczak, która prowadzi również badania nad batatami.

Dla mieszkańców naszego kraju najbardziej wskazane jest spożywanie warzyw wyhodowanych w naszym klimacie i na naszej glebie. Być może nazwa „bataty" i sam pomysł ich jadania brzmią nieco egzotycznie, ale przecież tradycyjne ziemniaki też przywędrowały do nas kiedyś z dalekich krajów, a ich ojczyzną nie jest Polska, lecz Ameryka Południowa.

Jestem wielką amatorką batatów nie tylko ze względu na ich niezwykłe właściwości zdrowotne, ale również walory smakowe. Bataty są delikatne i naturalnie słodkie. Dobrze przyrządzone dosłownie rozpływają się w ustach i pieszczą podniebienie. W książce *Smak życia* podałam przepis na purée z batatów z mlekiem kokosowym i kolendrą. Teraz spróbuj batatów pieczonych.

Bataty pieczone

1 kg batatów
1 łyżka oleju z pestek winogron
3–4 ząbki czosnku
sól i pieprz do smaku
opcjonalnie kawałek świeżego utartego imbiru
świeże lub suszone zioła: tymianek, cząber, rozmaryn

Bataty starannie umyj. Jeśli zachodzi taka potrzeba, to wyszoruj je szczotką i usuń przebarwienia, ale nie obieraj ze skórki – w niej zawartych jest wiele substancji odżywczych. Pokrój bataty na kawałki. Wrzuć do dużej miski, polej olejem, dodaj pozostałe składniki i całość wymieszaj. Wyłóż na blachę i wstaw do piekarnika nagrzanego do 180°C.

Bataty pieką się krócej niż ziemniaki – w zależności o wielkości kawałków od 15 do 20 minut. Można również włączyć termoobieg, ale wówczas należy zmniejszyć temperaturę do 140°C. Bataty są najsmaczniejsze, gdy skórka stanie się przypieczona i lekko chrupiąca.

Z czym je łączyć? Na pewno nie tak jak większość Amerykanów z pieczonym indykiem, ale w ślad za mieszkańcami Okinawy – z zieloną sałatą. Dla przełamania słodyczy batatów można do niej dodać wspaniały, wyrazisty w smaku sos winegret. Bataty doskonale komponują się też z wszelkimi świeżymi ziołami, na przykład z kolendrą.

Brokuły

Brokuły są bardzo popularne wśród osób, które dbają o zdrowie i piękną sylwetkę. I słusznie, ponieważ brokuły zawierają bardzo mało kalorii i mnóstwo witamin oraz soli mineralnych. Podczas komponowania posiłków doskonale zastępują ziemniaki, a ugotowane na parze są świetnym dodatkiem do pieczonych ryb, drobiu i mięs. Z odpowiednim sosem doskonale pasują do makaronu, ryżu i roślin strączkowych.

Brokuły są doskonałym źródłem witaminy C. Zawierają także witaminy A, B i PP oraz magnez, fosfor, wapń i żelazo. Duże ilości kwasu foliowego czynią brokuły niezastąpionymi warzywami w diecie kobiet ciężarnych, osób niedożywionych i cierpiących na anemię. Dobroczynny wpływ na zdrowie brokuły zawdzięczają również zawartym w nich flawonoidach, a bogactwo sulforafanów pobudza procesy zwalczania wolnych rodników.

Kupując brokuły, należy zwracać uwagę na ich kolor, który powinien być nie żółty, ale zielony, a struktura warzywa jędrna i zwarta. Najzdrowiej jest gotować brokuły na parze.

Aromatyczne brokuły w towarzystwie jogurtu, z odważną nutą hinduskich przypraw

1 główka brokułów podzielona na różyczki i ugotowana na parze

Sos jogurtowy
250–300 ml gęstego jogurtu
1 łyżka oliwy z oliwek extra vergine
sok z 1 cytryny
kawałek świeżego, drobno startego korzenia imbiru (około 3–4 cm)
2 łyżeczki garam masala w proszku, ewentualnie kmin rzymski lub curry
1 ząbek czosnku obrany i przeciśnięty przez praskę

Składniki sosu wymieszaj. Ciepłe brokuły polej sosem jogurtowym, a całość posyp obficie posiekaną świeżą kolendrą, natką pietruszki lub szczypiorkiem.
Brokuły można podawać na ciepło lub na zimno, jako osobne danie lub dodatek do pieczonych ryb, mięs, makaronów lub ryżu.

Buraki

Buraki są w naszym kraju tak powszechne, że straciły należny im szacunek. Burakiem nazywamy czasami osobę, którą cechuje brak manier, płytką, nieobytą, a nawet prymitywną. Bardzo zaszkodziło to reputacji warzywa, które z powodu pomówień straciło swą popularność. Ośmieszony burak powędrował do lamusa, z którego najwyższy czas go wydobyć i podarować mu nowe życie.

Walory zdrowotne buraka są olbrzymie: oprócz witaminy C, witamin z grupy B oraz witaminy PP, zawiera kwas foliowy i karoten, bogactwo soli mineralnych, wśród których szczególnie cenne są sole potasowe. Obecne są w nim także pierwiastki śladowe: magnez, wapń, sód i kobalt. Ten ostatni jest szczególnie istotny, gdyż bez niego organizm nie jest w stanie syntetyzować witaminy B12, wraz z kwasem foliowym niezbędnej w procesie tworzenia czerwonych ciałek krwi. Buraki są idealnym rozwiązaniem dla wegetarian oraz osób cierpiących na anemię. Ze względu na zawartość rzadkich metali – rubinu i cezu – buraki zaleca się w profilaktyce nowotworowej, po chemioterapii, a także przy

Moje ulubione pieczone buraki

Są zdumiewająco smaczne. To spore zaskoczenie, bo czy istnieje coś prostszego do przygotowania niż pieczone buraki? Po raz kolejny sprawdza się twierdzenie, że w prostocie jest siła. Moje pieczone buraki są tak pyszne, że czasami samolubnie zjadam ich całą blachę i nie zostaje nic dla mojej rodziny. Bardzo mi wtedy wstyd... Na szczęście buraki jedzone nawet w dużych ilościach nie tuczą.

Aby pieczone buraki były naprawdę pyszne, musi być spełniony pewien warunek – do pieczenia nadają się tylko małe warzywa. Wyrośnięte stają się zbyt wodniste, tracą aromat i słodycz. Możesz upiec ich kilka albo całą blachę.

> małe buraki
> olej z pestek winogron
> czosnek
> kawałek świeżego imbiru
> ocet balsamiczny
> posiekany koperek
> posiekana natka pietruszki
> sól i pieprz do smaku

Buraki wyszoruj, osusz, przekrój na pół, wyłóż na blachę i polej olejem z pestek winogron. Piecz w skórce, w piekarniku z termoobiegiem w temperaturze 160°C przez mniej więcej 30 minut (jeśli buraki są większe, może to trwać dłużej).

Gdy warzywa ostygną, zdejmij skórkę (sama będzie łagodnie schodziła) i pokrój buraki na kawałki lub plastry. Dodaj sól, świeżo mielony czarny pieprz, starty czosnek i imbir, odrobinę dobrego octu balsamicznego oraz sporą garść posiekanego koperku i natki pietruszki.

Buraki doskonale smakują również polane sosem winegret.

Jeśli dodasz ugotowaną fasolę jaś, otrzymasz świetną sałatkę, którą w pudełku możesz zabrać do pracy.

nieprawidłowym ciśnieniu, białaczce, hemofilii oraz drętwieniu kończyn. Stosowane są również przy leczeniu otyłości i nadwagi, ponieważ zawierają bardzo mało kalorii, a wiele cennych składników odżywczych.

Picie surowego soku z buraków oczyszcza krew i pomaga w wydalaniu kwasu moczowego z organizmu. Pobudza krążenie i jest niezwykle pomocne przy złej przemianie materii. Sok z buraków zalecany jest również osobom cierpiącym na choroby wątroby i nerek.

Oczyszczający krew i ekspresowo wzmacniający organizm sok z warzyw

1 burak
2 marchewki
3 jabłka
sok z 1 cytryny

Buraka, marchewek i jabłek nie obieraj ze skórki, tylko bardzo porządnie wyszoruj pod bieżącą wodą. Z jabłek usuń gniazda nasienne. Za pomocą sokowirówki wyciśnij sok, dodaj do niego sok wyciśnięty z cytryny, całość wymieszaj i odstaw na pół godziny, gdyż nie należy pić surowego soku z buraków bezpośrednio po wyciśnięciu.

Fasolka szparagowa

Fasolka szparagowa zawiera mnóstwo cennego błonnika, który pęcznieje w przewodzie pokarmowym i daje uczucie sytości. Dzięki niemu szybciej poczujesz się najedzona. Strączki najlepiej jest gotować na parze. Tracą wtedy najmniej witamin i zachowują walory odżywcze, zwłaszcza kwas foliowy, witaminy z gruby B oraz fitoestrogeny. Te ostatnie są dla kobiet szczególnie cenne, ponieważ budową zbliżone są do żeńskich hormonów. Fasolkę szparagową zaleca się zwłaszcza kobietom, które przekroczyły czterdziesty rok życia. Roślinne hormony zawarte w strączkach mogą wpłynąć na zahamowanie rozwoju nowotworów piersi i szyjki macicy. Fitoestrogeny pomagają również zachować na długo mocne kości, ponieważ powstrzymują rozwój osteoporozy. Naukowcy stwierdzili nawet, że substancje zawarte w fasolce mogą zwiększać gęstość kości u kobiet po pięćdziesiątym roku życia.

Gotowanie fasolki musi trwać co najmniej 10 minut, ponieważ surowa zawiera fazynę, która jest substancją trującą. Nie należy jednak gotować fasolki zbyt długo, by nie straciła swoich wartości odżywczych.

Fasolka szparagowa z kolendrą i imbirem

Chociaż w naszym kraju najpopularniejsze jest jedzenie fasolki szparagowej z dodatkiem tartej bułki, można ją przyrządzić na bardzo wiele innych sposobów. Podaję jeden z moich ulubionych, którym latem zachwycają się moi goście.

800 g świeżej zielonej fasolki szparagowej
½ szklanki posiekanego szczypiorku
1 pęczek świeżej kolendry
kawałek świeżego imbiru (około 2 cm)
1–2 ząbki czosnku
1 łyżka masła klarowanego lub oliwy z oliwek z pierwszego tłoczenia
sok z ½ cytryny
sól do smaku

Fasolkę umyj i obierz. Gotuj na parze przez mniej więcej 12 minut (w zależności od rodzaju fasolki może to trwać dłużej, zwłaszcza w przypadku większych odmian). Fasolka powinna być miękka, ale jednocześnie nadal chrupiąca, dlatego nie należy gotować jej zbyt długo. Na dnie garnka rozpuść klarowane masło, dodaj drobno starte czosnek i imbir. Wrzucić ugotowaną fasolkę, dodaj sól, sok z cytryny oraz kolendrę i szczypiorek. Całość delikatnie wymieszaj.

Doskonałe pieczone warzywa w ziołami

Taka potrwa z dodatkiem zielonych sałat jest idealną propozycją na obiad lub lekką kolację. Jeśli warzywa upieczemy bez ziemniaków, otrzymamy świetny dodatek do ryb, mięs lub pełnoziarnistego pieczywa.

> warzywa: buraki, ziemniaki, papryka, cukinia, cykoria, marchewka, cebula, pieczarki czosnek, pory...
> olej z pestek winogron
> suszone zioła: cząber, majeranek, tymianek, rozmaryn, zioła prowansalskie lub czubryca
> świeże zioła: natka pietruszki, koper, bazylia
> sól morska
> świeżo mielony czarny pieprz

Warzywa kroimy na kawałki, wykładamy na blachę, polewamy olejem i posypujemy suszonymi ziołami. Wstawiamy do piekarnika z termoobiegiem nagrzanego do 140°C. Pieczemy około 30 minut (w zależności od wielkości kawałków). Posypujemy grubo mieloną solą morską i dużą ilością świeżych ziół.

Kasze

Kasze ostatnio stają się coraz bardziej popularne. To dobrze, ponieważ pod względem wartości odżywczych przewyższają ryż, makarony czy ziemniaki. Są bogatym źródłem skrobi i węglowodanów, które w organizmie rozkładają się powoli. Na długo zapewniają uczucie sytości i są bezcennym paliwem dla prawidłowej pracy mózgu oraz innych narządów i tkanek.

Kasze zawierają bogactwo witamin (E, PP, witaminy z grupy B) oraz kwas foliowy, a także składniki mineralne (potas, żelazo, magnez, wapń, miedź, cynk, mangan i krzem). Im mniej oczyszczone i rozdrobnione ziarno, tym kasza zawiera więcej cennych składników odżywczych.

Kasze zalecane są zwłaszcza osobom żyjącym w napięciu, poddanym ciągłemu stresowi i mającym skłonności do depresji. Zawarte w kaszach witaminy z grupy B łagodzą objawy stresu, wspomagają pracę układu nerwowego, poprawiają pamięć i nastrój. Kasza jęczmienna doskonale reguluje trawienie. Duża zawartość witaminy PP obniża poziom złego cholesterolu, rozszerza naczynia krwionośne i poprawia wygląd skóry. Zawiera mnóstwo błonnika.

Krupnik zupełnie inaczej

2 marchewki
1 pietruszka (korzeń)
1 por
½ selera
8 łyżek kaszy jęczmiennej
3 ząbki czosnku
starty korzeń świeżego imbiru (około 2–3 cm)
½ małej papryczki chili (bez nasion)
½ łyżki soli
1 łyżeczka kurkumy
2 łyżeczki curry
1 łyżeczka kminu rzymskiego
1 łyżka masła klarowanego
2,5 litra wody
grubo mielony czarny pieprz
świeża posiekana kolendra lub natka pietruszki

Marchewkę, pietruszkę i seler obierz, umyj i zetrzyj na tarce o bardzo grubych oczkach. Usuń pióropusz pora, a jasną część drobno posiekaj. Czosnek obierz i posiekaj. W garnku o grubym dnie rozgrzej klarowane masło, dodaj czosnek, pieprz, imbir i resztę przypraw, a następnie wrzuć starte warzywa i posiekanego pora. Całość przesmażaj przez chwilę, stale mieszając. Zalej wrzącą wodą, doprowadź ponownie do wrzenia i wrzuć opłukaną kaszę. Na końcu dodaj sól i papryczkę chili.
Gotuj na wolnym ogniu przez mniej więcej 30 minut (aż kasza stanie się zupełnie miękka i kleista).
Po ugotowaniu dodaj do zupy posiekaną świeżą kolendrę, a jeśli nie masz – natkę pietruszki.

Kiszone ogórki

Kiszone ogórki są w Polsce tak popularne, że prawie zupełnie przestaliśmy je cenić. W Polsce ogórki uprawia się od blisko czterystu lat. Kwaszenie to jedna z najstarszych i najbardziej popularnych metod utrwalania żywności, znana na niemal całym świecie. Jest ceniona nie tylko przez smakoszy, ale również specjalistów od spraw żywienia. Kiszone warzywa odznaczają się wysoką wartością odżywczą, ponieważ zawierają bogactwo składników mineralnych (potas, wapń, cynk, żelazo, magnez i beta-karoten), witamin (C, B6, B12 i K) oraz są cennym źródłem błonnika. Kiszonki zawierają też związek chemiczny zwany acetylocholiną, wpływający na regulację ciśnienia krwi oraz działający korzystnie na perystaltykę jelit. Likwidują problemy trawienne, ospałość, a nawet depresję. Wzmacniają organizm i pomagają leczyć przeziębienia. Sprawiają, że dłużej czujemy się syci i przyspieszają spalanie kalorii. Sprzyjają lepszemu przyswajaniu potraw, ponieważ wspomagają wydzielanie soków żołądkowych. Pomagają w usuwaniu nadmiaru wody z organizmu i są bardzo ważnym składnikiem wszelkich diet odchudzających.

Jedna z bakterii biorących udział w procesie kiszenia wytwarza duże ilości witaminy C, której pozbawione są surowe ogórki. Ponieważ w naszym przewodzie pokarmowym powinny znajdować się drobnoustroje, które wspomagają trawienie i podnoszą odporność organizmu, produkty kiszone są niezwykle wskazane. Stanowią doskonałe źródło bakterii, które wspomagają trawienie. Pomagają zwalczać grzybice, działają silnie odkwaszająco i pomagają usuwać toksyny z organizmu.

Najlepsze na świecie kiszone ogórki mojej Mamy

Ogórki do kiszenia powinny być dosyć małe, jędrne i twarde. Zbyt wyrośnięte ogórki będą wodniste i nie zachwycą swoim smakiem. Ogórki można kisić w słoikach, ale najlepiej smakują te ukiszone w specjalnej kamionce.

   1 kg ogórków
   1 duża główka obranego ze skórki czosnku
   obrany i przekrojonu wzdłuż kawałek korzenia chrzanu
   4 duże łodygi kwitnącego kopru
   garść liści czarnej porzeczki, wiśni i dębu
   1 łyżka soli

Na litr wrzącej wody daj 1 łyżkę soli (dobrze rozpuść!) i zalej ogórki wraz z dodatkami tak, by wszystko było dokładnie przykryte wodą. Na wierzchu ogórków ułóż zwinięty pęk kopru, przyciśnij kamieniem (by ogórki i przyprawy nie wypływały na powierzchnię) i całość przykryj pokrywką.
Bardzo ważne jest, by ogórki były zawsze pokryte zalewą, aby nie dostawało się do nich powietrze, które powoduje powstawanie pleśni, sprzyjającej rozwojowi bakterii gnilnych. Na początku kwaszenia ogórki powinny stać w pomieszczeniu o temperaturze 18–25°C, a po 7–10 dniach trzeba je przenieść w chłodniejsze miejsce.

Najlepsza zupa ogórkowa „z widokiem na Śnieżnik"

Pod koniec lipca, podczas wakacji na wsi w Górach Złotych, ugotowałam tę zupę z ogórków świeżo-, ale dobrze ukiszonych. Dwa tygodnie wcześniej surowe ogórki umieściłam w dużej kamionce, dodałam duży pęk kwitnącego kopru oraz przyprawy, a następnie całość zalałam wodą i przykryłam pięknym kamieniem o nieregularnych kształtach. Kiszone ogórki pachnące czosnkiem, koprem, chrzanem, liśćmi czarnej porzeczki i wiśni, wiatrem i słońcem są po prostu wyjątkowe. Przepis przekazała mi moja Mama, jako prezent na szczęśliwe życie.

Zupę z kiszonych ogórków domowej roboty z dodatkiem garści siekanego kopru, z pajdą chleba i z widokiem na Śnieżnik zjadłam w lipcowe popołudnie, siedząc na ławce przed domem. Proste przyjemności cieszą najbardziej. Życie jest piękne!

½ kg ogórków kiszonych (według przepisu mojej Mamy)
2 marchewki
1 korzeń pietruszki
1 por
kawałek selera
1 cebula
3 ząbki czosnku
4 liście laurowe
kilka ziaren ziela angielskiego
czuszka – mała, ostra papryczka
opcjonalnie kilka młodych ziemniaków (jeśli zupę jemy bez chleba)
1 łyżka masła klarowanego
świeżo mielony czarny pieprz
grubo siekany zielony koper

Na maśle przesmaż świeżo mielony czarny pieprz, cebulę i czosnek, dodaj pokrojone warzywa, grubo starte ogórki, liść laurowy, ziele angielskie oraz przekrojoną na pół czuszkę (bez gniazd nasiennych). Całość zalej wrzątkiem i gotuj do miękkości.
Na końcu dodaj dużą garść posiekanego kopru.

Co ze śniadaniem?

Wśród osób, które regularnie spożywają zdrowe śniadania, otyłość występuje znacznie rzadziej. Ważna jest oczywiście ilość i jakość porannego posiłku. Na śniadanie najlepsze są węglowodany złożone, które długo się trawi (uczucie nasycenia trwa dłużej). Idealnym pomysłem jest więc bogata w błonnik owsianka z dodatkiem otrębów, pestek i ziaren (migdałów, pestek słonecznika, siemienia lnianego, sezamu).

Wiele osób, które bardzo chciałyby schudnąć, popełnia błąd, kiedy wstając rano, postanawia, że m u s i schudnąć i rezygnuje ze śniadania. Tacy ludzie w ciągu dnia jedzą, co wpadnie im w ręce, a wieczorem, po powrocie z pracy, ogarnia ich niepohamowany napad głodu, w związku z czym objadają się na noc. Rano budzą się przejedzeni, postanawiają, że m u s z ą schudnąć, więc rezygnują ze śniadania... I tak w kółko przez wiele lat. Najlepszym sposobem wyjścia z tego błędnego koła jest rozpoczęcie dnia do zdrowego, sycącego śniadania.

Moje śniadanie

Nigdy nie lubiłam płatków owsianych, a zupy mleczne były zmorą mojego dzieciństwa. Trauma tamtego okresu przez długi czas odpychała mnie od wszelkich płatków zbożowych. Samo słowo „owsianka" powoduje, że nawet dzisiaj cierpnie mi skóra na plecach i mam ochotę uciekać. Jak to się stało, że teraz niemal codziennie jem na śniadanie płatki zbożowe? Większości z nas nie wystarczy jedynie sama świadomość, że są one zdrowe. Nie jestem w tym odosobniona. Nie jadam tego, co mi nie smakuje, nawet jeśli jest to najzdrowsze. Jednak zanim na dobre wykreśliłam ze swojego jadłospisu owsiankę, zastanowiłam się, czy jest możliwe, by przygotować ją w taki sposób, żeby mi smakowała.

Eksperymentowałam... Przepis na sałatkę piękności znalazł się już w mojej poprzedniej książce, *Smak życia*. Potrzebowałam jednak ciepłej potrawy na chłodne dni, która rano rozgrzeje mnie i moją rodzinę, a także dostarczy nam energii na wiele godzin. Zaczęłam się zastanawiać, dlaczego owsianka mi nie smakuje. Po pierwsze dlatego, że jest mdła. Jej smak nie zadowala mojego podniebienia, ponieważ przywołuje na myśl paszę dla zwierząt. Nic na to nie poradzę, chociaż kocham zwierzęta.

Ugotowałam owsiankę na wodzie. Dodałam do niej sok z cytryny i trochę miodu. Następnie przyprawy: cynamon, goździki, tarty imbir i kardamon. Nałożyłam ją do miseczek dla siebie i swojej rodziny. Podeszliśmy do nowej potrawy ze sporym dystansem, ale ku naszemu zdziwieniu taka wersja owsianki naprawdę nam smakowała!

Następnie zaczęłam eksperymenty z różnymi płatkami zbożowymi. Odkryłam, że te błyskawiczne, ogólnie dostępne wcale nie są najlepsze. W sklepach ze zdrową żywnością znalazłam nie tylko płatki owsiane, ale również żytnie, orkiszowe i pszenne, a nawet ich mieszanki. Przekonałam się, że mają różne smaki i konsystencję. Zaczęłam wzbogacać je siemieniem lnianym, pestkami słonecznika, dyni, migdałami, orzechami, sezamem, rodzynkami i suszoną żurawiną. Potem stwierdziłam, że świetnie smakują z dodatkiem otrębów. Następnie odkryłam zarodki pszenne i amarantus. Miód zastąpiłam melasą z buraków. Dodałam jabłko starte razem ze skórką. Czułam się jak poszukiwacz przygód na wielkiej wyprawie!

Moja aromatyczna, pyszna owsianka stała się ulubioną potrawą całej rodziny. Każdy z nas zaobserwował, jak świetnie się po niej czuje. Układ trawienny zachowywał się tak, jakby otrzymywał coś wspaniałego, a my sami tryskaliśmy energią. Aż do obiadu nie czuliśmy głodu ani ssania w żołądku.

Okazało się, że owsianki nie muszę gotować, wystarczy zalać ją wrzątkiem wraz ze wszystkimi dodatkami, przykryć i zostawić na kilkanaście minut. To ważny czynnik, gdy rano spieszę się do pracy. Wyrobiłam sobie taki nawyk: wstaję rano i w pierwszej kolejności idę do kuchni, wsypuję do garnka płatki zbóż i dodatki, które przechowuję w specjalnych pojemnikach. Całość zalewam wrzącą wodą, przykrywam pokrywką i zajmuję się robieniem innych rzeczy. Potrawa przygotowuje się sama. Moje śniadanie nigdy nie smakuje tak samo i dzięki temu wciąż nie mam go dosyć.

Taka kreatywna owsianka to prawdziwa bomba odżywcza pełna błonnika. Trudno wymyślić lepszą potrawę na zdrowe śniadanie. W związku z tym przypomniał mi się pewien dowcip: Wiekowa para umiera i małżonkowie trafiają do raju. Jest tam naprawdę przepięknie: fontanny, wodospady, kwiaty, drzewa, najpiękniejsze krajobrazy. „Widzisz – mówi mąż do żony – gdyby nie ta twoja owsianka bylibyśmy tutaj już dziesięć lat temu!"

Składniki mojej owsianki

Płatki zbóż

Znajdują się w nich wszystkie podstawowe składniki pokarmowe: błonnik, węglowodany, białko, witaminy i sole mineralne. Witamina B6 dostarcza komórkom mózgowym i nerwowym porcję niezbędnych składników odżywczych, poprawia pamięć i koncentrację, a witamina B1 wzmacnia układ nerwowy, przeciwdziała zmęczeniu i rozdrażnieniu.

Płatki zbóż zawierają też cenne tłuszcze (niezbędne nienasycone kwasy tłuszczowe), które chronią przed powstawaniem nowotworów, odgrywają znaczną rolę w profilaktyce i leczeniu miażdżycy, a także zapobiegają powstawaniu zakrzepów. Wiadomo również, że dzięki dużej zawartości krzemu i cynku płatki doskonale służą urodzie naszej skóry, włosów i paznokci.

Otręby

To najbardziej wartościowa część ziarna. Orkisz jest bogatym źródłem błonnika, mikro- i makroelementów (w tym żelaza, magnezu, wapnia, cynku, potasu), witamin z grupy B i białka. Otręby orkiszowe są wskazane dla osób dbających o szczupłą sylwetkę, ponieważ regulują pracę przewodu pokarmowego (pomagają uzyskać płaski brzuch), zwiększają objętość pokarmu i likwidują uczucie głodu (dzięki dużej zawartości błonnika).

Migdały i orzechy

Są bardzo dobrym źródłem łatwo przyswajalnego białka, zawierają także duże ilości wapnia, witaminę E (substancję młodości), witaminę B2 (odpowiedzialną za prawidłowe funkcjonowanie układu nerwowego i narządów wzroku), mikroelementy: cynk (wzmacnia działanie układu odpornościowego) oraz magnez (pomaga radzić sobie ze stresem).

Siemię lniane

Jest bogate w witaminę E, cynk, kwas tłuszczowy omega-3, fitoestrogeny (blokują receptory estrogenowe, co przyczynia się do zmniejszenia podatności na nowotwory piersi, macicy i prostaty, mogą także przeciwdziałać niektórym skutkom menopauzy). Składniki występujące w siemieniu lnianym pomagają obniżyć zbyt wysoki poziom cholesterolu.

Ziarno sezamowe

Jest bogate w witaminy A i E (witaminy młodości), witaminy z grupy B (które wpływają pozytywnie na sprawność umysłową i odporność na stres), magnez, potas, wapń, żelazo, cynk, białko i fosfor, niezbędne nienasycone kwasy tłuszczowe (NNKT) i lecytynę (poprawiającą sprawność umysłową). Wysoka zawartość aminokwasów sprawia, że sezam jest bardzo łatwo przyswajalny przez organizm. Zawiera tłuszcze z grupy omega-3 i unikatowe substancje, takie jak sesamol i sesamolina (najlepsze znane przeciwutleniacze spowalniające procesy starzenia). Sezam pomaga w utrzymaniu młodej, elastycznej skóry, chroni organizm przed chorobami metabolicznymi i zmniejsza ryzyko nowotworów.

Oryginalne pomysły na śniadanie

Wydaje się, że osoby, które stosują dietę niełączenia, pozbawione są możliwości jadania pysznych śniadań. To nieprawda! Rezygnacja z klasycznych kanapek otwiera nas na kulinarne eksperymenty i poszukiwania. Oto kilka moich odkryć.

Jabłkowo-pomarańczowy kuskus z prażonymi migdałami

100 g kaszy kuskus
1 szklanka soku jabłkowego
1 szklanka posiekanych, prażonych migdałów bez skórki
½ łyżeczki cynamonu
1 pomarańcza obrana ze skórki i podzielona na kawałki
1 jabłko starte ze skórką na grubej tarce
3/4 szklanki lekkiego jogurtu

Zagotuj sok jabłkowy, zalej nim kaszę kuskus, przykryj pokrywką i pozostaw na mniej więcej 5 minut, aż kasza stanie się pulchna i miękka. Przemieszaj ją delikatnie widelcem.
Dodaj migdały, starte jabłko, cynamon i wymieszaj. Przełóż do miseczek, polej jogurtem, połóż na wierzchu kawałki pomarańczy i całość posyp cynamonem.

Płatki owsiane z figami i pistacjami

porcja dla 4 osób

    12 łyżek płatków owsianych
    ½ kubka pokrojonych suszonych (ale miękkich) fig
    ½ kubka pokrojonych suszonych śliwek kalifornijskich
    ½ szklanki soku pomarańczowego
    sok z ½ cytryny
    ½ łyżeczki cynamonu
    ½ szklanki pokrojonych, niesolonych, prażonych orzeszków pistacji
    1 duża pomarańcza obrana i pokrojona na kawałki

Płatki owsiane zalej na noc wodą, by rano były miękkie, lub rano zalej wrzątkiem i pozostaw pod przykryciem na 10 minut. Woda powinna lekko przykrywać suche płatki.

Dodaj wszystkie pozostałe składniki, poza pomarańczą i pistacjami, i wymieszaj. Przelej owsiankę do miseczek, na wierzchu ułóż kawałki pomarańczy i całość posyp orzeszkami pistacjowymi.

Pieczone jajka z serami i świeżymi ziołami

porcja dla 4 osób

    8 jajek
    ½ szklanki posiekanego szczypiorku
    1 łyżka posiekanej natki pietruszki
    1 łyżeczka posiekanego koperku
    2 listki posiekanego lubczyku (opcjonalnie)
    100 g twardego, pokrojonego na kawałki sera feta
    1/3 szklanki sera cheddar startego na grubej tarce

Nagrzej piekarnik do temperatury 180°C.

Przygotuj cztery żaroodporne miseczki. Umieść w nich zioła, do każdej miseczki wbij po dwa jajka i posyp serami. Piecz bez przykrycia przez 10 minut.

Podawaj z sałatką ze świeżych pomidorów z dymką lub szalotką.

Po co nam błonnik?

Spożywanie odpowiedniej ilości produktów bogatych w błonnik prowadzi do utraty zbędnych kilogramów, ponieważ błonnik pęcznieje w jelitach, na długo pozostawiając uczucie sytości, i reguluje pracę układu trawiennego. Sprawia też, że substancje odżywcze znajdujące się w pożywieniu są lepiej przyswajane przez organizm.

Żadna dieta nie będzie skuteczna bez dostarczania organizmowi odpowiedniej ilości błonnika, który umożliwia prawidłowe trawienie, przyspiesza przemianę materii i działa jak szczotka na nasz przewód pokarmowy.

Światowa Organizacja Zdrowia (WHO) zaleca spożywanie 30–40 gramów błonnika w ciągu doby. W społeczeństwach nieuprzemysłowionych, gdzie choroby cywilizacyjne (w tym otyłość) nie występują, spożycie błonnika wynosi aż 60 gramów dziennie! Polki jedzą go dużo mniej, jego średnia zawartość w naszej diecie to 15 gramów. Niedobór błonnika może być przyczyną licznych problemów z trawieniem.

Zawartość błonnika w moich ulubionych produktach

Podaję ilość błonnika w 100 gramach produktu:

Produkty zbożowe
otręby pszenne: 42,4 g
płatki żytnie: 11,6 g
płatki pszenne: 10,1 g
płatki jęczmienne: 9,6 g
płatki owsiane: 6,9 g
płatki kukurydziane: 6,6 g

Rośliny strączkowe (suche)
fasola czerwona: 25 g
fasola biała: 15,7 g
soja: 15,7 g
groch: 15 g
soczewica czerwona: 8,9 g
fasola adzuki: 4,3 g

Chleb
pumpernikiel: 6,4 g
żytni pełnoziarnisty: 6,1 g
chrupki pełnoziarnisty: 6 g
żytni razowy: 5,9 g
graham: 5,4 g

Kasze i ryż
ryż brązowy: 8,7 g
kasza jęczmienna perłowa: 6,2 g
kasza gryczana: 5,9 g
kasza jęczmienna pęczak: 5,4 g
kasza jaglana: 3,2 g
ryż biały: 2,4 g

Owoce
porzeczki czarne: 7,9 g
porzeczki czerwone: 7,7 g
jeżyny: 7,3 g
maliny: 6,7 g
porzeczki białe: 6,4 g
czarne jagody: 3,2 g

Owoce suszone
śliwki: 16,1 g
figi: 12,9 g
jabłka: 10,3 g
morele: 10,3 g
daktyle: 8,7 g
rodzynki sułtańskie: 7 g
rodzynki zwykłe: 6,8 g

Orzechy i nasiona
mak: 20,5 g
migdały: 12,9 g
sezam: 9,1 g
orzechy laskowe: 8,9 g
orzeszki ziemne: 8,1 g
orzechy arachidowe: 7,3 g
orzechy włoskie: 6,5 g
orzechy pistacjowe: 6,1 g
słonecznik: 6 g

Warzywa
awokado: 6,7 g
groszek zielony: 6 g
bób: 5,8 g
brukselka: 5,4 g
karczochy: 5,4 g
pietruszka, korzeń: 4,9 g
seler, korzeń: 4,9 g
botwina: 4,4 g
pietruszka, liście: 4,2 g
fasola szparagowa: 3,9 g
marchew: 3,6 g
bakłażany: 3,3 g

Owoce

Wiele osób twierdzi, że nie może jeść owoców, ponieważ im szkodzą. Dzieje się tak dlatego, że w naszej kulturze owoce jada się głównie po posiłku, czyli na deser. Są one trawione szybciej niż inne pokarmy (w ciągu 30–60 minut), zachodzi więc proces fermentacji, który powoduje różne dolegliwości (w tym powstawanie gazów i uczucie niestrawności).

Żeby cieszyć się smakiem owoców i w pełni korzystać z bogactwa ich składników odżywczych, wystarczy przestrzegać kilku prostych zasad:

◊ owoce należy jeść co najmniej godzinę przed lub po posiłku;
◊ owoce jemy zawsze osobno.

Unikajmy połączeń owoców w sałatkach (z warzywami, serami, skorupiakami itd.), które stały się ostatnio bardzo modne. Niektórzy dietetycy, którzy zalecają dietę niełączenia, analizują skład chemiczny owoców i dochodzą do wniosku, że nic nie stoi na przeszkodzie, by łączyć je z innymi grupami. Raz na jakiś czas można oczywiście sobie na to pozwolić, ale raczej sporadycznie.

◊ Spośród wszystkich owoców najszybciej trawione są melony i arbuzy.
◊ Należy jeść tylko świeże owoce – niewskazane są owoce z puszki, gotowane czy smażone, ponieważ stają się bezwartościowe.
◊ Owoce należy traktować jako niezależny posiłek, który występuje w naszym *menu* obowiązkowo każdego dnia.

Wśród osób stosujących różne diety i maniaków odchudzania panuje strach przed owocami. Powszechna jest opinia, że zawierają one dużo cukru, przez co są tuczące. Warto jednak rozróżnić właściwości białego cukru w naszej cukiernicy i cukrów, które znajdują się w owocach, ponieważ nasz organizm reaguje na nie w inny sposób.

Jak we wszystkim, w przypadku owoców również najważniejszy jest umiar i zdrowy rozsądek. Uważajmy więc na banany (dwie sztuki tygodniowo na pewno nam nie zaszkodzą), a także na winogrona. Spójrzmy bardziej przychylnie na nasze poczciwe polskie jabłka, które nie tuczą, a dzięki zawartości pektyn wspaniale wspomagają trawienie. Nie bójmy się owoców, zwłaszcza tych, które rosną w naszym kraju.

Wielu dietetyków zaleca jedzenie trzech do pięciu posiłków dziennie. Chodzi o to, by jadać częściej, ale mniejsze porcje, co pozwoli organizmowi na spokojne trawienie. Ważny aspekt stanowi również regularność posiłków, czyli spożywanie ich o stałych porach. Ja jadam trzy posiłki główne: śniadanie, obiad i lekką kolację. Ostatni posiłek staram się jeść nie później niż o 19:00. Pomiędzy posiłkami jadam świeże owoce, niewielkie ilości migdałów i orzechów.

Niektóre orzechy są bardzo tłuste (na przykład orzechy brazylijskie czy makadamia), dlatego wystarczy, jeśli zjemy jeden czy dwa dziennie. Nie rezygnujmy z nich jednak, ponieważ są bardzo zdrowe.

Gdy mam ochotę na coś słodkiego, jem małą ilości suszonych owoców. Mają stosunkowo dużo kalorii, ale też ogromną wartość odżywczą. Suszone śliwki produją w zawartości przeciwutleniaczy i zawierają duże ilości błonnika, więc nie należy wykluczać ich z naszej diety. Jeden suszony daktyl, 2–3 śliwki czy morele zjedzone między posiłkami na pewno nie przyczynią się do wzrostu naszej wagi, a poprawią trawienie.

Sekrety modelek: co zrobić, by nie czuć głodu między posiłkami

Powszechnie wiadomo, że niemal wszystkie modelki są na permanentnej diecie. Muszą nieustająco się odchudzać, bo jeśli przytyją, mogą stracić pracę. Nie zmieszczą się w stroje zaprojektowane przez kreatorów mody, nie wyjdą na wybieg i nie zrobią kariery. Są więc w stanie zrobić niemal wszystko, by sprostać zapotrzebowaniu na wybitnie szczupłe sylwetki. Nie pochwalam tego i uważam, że nadszedł najwyższy czas, by modelki zaczęły prawidłowo się odżywiać, a tym samym promować wśród dziewcząt i kobiet dbałość o zdrowie. Nikomu nie polecam drakońskich diet stosowanych przez dziewczyny pracujące na wybiegach, ale zachęcam do wykorzystania ich sposobów na radzenie sobie z napadami głodu między posiłkami. Nasz organizm łatwo można oszukać i modelki korzystają w tym celu z różnych sztuczek.

Czym zastąpić niezdrowe przekąski i przegryzki?

Jeśli nie możesz oduczyć się przegryzania przed telewizorem lub między posiłkami, przygotuj sobie talerz pełen warzyw. Pamiętaj, że jemy także oczami. Sposób podania potrawy ma ogromny wpływ na naszą psychikę.

Pokrój na kawałki na przykład marchewki (w słupki), świeżą paprykę, ogórek, seler naciowy, cykorię i skrop je sokiem z cytryny. Możesz posypać je przyprawami (świeżo mielonym czarnym pieprzem, kminem rzymskim, czarnuszką, czubrycą czy pieprzem cayenne), a latem świeżymi ziołami (bazylią, tymiankiem, oregano, lubczykiem, szczypiorkiem). Taka przekąska będzie wyglądała jak prawdziwa uczta, w dodatku jest zdrowa i zawiera bardzo mało kalorii. Reguluje przemianę materii i poprawia pracę nerek.

To samo możesz zrobić z owocami – pokrojone jabłko, gruszka, arbuz czy mandarynki posypane cynamonem, świeżymi listkami mięty lub melisy i jedzone z talerza widelczykiem sprawią wrażenie sycącego posiłku. Układanie owoców na talerzu z psychologicznego punktu widzenia da dużo lepszy efekt niż przygotowanie sałatki owocowej, ponieważ daje wizualne wrażenie obfitości.

Pamiętaj, że tłuszcz doskonale spalają grejpfruty i ananasy, a jabłka świetnie regulują trawienie. Postaraj się, aby warzywa i owoce na talerzu były jak najbardziej kolorowe – różnorodność podniesie atrakcyjność posiłku.

Modelki wymyśliły coś, co nazwały chipsami modelek. Jest to po prostu chrupiąca odmiana sałaty (lodowa lub rzymska), którą łamie się w palcach i zjada jak chipsy. Niestety, aby wszystkie zawarte w sałacie składniki odżywcze zostały przyswojone przez organizm, niezbędna jest obecność choćby odrobiny tłuszczu…

Porcja sałaty lub surówki przed głównym posiłkiem doskonale wypełni żołądek, przyspieszy proces trawienia, a zawarta w warzywach woda oczyści nerki. Podczas głównego posiłku na pewno zjemy mniej.

Doskonale oszukuje głód szklanka gęstego soku pomidorowego, który jest prawie jak zupa. Zawiera wiele cennych składników odżywczych (w tym potas), bardzo mało kalorii i doskonale wypełnia żołądek.

Rano, po przebudzeniu, wskazane jest wypicie szklanki wody ze świeżo wyciśniętym sokiem z cytryny, który oczyszcza organizm, dodaje energii i powoduje, że możemy zjeść mniej obfite śniadanie. Trzymajmy się tej zasady przez resztę dnia: aby jeść mniejsze porcje, przed każdym posiłkiem wypijmy szklankę letniej wody.

Trochę to smutne, ale w celu oszukania organizmu i uzyskania wrażenia, że coś się zjadło, soki warzywne lub owocowe niektóre modelki wypijają ze szklanki… małą łyżeczką. Bardzo wolno. Generalnie jedzenie bardzo powoli sprawia, że bardziej doceniamy posiłek, a uczucie sytości następuje po zjedzeniu mniejszej porcji. Ja niestety jadam dosyć szybko.

Młodym modelkom, które borykają się z wiecznym głodem, poleciłabym rośliny strączkowe, a także kasze, które dają uczucie sytości. Doskonale sprawdzają się również jedzone rano płatki owsiane. W dodatku takie pożywienie dostarczy wielu składników odżywczych. W końcu nie samą sałatą żyje człowiek.

Czy można utrzymać dietę, jedząc w restauracjach?

Trudno jest stracić na wadze, odżywiając się głównie w restauracjach. W przygotowywanych tam potrawach znajduje się zbyt wiele tłuszczy, soli i cukru. Aby przyspieszyć proces gotowania, do pożywienia dodawana jest czasem soda oczyszczona. Jedzenie często przyrządzane jest z produktów niskiej jakości (żeby zmniejszyć koszty), mrożonych, przetworzonych, a potrawy przeważnie są odgrzewane, bardzo często w kuchenkach mikrofalowych.

Najlepiej jest jeść posiłki przygotowane przez siebie. Wtedy doskonale wiemy, z czego i w jaki sposób zostały przyrządzone. Nie musimy jednak zupełnie rezygnować z jadania w restauracjach, należy jednak uważnie je wybierać. Coraz częściej ich właściciele to osoby posiadające dużą wiedzę na temat zdrowego żywienia, a właściwe komponowanie posiłków stanowi ich pasję. Nie jest również większym problemem zachowanie zasad diety niełącznia. W wielu restauracjach możemy poprosić o zmodyfikowanie dania z *menu*.

Jedzenie w restauracjach może być dla nas fantastyczną kulinarną przygodą. Jeśli znajdziemy odpowiednie miejsce, będziemy mieć okazję do spróbowania nowych potraw, połączeń składników, poznać nowe smaki, zobaczyć inne sposoby aranżacji stołu i wnętrza. To może być świetna inspiracja. Jadając w restauracjach z różnych rejonów świata, możemy podróżować bez kupowania biletu na samolot. Aby poszerzyć kulinarne horyzonty, zachęcam do odwiedzania nowych restauracji i próbowania potraw kuchni świata, których jeszcze nie znamy. Już samo zapoznanie się z *menu* może być dla nas kulturoznawczą przygodą.

Co jeść podczas przerwy w pracy, czyli potrawy do pudełka

Czasem zjedzenie lekkiego i zdrowego lunchu jest prawdziwym wyzwaniem. Przynoszenia do pracy własnoręcznie przygotowanych sałatek zapakowanych w specjalne pudełka nauczyłam się od moich koleżanek podczas pokazów mody. Chociaż od modelek wymaga się nienagannej figury, jedzenie, które podawano nam w pracy, rzadko można było nazwać dietetycznym, lekkim i zdrowym.

Oczywiście z powodu pośpiechu często najłatwiej jest przygotować do pracy lub szkoły kanapki. Moje składają się z pełnoziarnistego pieczywa polanego odrobiną oliwy z oliwek (o aromacie rozmarynu i czosnku) i przygotowanych dzień wcześniej pieczonych warzyw: papryki, cukinii, bakłażanów, pieczarek, cebuli, a w sezonie także szparagów, z dodatkiem suszonych ziół śródziemnomorskich (oregano, bazylii, tymianku). Całość posypuję odrobiną soli morskiej, świeżo mielonym czarnym pieprzem i listkami świeżej bazylii. Kanapki są pyszne, aromatyczne, we włoskim stylu. Zamykam je w specjalnym pudełku.

Kiedy mam więcej czasu, przygotowuję również lekkie, zdrowe sałatki, które zabieram ze sobą do pracy, a czasami też w podróż, zamknięte w specjalnych pojemnikach. Chociaż najsmaczniejsze i najzdrowsze są potrawy świeżo przygotowane, z powodu porannego pośpiechu sałatki można również przyrządzić wieczorem, wstawić do lodówki, a rano zabrać ze sobą.

Pyszna sałatka z makaronu sojowego z chrupiącymi warzywami i dużymi krewetkami

Makaron sojowy znajduje się w grupie białek, dlatego jest jedynym makaronem, który można łączyć z krewetkami, rybą, drobiem oraz mięsem.

125 g cienkiego makaronu sojowego, ugotowanego zgodnie z przepisem i ostudzonego
1 marchewka obrana i pokrojona w bardzo cienkie paseczki
½ ogórka, obranego, pozbawionego gniazd nasiennych i pokrojonego w cienkie słupki
1 gałązka selera naciowego, oczyszczonego i pokrojonego w cienkie paseczki
½ czerwonej papryki posiekanej w bardzo cienkie paseczki
garść posiekanego szczypiorku
garść posiekanej kolendry
½ garści niesolonych, rozgniecionych, uprażonych na suchej patelni orzeszków ziemnych
kilka dużych krewetek usmażonych na oleju z pestek winogron z posiekanym czosnkiem i sporą ilością świeżo mielonego czarnego pieprzu

Dressing
2 łyżki soku z cytryny
1 łyżeczka sosu rybnego (do kupienia w sklepach z azjatycką żywnością)
1 łyżka jasnego sosu sojowego
1 łyżka oleju z pestek winogron
1/4 papryczki chili, pozbawiona gniazd nasiennych i pokrojona w bardzo cienkie paseczki
1 łyżeczka ksylitolu (lub cukru pudru)

Wszystkie składniki sałatki połącz w dużej misce. Składniki dressingu umieść w słoiczku, kilkakrotnie energicznie nim wstrząśnij i polej sosem sałatkę.

Sałatka z makaronu penne i zielonych szparagów

350 g zielonych szparagów
250 g makaronu penne
½ szklanki jogurtu naturalnego
¼ szklanki soku z cytryny
½ szklanki posiekanej natki pietruszki
1½ łyżki kaparów lub marynowanego zielonego pieprzu
½ szklanki posiekanego szczypiorku
1 ząbek czosnku
sól do smaku

Szparagi oczyść, pokrój na pięciocentymetrowe kawałki i ugotuj na parze. Ostudź
i osusz. Makaron ugotuj *al'dente*, przelej zimną wodą i osusz. Wymieszaj jogurt
z sokiem z cytryny, solą i ząbkiem czosnku. Polej sosem makaron i szparagi. Dodaj
pozostałe składniki i wymieszaj.

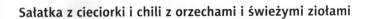

Sałatka z cieciorki i chili z orzechami i świeżymi ziołami

400 g cieciorki (ugotowanej lub z puszki)
½ szklanki posiekanej natki pietruszki
¼ szklanki drobno posiekanej świeżej mięty
½ szklanki pokrojonych zielonych oliwek bez pestek
½ szklanki posiekanego szczypiorku
1 długa czerwona papryczka chili lub słodka papryka (według uznania)
pokrojona w drobne paski
1 łyżka oliwy z oliwek
¼ szklanki soku z cytryny
½ szklanki prażonych posiekanych orzechów włoskich
sól morska i świeżo mielony czarny pieprz

Wymieszaj delikatnie wszystkie składniki. Opcjonalnie możesz dodać 1 ząbek
czosnku.

Kolorowa sałatka z dzikiego ryżu

1 szklanka dzikiego ryżu

200 g kukurydzy z puszki

1 średniej wielkości czerwona papryka pokrojona w kostkę

½ szklanki pokrojonych zielonych oliwek bez pestek

½ szklanki posiekanej natki pietruszki

2 łyżki musztardy dijon

1 łyżka oliwy z oliwek

2 łyżki soku z cytryny

sól i świeżo mielony czarny pieprz do smaku

Ryż ugotuj na sypko, ostudź, dodaj pozostałe składniki i delikatnie wymieszaj.

Tłuszcz to nasz wróg?

Osoby dbające o linię często traktują tłuszcze jak śmiertelnego wroga. Czy słusznie? Z wielu obserwacji wynika, że stosowanie drakońskich diet ubogich w tłuszcze przyspiesza procesy starzenia. Nieraz widziałam bardzo szczupłe modelki i aktorki, których skóra, chociaż piły duże ilości wody, wiotczała i była pokryta zmarszczkami nawet przed ukończeniem dwudziestego piątego roku życia. Nie wspomnę już o stanie ich włosów i paznokci.

To nieprawda, że wszystkie tłuszcze są szkodliwe. Wręcz przeciwnie, te dobre (NNKT) są nam niezbędne. Eksperci w dziedzinie żywienia stwierdzili, że dobre tłuszcze pełnią bardzo istotną rolę w prawidłowym funkcjonowaniu organizmu człowieka. Są konieczne dla utrzymania w dobrej kondycji układu nerwowego, serca, mózgu, niemal wszystkich funkcji organizmu. Mają podstawowe znaczenie w budowaniu błon komórkowych. Usprawniają myślenie i wzmacniają odporność. Umożliwiają transport witamin A, D, E i K. Są niezbędne do produkcji enzymów i hormonów, a także do wielu przemian metabolicznych.

Zdecydowanie powinnyśmy unikać tłuszczy nasyconych. Należy jednak pamiętać, że w nadmiarze wszystkie tłuszcze szkodzą. Nawet te najlepsze i najzdrowsze mają wysoką wartość energetyczną. Bardzo szkodliwe są też wszelkie tłuszcze smażone. Ale jeśli są świeże i spożywamy je w niewielkich ilościach, nawet ułatwiają odchudzanie. Dla optymalnego zdrowia należy spożywać 2 łyżki stołowe wszystkich tłuszczy dziennie.

Tłuszcze nienasycone (NNKT)

Jak pisałam, w odpowiednich ilościach mają dobroczynny wpływ na nasz organizm. Oliwa z oliwek i oleje roślinne są dobrym źródłem witaminy E, zaliczane są do antyoksydantów (pomagają w usuwaniu z organizmu wolnych rodników odpowiadających za procesy starzenia i nadają skórze młody wygląd).

NNKT znajdują się również w tłustych rybach morskich (takich jak halibut, łosoś, śledź, dorsz, makrela, sardynki) i owocach morza, orzechach, migdałach, awokado, ziarnach zbóż i siemieniu lnianym.

Tłuszcze nasycone

Odpowiadają za rozwój chorób układu krążenia. Znajdują się w produktach pochodzenia zwierzęcego. Zawierają je masło, tłuste mięso i nabiał.

Tłuszcze to nie tylko te substancje, które widzimy gołym okiem (na przykład masło). Pamiętajmy, że w naszym pożywieniu znajdują się również tłuszcze ukryte w wędlinach, nabiale i prawie wszystkich daniach gotowych do spożycia. Jest ich mnóstwo w ciastach, ciastkach, paluszkach, batonikach, chipsach, bułeczkach, pączkach itd. Miejmy też na uwadze, że podczas smażenia do produktu przechodzi około 70% tłuszczu z patelni! A smażony tłuszcz nie jest zdrowy.

Najzdrowsze tłuszcze

Oleje i oliwy

Ciekłe oliwy i oleje roślinne to najzdrowsza grupa tłuszczy. Godna polecenia jest oliwa z oliwek z pierwszego tłoczenia. Bardzo wysokie notowania ma olej rzepakowy (nadaje się do smażenia, duszenia, pieczenia i gotowania). Spośród wszystkich olejów zawiera on najwięcej kwasów omega-3, które pełnią ważne funkcje prozdrowotne (między innymi chronią przed zawałem mięśnia sercowego i odpowiadają za prawidłową pracę mózgu). W sklepach ze zdrową żywnością można kupić olej z rzepaku niemodyfikowanego genetycznie.

Bogaty w kwasy omega-3 jest również olej lniany. Szybko się utlenia, dlatego powinno się go przechowywać krótko, koniecznie w butelkach z ciemnego szkła, najlepiej w lodówce. Wysoka temperatura niszczy jego cenne właściwości, więc należy spożywać go tylko na zimno. Nie nadaje się do smażenia, gotowania czy pieczenia.

Dla kobiet szczególnie polecany jest olej z wiesiołka. Dzięki bogactwu kwasów omega-3 przyczynia się do poprawy gospodarki hormonalnej (balansuje poziom estrogenu). Zaleca się przyjmowanie codziennie 1 łyżeczki oleju z wiesiołka w celu poprawy zdrowia, koncentracji i ogólnego samopoczucia, zwłaszcza na tydzień przez menstruacją.

Masło klarowane

Tłuszczem bardzo korzystnym, jednak stosunkowo mało znanym i niezbyt popularnym w naszym kraju jest klarowane masło, w Indiach znane jako ghee. Jest to jeden z głównych tłuszczy stosowanych w zdrowej kuchni ajurwedyjskiej. Jego zdolność do wspierania odnowy fizycznej i mentalnej organizmu została potwierdzona naukowo. Przyspiesza gojenie ran i żołądkowo-jelitowych stanów zapalnych (w tym owrzodzeń). Zawiera kwas tłuszczowy o właściwościach antywirusowych i przeciwnowotworowych, podnosi w organizmie poziom interferonu (substancji antywirusowej).

Ghee to najlepsza postać masła do wszelkich celów kulinarnych. Oczyszczone, klarowane masło można przechowywać przez kilka tygodni. Doskonale przechowuje się nawet nietrzymane w lodówce, ponieważ pozbawione substancji stałych nie jełczeje. Ma słodki, lekko orzechowy zapach i smak. Można dodawać je do gotowanych warzyw, kasz, ryżu czy zup. Nadaje się również do krótkiego smażenia.

Dlaczego smażone potrawy nie są zdrowe?

Uwielbiamy smak smażonych potraw, jednak obok grillowania to właśnie ten sposób przyrządzania żywności jest najbardziej niezdrowy. Dlaczego? Smażenie odbywa się w bardzo wysokiej temperaturze, która powoduje duże zmiany w składzie potrawy. Powstaje wówczas wiele szkodliwych związków chemicznych, a w wyniku napowietrzenia tłuszczu aktywne wolne rodniki atakują

Jak przyrządzić masło klarowane, czyli tajemnica ghee

Świeże, niesolone, najlepiej ekologiczne masło należy rozpuścić w garnku
na średnim ogniu (garnek powinien być zupełnie suchy, najlepiej o grubym
dnie). Gdy masło się zagotuje, a na wierzchu pojawi się piana, ogień należy
zmniejszyć do minimum i gotować masło dalej bez przykrycia, od czasu
do czasu mieszając je i zbierając to, co wypłynęło na powierzchnię. Trzeba
bardzo uważać, żeby nie przypalić masła!
Z 1 kilograma masła otrzymamy 800 gramów ghee.

    500 g masła gotujemy 15 minut.
    1000 g masła gotujemy 30 minut.

Gotowe ghee powinno być przezroczyste i mieć złoty kolor.
Sklarowane masło przelewamy do pojemnika, który nie jest plastikowy
(najlepiej szklany lub gliniany). Zlewając ciepłe ghee, trzeba uważać, aby
nie przelać ciemnych, stałych substancji, które zebrały się na dnie garnka.
Zarówno piana z wierzchu, jak i osad z dna to zanieczyszczenia, których
należy się pozbyć.

pozostałe kwasy tłuszczowe, tworząc kolejne. Związki te nie tylko obciążają organizm, ale również atakują błony komórkowe, przyspieszając proces starzenia.

Wielokrotne używanie tego samego tłuszczu jest bardzo niezdrowe. Niestety, jedząc w restauracjach, nie mamy pewności, czy dania zostały przyrządzone na świeżym tłuszczu. Smażenie powoduje powstawanie ogromnej ilości substancji rakotwórczych, zwłaszcza benzopirenu. Używanie ponownie tego samego tłuszczu zwiększa ten efekt.

Smażenie eliminuje z potraw wodę i powoduje, że pochłaniają one tłuszcz. Po zakończeniu przygotowania potrawy może on stanowić nawet do 50% wagi produktu. Takie dania są ciężkostrawne, pełne substancji rakotwórczych i bardzo kaloryczne.

Smażenie na głębokim tłuszczu (gdy produkt jest w nim całkowicie zanurzony) jest w zasadzie kwintesencją kuchni niezdrowej i tuczącej. Smażenie produktów, które zawierają skrobię i krochmal (na przykład ziemniaków, pieczywa, bananów), powoduje powstawanie substancji toksycznych. Jedną z nich jest akryloamid (prowadzi do powstawania nowotworów układu pokarmowego), a innym neurotoksyna, która przyczynia się do uszkodzenia układu nerwowego.

Jeśli pragniemy dbać o zdrowie, najlepiej całkowicie zrezygnujmy ze smażenia. Osoby, które mają problemy z układem trawiennym, pracą wątroby i podobnymi dolegliwościami, powinny w pierwszej kolejności wyeliminować ze swojego jadłospisu wszelkie smażone potrawy.

Jeśli jednak jesteśmy zdrowe i raz na jakiś czas zjemy coś smażonego (na przykład placuszki z cukinii, które tak lubię), na pewno nic nam nie będzie. Niech to nie stanie się jednak regułą, ale pozostanie wyjątkiem.

Czym zastąpić smażenie?

Znacznie zdrowsze jest pieczenie. Nie wymaga tak dużych ilości tłuszczu, wręcz przeciwnie, zwykle podczas pieczenia tłuszcz wytapia się z produktu. Smażenie odbywa się w temperaturze około 300°C, a pieczenie w temperaturze około 180°C. Niższa temperatura sprawia, że właściwości białek w potrawach oraz proces niszczenia witamin jest bardziej ograniczony.

Najbardziej godnym polecenia sposobem przyrządzania potraw jest gotowanie na parze lub w niewielkiej ilości wody. Gotując na parze, zachowujemy w potrawach składniki odżywcze, witaminy i minerały. Takie potrawy są też lekkostrawne i mają mniej kalorii. Nic złego się jednak nie stanie, gdy raz na jakiś czas do gotowanych potraw (na przykład jarzynowych zup) dodamy dla podniesienia smaku cebulę i czosnek krótko podsmażone na niewielkiej ilości klarowanego masła.

Czy można pić podczas jedzenia?

Na ten temat od dawna trwają dyskusje. Wielu dietetyków twierdzi, że nie należy pić żadnych płynów podczas spożywania posiłków ani zaraz po nich. Uważają, że płyny rozpuszczają soki trawienne i tym samym hamują proces spalania pokarmu. Istnieje jednak ogromna grupa dietetyków, która pogląd ten uważa za przestarzały i zabawny, jak dawne zabobony. Zalecają picie wody podczas jedzenia, ponieważ ich zdaniem płyn ten nie rozpuszcza soków trawiennych, a wypełnia żołądek, dzięki czemu szybciej następuje uczcie sytości. Jeszcze inni dietetycy hołdują zasadzie, która głosi, że należy pić zawsze wtedy, gdy odczuwamy pragnienie. Nasz organizm sam powinien wiedzieć, kiedy potrzebne mu są płyny.

Ja piję wtedy, gdy odczuwam pragnienie, i w tym względzie nie stosuję żadnych innych zasad. Podczas spożywania posiłków należy jednak pić tylko wodę, a nie soki lub inne napoje (słodzone, sztucznie barwione i aromatyzowane są ogólnie niewskazane i bardzo niezdrowe, o czym pisałam wcześniej). Do wody można dodać cytrynę, liście świeżej mięty, melisy lub sok z imbiru (bez cukru).

Woda

Większość osób zainteresowanych zdrowym stylem życia wie, że należy pić dużo wody. Najlepiej co najmniej 2 litry dziennie. Chińczycy już tysiące lat temu twierdzili, że częste picie wody oczyszcza organizm i daje efekt długiego życia. Nasi przodkowie cenili wodę i oddawali jej cześć. Woda jest źródłem wszelkiego życia na Ziemi, dlatego od pradawnych czasów była symbolem duszy. Ciało dorosłego człowieka aż w 70% składa się z wody. Jednocześnie stanowi ona 70% powierzchni Ziemi.

Woda jest darem wszechświata. Bez niej życie nie istnieje. Współczesny człowiek postanowił jednak poprawić naturę (a może po prostu chce na niej zarobić), dosypując do wody sztucznych minerałów, dodając dwutlenek węgla, cukier i aromaty. To wszystko ma na celu „uszlachetnienie" wody, jednak powoduje, że staje się ona bezwartościowa. Osoby, które lubią i piją czystą wodę w odpowiednich ilościach, to dzisiaj prawdziwa rzadkość. Procesy przemiany materii nie mogą odbywać się sprawnie bez odpowiedniej ilości tego płynu. Wpływa on nie tylko na nasz wygląd i samopoczucie, ale również na sprawne działanie systemu immunologicznego. Woda jest niezbędnym środkiem transportu wszystkich materiałów niezbędnych naszym komórkom. Konieczna jest także w procesie wydalania i oczyszczania. Gdy dostarczamy ciału odpowiednią ilości wody, nasza skóra staje się elastyczna, gładka i czysta, toksyny są usuwane na bieżąco, a cały organizm może prawidłowo funkcjonować.

Osoby, które piją dużo wody, dłużej zachowują młody wygląd. Nie dziwi nas przecież widok owoców, które, leżąc w suchych warunkach, stają się zwiotczałe i pomarszczone. Dokładnie to samo dzieje się z nami, gdy nie dostarczamy organizmowi dostatecznej ilości czystych płynów. Badania wskazują jednak, że u większości osób stwierdza się wyraźny niedobór wody w organizmie. Pijemy jej zbyt mało. Większości z nas woda po prostu nie smakuje. Wydaje się nudna i bezwartościowa. Być może dzieje się tak dlatego, że w naszym społeczeństwie bardzo rzadko czystą wodę podaje się do picia małym dzieciom. Zamiast tego otrzymują duże ilości słodkich, barwionych i sztucznie aromatyzowanych napojów.

Obecnie to się jednak zmienia. Pamiętam, jak sama odkryłam wartość wody. Jakiś czas temu podczas dalekiej podróży miałam przesiadkę na lotnisku we Frankfurcie, bardzo spragniona pobiegłam do automatu z napojami. Były w nim również słodkie przekąski. Ze zdumieniem zauważyłam, że batoniki, marcepany i inne smakołyki kosztowały po 1 euro, a mała butelka wody 2,5 euro. Zwykła woda w plastikowej butelce była o 150% droższa niż batonik zrobiony z muesli, wypełniony bakaliami, polany czekoladą i zapakowany w kolorowy papierek…

Jak pić wodę?

- ❧ Wody nie można zastępować słodkimi, kolorowymi napojami. Są pełne chemii i zamiast oczyszczać, obciążają, a nawet zatruwają organizm.
- ❧ W celu oczyszczenia organizmu z toksyn zaleca się picie rano na czczo 2, a nawet 3 szklanek wody.
- ❧ Woda, którą pijemy na co dzień, nie powinna zawierać zbyt dużej ilości wapnia i minerałów.
- ❧ Jeśli pijemy wodę z kranu, warto zaopatrzyć się w dobry filtr.
- ❧ Wlewanie w siebie 2 litrów wody w akcie desperacji – „Ojej, muszę pić dużo wody!" – nie ma żadnego sensu. Przeleci ona przez nasz organizm i nie będzie miała szans, by spełnić wszystkie potrzebne funkcje. Najlepiej jest pić systematycznie mniejsze ilości w ciągu całego dnia.
- ❧ Zimą, zwłaszcza podczas mrozów, woda, którą pijemy, nie powinna być zimna, ponieważ wychłodzi organizm. Można pić wodę podgrzaną lub zwiększyć ilość wypijanych w ciągu dnia herbatek ziołowych lub owocowych (bez dodatku cukru). Dodanie do ciepłej wody soku wyciśniętego z kawałka startego świeżego imbiru nie tylko rozgrzeje organizm, ale również ułatwi trawienie i spalanie tłuszczów.
- ❧ Dobrą metodą zaopatrzenia organizmu w wodę jest spożywanie dużej ilości świeżych warzyw i owoców. Zawierają witaminy i minerały, których potrzebują nasze organizmy. Owoce i warzywa zawierają 90% wody, a niektóre nawet więcej. Zimą świeże warzywa mogą wychładzać organizm, dlatego możemy gotować je na parze.

Mleko

Na temat właściwości mleka od wielu już lat toczą się spory. Niektórzy uważają, że jego spożywanie jest człowiekowi niezbędne, a inni, że jest niewskazane lub nawet niezdrowe. Faktem jest, że w przyrodzie tylko osobniki dorosłe gatunku ludzkiego spożywają mleko. Krowie mleko zawiera kazeinę, która nie jest dobrze tolerowana przez ludzki organizm.

Dieta niełączenia nie zabrania spożycia mleka, ale sugeruje, by pić je sporadycznie i nigdy nie łączyć z innymi produktami. Należy spożywać je osobno, w dużych (co najmniej dwugodzinnych) odstępach między posiłkami. Wykluczone jest picie mleka podczas spożywania mięsa i ryb.

W naszych sklepach dostępnych jest teraz bardzo wiele „zamienników" mleka krowiego, na przykład mleko sojowe, migdałowe czy ryżowe. Wiele z nich zawiera jednak spore ilości cukru, aromatów oraz konserwantów. Popularne mleko sojowe bardzo często produkowane jest z soi modyfikowanej genetycznie. Zalecam więc ostrożność i dokładną lekturę listy składników znajdującej się na opakowaniu.

Alkohol

Dieta niełączenia nie zabrania spożywania alkoholu, ale zaleca ograniczenie się do wina, najlepiej czerwonego, picie go nie codziennie i w małych ilościach. Światowa Organizacja Zdrowia (WHO) informuje, że dopuszczalna dzienna dawka alkoholu dla kobiet nie powinna przekraczać 20 gramów (200 mililitrów wina). Jednak osoby, które chcą schudnąć i oczyścić organizm, powinny przynajmniej na jakiś czas zupełnie zrezygnować z picia alkoholu. Napoje alkoholowe zawierają sporo kalorii (100 mililitrów czerwonego wina zawiera około 68 kalorii). Mimo tego, że niewielkie ilości alkoholu ułatwiają trawienie, jednocześnie wytwarzają soki trawienne, które potęgują uczucie głodu. Wpływ alkoholu na psychikę dodatkowo powoduje zmniejszenie motywacji i samodyscypliny w stosowaniu diety.

Osoby, które stosują dietę niełączenia, zauważają też, że alkohol „szybciej uderza im do głowy", ponieważ organizm jest oczyszczony. W związku z tym nawet jedna lampka wina może spowodować, że w odruchu alkoholowego szaleństwa sięgniemy po produkty, które nie są dla nas odpowiednie. Wyrzuty sumienia i spadek motywacji są wtedy gwarantowane.

Osoby, które osiągnęły optymalną wagę, mogą oczywiście raz na jakiś czas wypić lampkę czerwonego wina, ale nie więcej. Nie ma nic gorszego niż uczucie głodu na kacu. Pojawia się wówczas nieodparte zapotrzebowanie na pożywienie tłuste i kaloryczne.

Chleb

Większość osób, które postanawiają pozbyć się zbędnych kilogramów, w pierwszej kolejności rezygnuje ze spożycia chleba. Warto jednak pamiętać, że chleb wcale nie jest wrogiem naszej diety. Nie jest również prawdą, że powoduje tycie. Wszystko zależy od tego, jaki to chleb, co się na nim znajduje i w jakich ilościach go zjadamy. Jeśli kromkę jasnego pieczywa posmarujemy masłem i położymy na niej kawałek sera lub wędlinę, to rzeczywiście możemy przytyć. Najbardziej tuczącym zestawem jest biały chleb z masłem i żółtym serem.

Chleb pszenny jasny

Należy zupełnie zrezygnować z białego pieczywa. Polskie sklepy i supermarkety zasypane są pszenną watą pełną chemii. Do wypieku najpopularniejszego w naszym kraju chleba białego wykorzystuje się oczyszczoną mąkę pszenną, która nie zawiera żadnych wartości odżywczych. Naturę zastąpiły spulchniacze, wybielacze, sztuczne kwasy, konserwanty, odpleśniacze i barwniki. Oczyszczona mąka spowalnia pracę jelit i je zakleja. Prowadzi do tycia, a utratę wagi ciała czyni praktycznie niemożliwą. Białe pieczywo to także bułki, kajzerki, chałki i wszelkiego rodzaju wypieki z jasnej mąki.

Chleb pełnoziarnisty

Nie należy jednak rezygnować z jednej, góra dwóch kromek chleba dziennie – chleba z mąki pełnoziarnistej. Często dajemy się oszukać, kupując ciemne pieczywo w przekonaniu, że jest to chleb razowy. Tymczasem w sklepach znajduje się duży wybór produktów, które go tylko udają. Do białej mąki dodawane są barwniki lub karmel, przez co białe pieczywo podstępnie podszywa się pod razowca. Taki chleb jest tani i szybki w wykonaniu. Upieczenie prawdziwego chleba wymaga dobrych składników i wysiłku, dlatego jest on droższy.

Tradycyjny polski chleb powinien być wykonany z żytniej mąki pełnoziarnistej i upieczony na zakwasie. Zawiera witaminy z grupy B (B1, B2, B6), witaminę E i kwas foliowy. Chleb pieczony z mąki nieczyszczonej bogaty jest w składniki odżywcze i błonnik, niezbędny do prawidłowego trawienia, zwłaszcza podczas diet odchudzających. Zakwas zawiera naturalne drożdże oraz szczepy bakterii mlekowych, które poprawiają perystaltykę jelit, oczyszczają organizm z toksyn i pobudzają trawienie. Kwas mlekowy w razowym chlebie poprawia przyswajanie wapnia i żelaza, a także działa leczniczo w schorzeniach żołądka. Chleb, który należy jeść, zawiera naturalne drożdże (a nie drożdże piekarnicze, jak w przypadku taniego pieczywa) oraz naturalne bakterie (zastępowane chemicznymi spulchniaczami i polepszaczami smaku).

Pumpernikiel

Dużą ilość błonnika zawiera chleb pumpernikiel wykonany ze śruty żytniej bez dodatku drożdży (dlatego jest taki płaski). Jest bardzo zdrowy i polecany osobom dbającym o zdrowie i szczupłą sylwetkę.

Pieczywo chrupkie

Jest lekkie, ale w rzeczywistości bardziej kaloryczne niż prawdziwy chleb. Mimo to dla osób na diecie jak najbardziej wskazane są jedna lub dwie kromki dziennie pieczywa chrupkiego z pełnego przemiału (nie jasne, lekkie „chrupki"!), zwłaszcza gdy są wzbogacone ziarnami słonecznika, siemienia lnianego czy sezamu. Zamiast masła lub oleju możemy posmarować je pastą z pomidorów lub innych warzyw.

Chleb esseński

Jest uznawany za najzdrowszą i najbardziej pełnowartościową odmianę chleba. W jego skład wchodzi nie mąka, lecz podkiełkowane ziarno (pszenica, orkisz, jęczmień lub żyto), woda i niewielka ilość soli. Chleb esseński nie jest tradycyjnie pieczony, lecz długo suszony w niezbyt wysokiej temperaturze, by nie zniszczyć cennych składników odżywczych (dla zachowania enzymów temperatura pieczenia wynosi od 40°C do 50°C). Nie zawiera drożdży, polepszaczy smaku ani konserwantów.

Esseńczycy byli żydowską wspólnotą, która żyła na terenie Palestyny od około 300 roku p.n.e. do 100 roku n.e. Żywili się głównie chlebem, korzeniami roślin, warzywami i owocami. Wiedli spokojny tryb życia, zgodny z naturą. Wiele osób uważa, że Jezus był właśnie Esseńczykiem. Tradycyjny chleb robiony był z rozdrobnionych kiełków pszenicy i w formie placuszków ułożonych na kamieniach suszony na słońcu. Współczesny chleb esseński jest zwykle produktem ekologicznym, sprzedawanym po dość wysokiej cenie. Można go jednak zrobić samemu. Ponieważ jest dosyć wilgotny i bardzo specyficzny w smaku oraz konsystencji, przed spożyciem można go lekko podpiec w tosterze w niskiej temperaturze, by nie zniszczyć cennych enzymów.

Przydatne wskazówki

◈ Gdy kupujesz chleb, pamiętaj, że w Polsce nie ma żadnych norm, które go definiują. Jeśli na etykiecie znajdują się symbole, na przykład E-322, E-330 (zakwaszacze) lub E-471, E-300 (polepszacze smaku), znaczy to, że masz do czynienia z produktem chemicznym, a nie prawdziwym chlebem.

◈ Rodzaje mąki oznaczone są numerkami – im wyższy numerek, tym mąka jest zdrowsza. Godne polecenia są te z pełnego przemiału, razowa i grahamka. Osobom mającym problem z trawieniem chleba pełnoziarnistego polecany jest chleb graham.

◈ Prawdziwy chleb jest zdrowszy, gdy jest czerstwy. Zakwas zawiera kwas mlekowy, który działa leczniczo na układ pokarmowy, oraz kwas octowy, który może drażnić żołądek i jelita, gdy chleb jest bardzo świeży. Francuzi i Włosi prawie zawsze jadają pieczywo, które przez większość Polaków zostałoby uznane za czerstwe.

Zalecana dawka pieczywa dziennie to 1 lub 2 kromki.
Orientacyjna wartość energetyczna dla kromki chleba:
żytni jasny – 82 kcal
pszenny jasny – 75 kcal
żytni pełnoziarnisty – 80 kcal
żytni razowy – 79 kcal
żytni chrupki – 35 kcal

Liczenie kalorii w przypadku spożycia chleba jest jednak pozbawione sensu, ponieważ nie można postawić znaku równości między jasnym pieczywem i chlebem pełnoziarnistym. Ich wartość odżywcza jest zupełnie inna. Chleb jasny spowalnia pracę jelit, a upieczony z mąki pełnoziarnistej ją przyspiesza.

Z czym jeść chleb?

W diecie niełączenia chleb należy komponować w odpowiedni sposób:

- tylko czasem smarujemy go masłem, znacznie częściej skrapiamy oliwą z oliwek (o smaku czosnku, tymianku, rozmarynu);
- łączymy go wyłącznie z warzywami (surowymi, pieczonymi, duszonymi, gotowanymi);
- jemy go jako dodatek do sałat, wszelkich potraw i zup ugotowanych z warzyw.

Niektórzy sądzą, że w diecie niełączenia nie można jeść kanapek. To nieprawda! Kanapki z warzywami są pyszne, wyglądają pięknie i kolorowo. Pełnoziarnisty chleb (świeży lub tostowany) podajemy z dodatkiem:

- warzyw świeżych – na przykład pomidora, papryki, ogórka, sałaty, szczypiorku, rzeżuchy;
- warzyw pieczonych – na przykład papryki, cukinii, bakłażana, pora, buraczków, szparagów, cebuli;
- tapenady – z oliwek, z suszonych pomidorów;
- pasztetów warzywnych (są bardzo popularne we Francji);
- pesto (pasty z listków świeżej bazylii).

Można też przygotować tradycyjną włoską kanapkę o nazwie bruschetta: tostowane pieczywo z dodatkiem drobno posiekanych pomidorów z oliwą i czosnkiem oraz listkiem świeżej bazylii. Pycha!

Idealne są także kanapki posypane dużą ilością świeżych posiekanych ziół: bazylią, oregano, tymiankiem, lubczykiem, a także szczypiorkiem i natką pietruszki.

Możliwości jest bardzo wiele. Gdy zaczniesz eksperymentować, ze zdziwieniem stwierdzisz, że jedzenie zwykłych, klasycznych kanapek (z wędliną i serem) jest ogromnym ograniczeniem. Dobrej zabawy!

Czy już przez całe życie nie mogę jeść słodyczy?

Z trwogą patrzę na półki sklepowe, które wprost uginają się od ciastek, batonów, czekolad oraz słodzonych napojów. Wynika z tego, że nasi rodacy konsumują ich ogromne ilości. Z przerażeniem obserwuję na polskich plażach starszych i młodych ludzi, matki i dzieci pożerających chipsy, gofry, pączki i drożdżowe bułki, popijających to słodkimi napojami w sezonie, gdy za niewielkie pieniądze dostępna jest ogromna ilość świeżych owoców i warzyw.

Cukier uzależnia, tak samo jak inne używki. To dlatego dodawany jest do potraw fast food, wędlin, a nawet papierosów. Osoby, które często spożywały cukier, są „na głodzie", gdy ograniczają jego spożycie. Dodatkowy „głód" powoduje brak substancji chemicznych dodawanych do pożywienia, które poprawiają smak i potęgują łaknienie.

Gdy zaczynamy z nich rezygnować, musi minąć trochę czasu, zanim nastąpi uczucie ulgi, a organizm oczyści się i pozbędzie nagromadzonych toksyn. Potem pojawi się obojętność, a wreszcie awersja. Oczyszczony organizm źle reaguje na niezdrowe jedzenie i wszelkie chemiczne dodatki. Kubki smakowe zaczynają wracać do normy i źle znoszą „sztuczny" pokarm.

Jeśli naprawdę chcemy schudnąć, musimy niestety zrezygnować ze słodyczy. Możemy zastąpić je owocami, najlepiej świeżymi, a jeśli to nie wystarczy – suszonymi, ale w małych ilościach.

Gdy osiągniemy optymalną wagę, raz w tygodniu możemy, a nawet powinnyśmy pozwolić sobie na słodkie szaleństwo. Dla mnie takim dniem jest niedziela. Wtedy jem wszystko, na co mam ochotę, chociaż przyznam szczerze, że słodkości przestały mnie już kusić. Jedyny wyjątek stanowi ręcznie robiona czekolada z Manufaktury Czekolady, która wyrabiana jest z ziaren ekologicznie uprawianego kakaowca. Ta z Ghany czy Ekwadoru zawiera aż 70% kakao i jest bogata w naturalny magnez, żelazo i potas, a także przeciwutleniacze. Zjedzenie małego kawałka takiej czekolady nawet codziennie na pewno nie spowoduje wzrostu wagi ciała. Należy jednak zatrzymać się na tym jednym, małym kawałku!

Co zrobić, jeśli nie możesz żyć bez słodyczy?

Po pierwsze zbilansuj swoją dietę. Gdy jemy potrawy naturalne, ciepłe, odżywcze i pełnowartościowe, głód na słodycze zdecydowanie maleje. Organizm czuje się nasycony i nie potrzebuje pustych kalorii.

Jeśli jednak problem jest bardzo poważny, a nadwaga spora, można zastosować „techniki programowania umysłu". Istnieje ich obecnie bardzo wiele i są szalenie modne. Jedna z nich głosi, że wszystkimi naszymi działaniami kierują przyjemność i cierpienie. Tego pierwszego pragniemy oczywiście jak najwięcej, a drugiego staramy się unikać. W odpowiedni i świadomy sposób możemy każdą rzecz skojarzyć z przyjemnością lub z cierpieniem. Robimy to nieświadomie każdego dnia. Na przykład nieskończoną ilość razy słyszeliśmy, że słodycze są pyszne i poprawiają nam samopoczucie. Reklamy telewizyjne kodują w nas cały szereg jeszcze innego rodzaju pozytywnych skojarzeń, takich jak radość, wolność, młodość, beztroska, przyjaźń, dobra zabawa czy bezpieczeństwo. Mnóstwo razy słyszeliśmy też, że „wszystko to, co jest smaczne, nie jest zdrowe, a wszystko, co jest zdrowe, nie jest smaczne". Jest to oczywista bzdura, ale tego typu myślenie wielokrotnie powtarzane i wtłaczane do głowy przyjmujemy jako prawdę.

Jeśli chcesz zrezygnować ze słodyczy, możesz „przerejestrować" umysł tak, by nie kojarzył słodyczy z przyjemnością, ale z cierpieniem. Jak to zrobić?

Weź kartkę i długopis. Z lewej strony kartki napisz, jakie przyjemności płyną z jedzenia słodyczy (prawdopodobnie przyjemny smak w ustach, chwila błogości), a po prawej stronie wypisz cierpienie, jakie wynika z jedzenia słodyczy (na przykład tycie, które prowadzi do uczucia ciężkości, utraty poczucia atrakcyjności, pewności siebie, smutek towarzyszący spoglądaniu w lustro, rezygnacja z ulubionych lub najmodniejszych strojów, poczucie zażenowania na

plaży). Za każdym razem, gdy będziesz sięgała po słodycze lub myślała o nich
z utęsknieniem, przypomnij sobie wszystko, co napisałaś. Świadomość tego,
co naprawdę daje ci jedzenie słodyczy, działa terapeutycznie.

Takie „programowanie umysłu" jest skuteczną metodą walki z wszelkimi uza-
leżnieniami. Jest to sekret wielu osób, które schudły i utrzymują szczupłą sylwetkę. Reagują na słodycze jak diabeł na święconą wodę. Właśnie dlatego, że
skojarzyły je z cierpieniem. Producenci słodyczy nie będą tym zachwyceni...

Przestań jeść słodycze od dziś:

◈ Zacznij od teraz: wyrzuć ze swojej kuchni i kryjówek WSZYSTKIE słodycze i niezdrowe przekąski. I nigdy więcej ich nie kupuj. To jest walka
z nałogiem – potrzeba silnej woli i motywacji, by ją wygrać.
◈ Gdy masz ochotę na coś słodkiego, sięgnij po kilka suszonych śliwek
i moreli. Wybieraj te ekologiczne, suszone na słońcu, bez dodatków siarki
i innych substancji chemicznych.
◈ W ciągu dnia jedz ciepłe potrawy, pij ciepłe, rozgrzewające napoje, często
używaj imbiru. Ogrzany organizm nie ma tak dużego zapotrzebowania na
słodycze.

Czym słodzić?

Moja znajoma straciła w ciągu roku 25 kilogramów, gdy zaaplikowała sobie
dietę bez cukru: całkowicie wykluczyła go ze spożycia. Była w tym niezwykle konsekwentna – sama przygotowywała wszystkie posiłki, więc doskonale
wiedziała, co zawierają. Kupując produkty spożywcze, dokładnie czytała ich
skład i nie wkładała do swojego koszyka niczego, co zawiera cukier. Wtedy

okazało się, że znajduje się on prawie wszędzie – w keczupie, musztardzie, wędlinach, pieczywie, muesli gotowym do spożycia i wielu innych produktach, które ciężko jest podejrzewać o zawartość cukru. Aby go zastąpić, wiele osób sięga po aspartam. Jest on również polecany przez niektórych lekkomyślnych dietetyków, którzy lekceważą zdrowie swoich pacjentów.

Niezależni naukowcy ostrzegają: ten popularny słodzik ma działanie toksyczne i rakotwórcze. Jest produktem chemicznym, obecnie jednym z najczęściej stosowanych dodatków w przemyśle spożywczym. Powszechnie wiadomo o jego szkodliwości. Mimo to ciągle pojawia się w bardzo wielu produktach. Dlaczego? Aspartam jest tani w produkcji i niemal 200 razy słodszy niż cukier. Jest więc doskonałym źródłem dochodu. Występuje w postaci tabletek do słodzenia, proszku, który przypomina cukier, znajduje się w gumie do żucia bez cukru, napojach niskokaloryczny typu *light*, drażetkach bez cukru oraz produktach sprzedawanych jako niskokaloryczne. Dodawany jest także do wędlin i ryb oraz tabletek musujących bez cukru. Jego symbol to E-951.

Jeśli chodzi o cudowną moc odchudzającą aspartamu, to niektórzy dietetycy obwiniają go o wzrost wagi ciała. Spożywając aspartam (który daje słodki smak), wysyłamy organizmowi sygnał, że dostarczamy większą ilość kalorii. Gdy organizm ich nie otrzymuje, pojawia się uczucie głodu i potrzeba zaspokojenia tej „oszukańczej" obietnicy. W ten sposób tłumaczy się plagę otyłości wśród „nowoczesnych" społeczeństw, w których ludzie tyją mimo tego, że spożywają niskokaloryczne produkty typu *light*.

Miód
Ludzkość używa miodu od tysięcy lat i nie popadła z jego powodu w otyłość. Piszę to dla maniaków odchudzania, którzy panicznie boją się wszystkiego, co słodkie.

W zapiskach sumeryjskich (sprzed 4000 lat) miód zalecany jest jako produkt odżywczy i leczniczy. Używał go Hipokrates do sporządzania maści i słodzenia leczniczych wywarów z ziół, a starożytni Grecy wierzyli, że zapewnia im siłę, zdrowie i długowieczność. Najnowsze badania naukowców również potwierdzają bogate wartości odżywcze miodu, który dodatkowo charakteryzuje się wysoką aktywnością antybiotyczną. Hamuje rozwój bakterii Gram-dodatnich i Gram-ujemnych, a także grzybów, wirusów, pierwotniaków i paciorkowców. Aktywność antybiotyczna miodu wzrasta nawet 220 razy, gdy rozcieńczymy go letnią (nigdy gorącą!) wodą. Miód jest jedyną substancją słodzącą, która usuwa złogi tłuszczowe z układu krążenia.

Nigdy nie kupuj miodu w supermarketach, ale bezpośrednio u pszczelarzy. Jeśli nie masz takiej osoby, to miód bezpieczniej jest kupować w sklepach ze zdrową żywnością. Wtedy nie kupujesz tylko słodziku, ale pełnowartościowy, zdrowy produkt.

Ksylitol

Na polskim rynku dostępny jest też ksylitol, czyli słodzik pochodzenia naturalnego – pozyskiwany z kory brzozy. Jest polecany przy osteoporozie, ponieważ ułatwia mineralizację kości (czyli przyswajanie wapnia).

Jest równie słodki jak cukier, a dostarcza organizmowi o 40% mniej kalorii, przy czym zmniejsza łaknienie na słodycze. Wysoka cena ksylitolu jest w przypadku osób odchudzających się dodatkowy atutem – zanim sięgniemy po kolejną łyżeczkę, dwa razy się zastanowimy.

Dostępny jest w sklepach ze zdrową żywnością.

Melasa z buraków cukrowych (syrop buraczany)

Doskonały substytut cukru buraczanego. Podczas produkcji cukru sok z buraka jest poddawany działaniu kwasu siarkowego. Oczyszcza to i wybiela melasę, a tym samym powoduje utratę jej wartości odżywczych. Syrop z buraka cukrowego posiada ich wiele.

Ma ciemnobrązowy kolor, jest gęsty, lekko kwaśny i niskokaloryczny. Można go kupić w sklepach ze zdrową żywnością. Jest produktem całkowicie naturalnym, zawiera żelazo (2–3 łyżeczki melasy zaspokajają 93% dziennego zapotrzebowania na nie). Jest polecany osobom cierpiącym na anemię oraz kobietom w ciąży. Bardzo smaczny!

Inulina

Inulina normalizuje trawienie i wspomaga odchudzanie. W stanie naturalnym występuje w korzeniach lub bulwach niektórych roślin. Najczęściej pozyskiwana jest z cykorii. Ma lekko słodki smak i jest bogata w błonnik. Wygląda jak biały proszek, przypomina nieco skrobię. Polecana jako słodzik dla osób chorych na cukrzycę i odchudzających się. Jest probiotykiem (stanowi doskonałą pożywkę dla pożytecznych bakterii jelito-

wych niezbędnych do prawidłowego funkcjonowania całego organizmu).
Inulina to tak naprawdę rozpuszczalny błonnik pokarmowy. Wiążąc duże ilości wody, zwiększa ilość pokarmu, przez co obniża jego kaloryczność. Świetnie zagęszcza zupy i sosy, nadając im lekką słodycz. Inulinę można też dodawać do deserów i ciast.

Dieta niełączenia w pigułce

Słowo „dieta" kojarzy się potocznie z ograniczeniem. Jednak dieta niełączenia jest zupełnie inna. Jest początkiem nowej przygody, która prowadzi do zdrowia, optymalnej wagi ciała, dobrego samopoczucia i podniesienia jakości życia.

- Dieta niełączenia to nie są rygorystyczne zasady, ale uwolnienie się od niezdrowych nawyków i wkroczenie na drogę świadomych wyborów. Odpowiednie nastawienie to połowa sukcesu. Zamiast myśleć o tym, czego nie możesz jeść, lepiej pomyśl, ilu zdrowych, pysznych potraw możesz teraz spróbować.

- Dieta niełączenia to obfitość i różnorodność. Wybierając ją, robimy dla siebie coś bardzo dobrego. W dodatku jest bardzo prosta. Nie potrzebujemy dietetyka, by komponował nam posiłki, ponieważ możemy robić to same.

- Cieszmy się jedzeniem, doceniając jego kolory, smak, zapach i naturalność. Każdy posiłek jest wyrazem troski o nas samych.

- Warto pielęgnować w sobie uczucie wdzięczności za pożywienie. Kiedyś ludzie, zasiadając do stołu, modlili się i dziękowali Bogu za posiłek. Dzisiaj tego nie robimy, ale gdy zaczynamy jeść potrawy naturalne i wartościowe, odkrywamy w sobie tę wdzięczność.

- Gdy jemy przez długie lata pokarmy przetworzone, z dużą zawartością chemicznych dodatków, nasze kubki smakowe doznają głębokiej degradacji. To oczywiste, że początkowo nie są w stanie cieszyć się smakiem naturalnego pożywienia. Gdy organizm zaczyna oczyszczać się z toksyn, wraca również naturalne poczucie smaku, a doznania stają się przyjemne nawet podczas jedzenia surowych warzyw. Czasem trzeba dać sobie na to trochę czasu i nie zniechęcać się zbyt łatwo, mówiąc: „To mi nie smakuje". Umiłowanie tych smaków leży przecież w naszej naturze.

◈ Nie przejmuj się, jeśli nie smakuje ci brązowy ryż czy razowy makaron. To oczywiste, że po latach jedzenia żywności przetworzonej nie odczujesz euforii. Daj sobie czas, żeby się przyzwyczaić. Nie rezygnuj zbyt łatwo. Szukaj przepisów, które najbardziej Ci odpowiadają.

Najważniejsze zasady diety niełączenia:

1. Nie łącz ze sobą białek i węglowodanów.
2. Sięgaj po produkty i potrawy o wysokiej zawartości wody (duże ilości świeżych warzyw i owoców).
3. Zimą spożywanie surowych warzyw prowadzi do obciążenia i wychłodzenia organizmu, dlatego gotuj je na parze, duś, piecz, często jedz zupy jarzynowe (bez mąki, śmietany, makaronów czy zasmażek).
4. Jedz owoce (jako samodzielne danie, na długo przed lub po głównych posiłkach).
5. Unikaj pokarmów ciężkostrawnych, tłuszczów zwierzęcych, potraw smażonych.
6. Jeśli nie chcesz zrezygnować z jedzenia mięsa, bądź wegetarianką w tygodniu, a w weekendy mięsożercą.
7. Przedkładaj ryby ponad drób, a drób ponad mięso; zrezygnuj z czerwonego mięsa.
8. Zrezygnuj z produktów przetworzonych (białe pieczywo, produkty gotowe do spożycia).
9. Unikaj cukrów prostych.
10. Ogranicz spożycie kawy i alkoholu.

Jak czerpać radość z gotowania?

◆ Jeśli uważasz, że nie potrafisz gotować, zapisz się na kurs. Może się okazać, że gotowanie jest znacznie prostsze, niż Ci się wydaje. Najbardziej boimy się tego, czego nie znamy. Warto oswoić sztukę kulinarną, poznać metody, za sprawą których stanie się ona prosta i pasjonująca. Dzięki temu życie będzie pełniejsze, bardziej radosne i smakowite!

◆ Jeśli mieszkasz sama, nie rezygnuj z gotowania dla siebie. Dzięki pysznym zapachom w domu zrobi się bardziej przytulnie, a Ty poczujesz się bezpiecznie. Karmienie siebie jest wyrazem troski o najważniejszą osobę w naszym życiu.

◆ Zaopatrz się w doskonałe noże. Nie oszczędzaj. Noże dobrej jakości mogą Ci służyć nawet przez całe życie. Gdy podczas gotowania walczymy z tępymi, kiepskimi narzędziami, mija ochota na przygotowywanie posiłku.

◆ Kup dobrej jakości garnki, których wygląd będzie Cię zachwycał i sprawiał Ci radość. To samo dotyczy zastawy stołowej i wszelkich narzędzi. Takie „zabawki" mogą bardzo podnieść radość czerpaną z gotowania.

◆ Używaj ziół, świeżych i suszonych. Baw się nimi, eksperymentuj, w jakich kombinacjach najpełniej wyraża się ich aromat. Doceń nie tylko ich zapach, ale również strukturę i kolory.

◆ Poszukuj nowych przepisów i inspiracji wszędzie. W programach telewizyjnych, restauracjach, u znajomych, w gazetach… Nie korzystaj stale z tych samych receptur, eksperymentuj. Twórz swoje własne przepisy. Bądź w kuchni artystką, a nie tylko odtwórczynią. Dzięki temu gotowanie nieustannie będzie ekscytującą przygodą.

◆ Nie ograniczaj się jedynie do produktów i potraw, które znasz. Jeśli trafisz w sklepie na coś, co wprawi Cię w zdumienie, koniecznie to kup i przeprowadź śledztwo. Co to jest? Jak się to przyrządza? Z jakiej kultury pochodzi? Takie antropologiczne poszukiwania mogą stać się początkiem nowych przygód. Ja właśnie w taki sposób odkryłam pak choi oraz pasternak, które na dobre zadomowiły się w mojej kuchni.

◆ Gdy jesteś w podróży, nie zamawiaj w restauracjach potraw, które dobrze znasz, ale stale próbuj czegoś nowego. Odkrywaj! Kuchnia może Cię zachwycać w nieskończoność. Otwiera nas na radość życia. Jeśli jakaś potrawa Cię zachwyci, poproś o przepis. Możesz go zapisać w notatniku lub zrobić zdjęcie, nawet telefonem komórkowym.

◆ Do gotowania zapraszaj dzieci, rodzinę lub znajomych. Wspólne przyrządzanie potraw bardzo zbliża, a jedzenie sprawia wszystkim wyjątkową radość.

Co zrobić, gdy brakuje nam czasu na gotowanie?

Ciągły pośpiech i brak czasu powodują, że przygotowanie codziennie zdrowego posiłku staje się sporym wyzwaniem. Znalazłam jednak sposoby, dzięki którym ugotowanie pysznego dania w krótkim czasie staje się dużo prostsze. Najważniejsze jest dobre zaopatrzenie lodówki i domowej spiżarni w odpowiednie produkty. Różne rodzaje ryżu, makaronów oraz roślin strączkowych to podstawa. Najlepsze i najbardziej wartościowe są świeże produkty, ale jeśli nie mamy czasu na codzienne zakupy i długie gotowanie, to sięgnięcie do zamrażarki (włoszczyzna, wywar z warzyw), a czasem nawet puszki (cieciorka, fasola, krojone pomidory) jest lepszym rozwiązaniem niż jedzenie byle czego „na mieście". Gdy gotujemy sami, naprawdę wiemy, co spożywamy.

Produkty, które zawsze dobrze mieć w domu

Na parapecie
Świeże zioła, które świetnie sprawdzają się w uprawie doniczkowej. Na moim parapecie zawsze jest bazylia, rozmaryn, kolendra i mięta.

W zamrażarce
Mrożony koperek i natka pietruszki – w sezonie siekam kilka pęczków koperku i natki pietruszki, zamrażam i przechowuję w szczelnie zamkniętych plastikowych pojemnikach. Zimą dodaję natkę i koperek do zup i innych potraw.

Liście cytrynowe, trawa cytrynowa – do przygotowania potraw kuchni azjatyckiej, doskonale przechowują się w zamrażarce.

Pokrojona mrożona włoszczyzna – jest błyskawiczną bazą do wszelkich zup i wielu innych potraw.

Mieszanki warzyw – można z nich zrobić „jarzynki", gotując na parze, lub przyrządzić szybką potrawę, na przykład z mrożonymi filetami białej ryby.

Fasolka szparagowa – w sezonie myję, oczyszczam i kroję na kawałki fasolkę szparagową, którą dzielę na mniejsze porcje, umieszczam w foliowych woreczkach do przechowywania żywności i zamrażam. Doskonale nadaje się do przygotowania szybkich potraw (można ją podać w sosie pomidorowym z cebulą i czosnkiem) lub do zup.

Krewetki i różne rodzaje ryb.

Pokrojony pełnoziarnisty chleb – doskonale się mrozi i przechowuje.
Idealna opcja dla osób, które nie mają czasu na codzienne zakupy.
W każdej chwili dowolną ilość kromek można włożyć do tostera lub upiec
w piekarniku z odrobiną oliwy z oliwek i czosnku.

Mrożone **truskawki i maliny** – w sytuacjach awaryjnych doskonałe jako
szybki deser. Wystarczy zmiksować je z odrobiną cukru, by otrzymać pyszny
mus.

W lodówce
czosnek
cebula
świeży imbir
włoszczyzna
cytryny
klarowane masło

Na półce
oliwa z oliwek z pierwszego tłoczenia extra vergine
olej z pestek winogron
wiele rodzajów suszonych ziół i przypraw z różnych rejonów świata
w specjalnym młynku świeży czarny pieprz
sól morska z dodatkiem ziół (suszonego rozmarynu, tymianku, bazylii,
cząbru, ziół prowansalskich, pokruszonego liścia laurowego)

W spiżarni
różne rodzaje ryżu
różne rodzaje makaronu
kasza jaglana, pęczak, kasza gryczana
łuskany groch, soczewica, fasola mung i inne rośliny strączkowe
przeciery pomidorowe i pomidory krojone w słoikach i puszkach
zielone i czarne oliwki
suszone pomidory marynowane w oliwie
cieciorka, fasola i zielony groszek w puszkach
słoiki krojonych pomidorów przygotowanych w sezonie

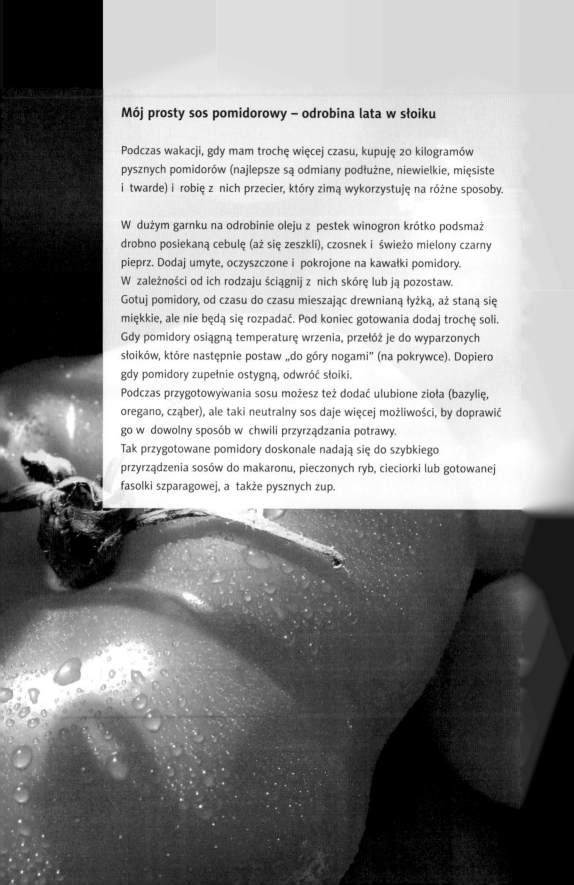

Mój prosty sos pomidorowy – odrobina lata w słoiku

Podczas wakacji, gdy mam trochę więcej czasu, kupuję 20 kilogramów pysznych pomidorów (najlepsze są odmiany podłużne, niewielkie, mięsiste i twarde) i robię z nich przecier, który zimą wykorzystuję na różne sposoby.

W dużym garnku na odrobinie oleju z pestek winogron krótko podsmaż drobno posiekaną cebulę (aż się zeszkli), czosnek i świeżo mielony czarny pieprz. Dodaj umyte, oczyszczone i pokrojone na kawałki pomidory. W zależności od ich rodzaju ściągnij z nich skórę lub ją pozostaw. Gotuj pomidory, od czasu do czasu mieszając drewnianą łyżką, aż staną się miękkie, ale nie będą się rozpadać. Pod koniec gotowania dodaj trochę soli. Gdy pomidory osiągną temperaturę wrzenia, przełóż je do wyparzonych słoików, które następnie postaw „do góry nogami" (na pokrywce). Dopiero gdy pomidory zupełnie ostygną, odwróć słoiki. Podczas przygotowywania sosu możesz też dodać ulubione zioła (bazylię, oregano, cząber), ale taki neutralny sos daje więcej możliwości, by doprawić go w dowolny sposób w chwili przyrządzania potrawy. Tak przygotowane pomidory doskonale nadają się do szybkiego przyrządzenia sosów do makaronu, pieczonych ryb, cieciorki lub gotowanej fasolki szparagowej, a także pysznych zup.

Mięso

Kiedy w 1989 roku po raz pierwszy wyjechałam na Zachód, byłam zdumiona, gdy los zetknął mnie z wegetarianką. Pomysł niejedzenia mięsa wydawał mi się ze wszech miar dziwaczny. Zwłaszcza w miejscu, gdzie półki sklepowe uginały się od wszelkich kulinarnych dóbr.

Pochodziłam z kraju, w którym (przez większość mojego życia) trwała walka o mięso. Utożsamiano je z dobrobytem i pożywieniem niezbędnym dla prawidłowego rozwoju i funkcjonowania. Kartki na mięso były na wagę złota, a w zasadzie nawet przewyższały jego wartość, bo po co komu złoto, gdy na obiad nie ma schabowego? W świecie, w którym się wychowałam, mięso było dobrem najwyższej wagi.

Gdy los rzucił mnie na inny kontynent i zetknął z wegetarianką, przyglądałam się jej jak istocie z odległej planety. Z zaciekawieniem zaglądałam do jej talerza, z niedowierzaniem podpatrywałam, czy w ukryciu nie podjada parówek, i bacznie obserwowałam, czy nie jest aby osłabiona. Oceniałam stan jej skóry, włosów i paznokci. I cały czas dopytywałam się, co jada. Bo skoro nie je mięsa, to czym się właściwie odżywia?

Pomimo ogólnie panującej biedy, w świecie, z którego przybyłam, na śniadania jadano jajka na boczku lub parówki, na obiad zupę gotowaną na mięsie, na kolacje kanapki z wędliną, w niedzielę kotlety schabowe. Piątek, dzień postu, był zawsze dniem ponurym, ponieważ tego dnia na talerzach gościły ser i ryba. Gdy chodziłam do szkoły, podczas piątkowych obiadów wszystkie dzieci miały kwaśne miny i z entuzjazmem oddawały swoje szkolne kanapki z żółtym serem. Nic dziwnego, że osoba, która z własnej woli wyrzekła się mięsa, budziła moje zdumienie. Zupełnie nie rozumiałam, skąd czerpie energię do życia. Podobnie jak miliony polskich dzieci od najmłodszych lat słyszałam: „zjedz mięsko, bo nie urośniesz", a jako trochę już starszy niejadek: „skończ chociaż kotlecik, a ziemniaczki i suróweczkę możesz zostawić". Miałam zakodowane we wszystkich komórkach mojego ciała, że mięso jest niezbędne do życia. Zetknięcie ze zdrową, pełną energii, wigoru i urodziwą wegetarianką, zachwiało moją wiarą w to, w co niemal od urodzenia święcie wierzyłam. Święcie tym bardziej, że każde polskie święto wiązało się z tradycją suto zastawionych wszelkimi mięsiwami stołów.

Moją znajomą wegetariankę traktowałam z podejrzliwością, a jej sposób odżywiania uważałam za ekstrawagancję osoby znudzonej, która wszystko już ma i pragnie popisać się oryginalnością. Jednak ziarno ciekawości zostało we mnie zasiane i przez następne lata sprawę wegetarianizmu badałam z dużym oddaniem.

Przekonałam się, że większość osób z mojego kręgu kulturowego jada mięso, ponieważ tak została wychowana. Na całym świecie żyją jednak miliony ludzi, którzy nigdy w życiu nie mieli w ustach kawałka mięsa. I choć nie mieści się to w głowie przeciętnego Polaka, takie osoby są zdrowe, a będąc dziećmi, prawidłowo się rozwijały. Nasze przekonania dotyczące konieczności spożywania mięsa oparte są bardziej na sentymentach i mitach niż faktach.

Czy mięso jest niezastąpionym źródłem niezbędnego dla człowieka białka?

Chociaż w naszym kraju wiele osób wciąż wierzy, że mięso jest niezbędne do życia, nie jest to prawdą. Przeciętny samiec goryla jest ogromny, umięśniony, silny i sprawny, chociaż żywi się owocami i orzechami. Choć jest jedynie genetycznym kuzynem człowieka, okazuje się, że badania prowadzone na sportowcach lekkoatletach wykazały, iż osiągają oni znacznie lepsze wyniki w testach na wytrzymałość i odporność, gdy są na diecie wegetariańskiej.

W umyśle przeciętnego Polaka pokutuje błędna teoria, że należy spożywać mięso, aby dostarczyć organizmowi odpowiednią ilość białka. Jest to pokłosie sformułowanego jeszcze w XIX wieku mitu utrzymującego, że należy spożywać jego duże ilości, nawet do 120 gramów dziennie. Obecnie udowodniono, że zapotrzebowanie dorosłego organizmu na białko jest o wiele niższe i wynosi około 40 gramów dziennie. Nawet według polskich norm żywienia, które zostały zaktualizowane w 2012 roku, zapotrzebowanie na białko jest o wiele niższe, niż dotąd sądzono.

Okazuje się, że współcześnie zjadamy zdecydowanie za dużo białka. Przeciętny Polak pochłania go co najmniej 2 razy więcej, niż wynosi zapotrzebowanie, a sami wegetarianie spożywają go 1,5 raza więcej niż potrzeba. Nadmiar białka zwierzęcego jest dla człowieka zabójczy, co wykazują wyniki wielu badań. Mimo to zdarza się, że osoby niejedzące mięsa są w Polsce postrzegane jako dziwacy, którzy narażają swoje zdrowie.

„Nie mogę zrozumieć, dlaczego zalecanie ludziom diety wegetariańskiej jest uznawane za drastyczne, podczas gdy krojenie pacjentów przez chirurgów i przepisywanie do końca życia silnych leków obniżających poziom cholesterolu jest umiarkowane z punktu widzenia medycyny" – powiedział w jednym z wywiadów doktor Dean Ornish, założyciel Preventive Medicine Research Institute.

Czy mięso jest zdrowe?

Biochemik doktor T. Colin Campbell, po 40 latach badań dotyczących żywienia człowieka stwierdził, że „żaden związek chemiczny nie działa na człowieka tak silnie rakotwórczo jak białko zwierzęce". Dosyć ponure odkrycie dla mieszkańców kraju, w którym panuje prawdziwy kult spożywania mięsa.

Toksyczne substancje latami kumulowane są w tkance zwierząt. Związane jest to głównie z warunkami współczesnych hodowli. Zwierzęta karmione są hormonami, antybiotykami i pożywieniem niewłaściwym dla istot roślinożernych. Zdrowa wątróbka, do której jedzenia zachęcały nas babcie, jest dzisiaj uważana za jeden z najbardziej szkodliwych pokarmów, ponieważ właśnie w niej znajdują się wszystkie toksyczne substancje, którymi karmione było zwierzę. Weterynarze zabraniają podawania wątróbki nawet naszym kotom!

Surowe mięso nam nie smakuje. Nie podoba nam się ani jego wygląd, ani zapach, ani smak. By spożyć kawałek mięsa, człowiek musi je przetworzyć: zmielić, rozdrobnić, rozbić, upiec, udusić, ugotować, usmażyć. Podczas obróbki w procesie gotowania mięso traci 85% wartości białkowej, ulegają zniszczeniu także witaminy z grupy B, które są wrażliwe na wysoką temperaturę. Znaczenie odżywcze mięsa jest więc przeceniane.

Czy jedzenie mięsa jest dla człowieka naturalne?

Zwolennicy spożywania mięsa twierdzą, że skoro jest ono obecne w diecie człowieka od tysięcy lat, jest jak najbardziej naturalne. Analizując jednak budowę człowieka i zwierząt mięsożernych, nie sposób nie zauważyć istotnych różnic. Pisze o nich szczegółowo Maria Grodecka w książce *Wszystko o wegetarianizmie*.

Gdy patrzę na mojego kota, który rzuca się bez opamiętania na mysz nawet wtedy, gdy nie jest głodny, wiem, że kieruje nim instynkt. Wiem też, że ja takiego instynktu nie mam. Kiedy widzę zająca lub sarnę, zachwyca mnie ich piękno. Nie rzucam się na nie kierowana instynktem zabijania. Na widok krowy, konia czy świni również się nie ślinię i nie wstępuje we mnie morderca.

Dieta wegetariańska

W wyniku wniosków wyciągniętych z ogromnej ilości badań prowadzonych w USA w ciągu ostatnich kilkudziesięciu lat dietę wegetariańską oficjalnie uznano za jeden z najzdrowszych sposobów odżywiania. Kilkanaście lat temu grono najwybitniejszych lekarzy zrzeszonych w Komitecie Lekarzy na rzecz Odpowiedzialnej Medycyny ogłosiło raport będący wynikiem kilkunastu lat badań. Mięso i nabiał zostały w nim uznane za główne źródło substancji chorobotwórczych (cholesterol i tłuszcze). Opublikowano wówczas raport *Cztery nowe grupy pokarmowe*, w którym za optymalne dla zdrowego funkcjonowania organizmu ludzkiego uznano zboża, rośliny strączkowe, warzywa oraz owoce.

Amerykańskie Stowarzyszenie Dietetyków w specjalnym raporcie na temat diety wegetariańskiej stwierdza, że jest to dieta zdrowa i bezpieczna dla wszystkich grup wiekowych, również dla kobiet w ciąży. Stosując dietę wegetariańską, zapobiegamy powstawaniu wielu chorób, a także skutecznie możemy leczyć już istniejące. Takie samo stanowisko zajmuje Amerykański Departament Rolnictwa, który stwierdza, że dieta wegetariańska jest najzdrowszym wyborem. Na zajęcie takiego stanowiska wpłynął raport dwudziestu pięciu najwybitniejszych, niezależnych ekspertów w dziedzinach odżywiania i zdrowia, którzy po wieloletnich badaniach zgodnie stwierdzili, że wegetarianie

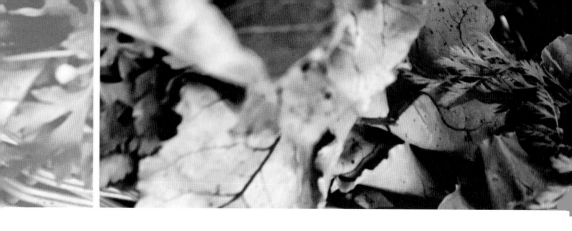

cieszą się doskonałym zdrowiem, i zalecili, aby warzywa, owoce oraz zboża zajęły główne miejsce w odżywianiu.

Tysiące badań pokazuje, że wegetarianie zapadają na raka od 40% do 70% rzadziej niż osoby, które spożywają mięso. Wegetarianie wykazują się również zdecydowanie mniejszą zachorowalnością na choroby serca, cukrzycę oraz choroby reumatyczne.

Brytyjscy naukowcy przeprowadzili badania, które trwały 12 lat. Wzięło w nich udział 61 000 ludzi. W tym czasie 3350 osób spośród całej grupy zachorowało na raka. Odkryto, że rak żołądka, pęcherza oraz krwi występuje znacznie częściej u osób spożywających mięso. Prawdopodobieństwo zachorowania wegetarian na raka krwi było o 45% mniejsze. Badano 20 różnych typów nowotworów. Eksperyment dowiódł, że spożywany pokarm wpływa na rozwój komórek rakowych. Jedzenie dużej ilości mięsa łączy się z ryzykiem wystąpienia guzów żołądka. Relatywnie niska liczba chorych wegetarian potwierdza opinię, że zdrowa i zbilansowana dieta bogata w warzywa i owoce, a zarazem uboga w nasycone kwasy tłuszczowe i mięso obniża szanse rozwoju nowotworów.

Jak wygląda optymalna dieta?

Dieta wegetariańska oparta na pokarmach o niskiej zawartości tłuszczu, składająca się głównie z owoców, warzyw, całych ziaren i roślin strączkowych okazała się optymalna dla organizmu człowieka. Udowodniono, że siła lecznicza diety leży w potrawach roślinnych. Pacjenci, którzy od dziecka wychowani byli na diecie mięsnej, stosując nowy sposób odżywiania, zauważyli ogromną poprawę swojego stanu zdrowia.

Dobrze zbilansowana dieta wegetariańska to taka, w której występuje dużo nieprzetworzonych warzyw i owoców, rośliny strączkowe, pełne ziarna zbóż i niewielkie ilości orzechów oraz pestek. Są to podstawowe filary nie tylko diety wegetariańskiej, ale także każdej innej. Najlepszymi źródłami białek są: ciecierzyca, fasola, soczewica, tofu (należy kupować tylko niemodyfikowane genetycznie – taka informacja podana jest na opakowaniu), orzechy ziemne, pestki dyni, makaron razowy, brązowy ryż, chleb razowy, płatki owsiane, ziemniaki gotowane, brokuły. Najlepszymi źródłami żelaza i cynku są: fasola, otręby, szpinak, płatki owsiane, pestki dyni, suszone morele i figi.

W przypadku kogoś, kto nie lubi warzyw i owoców, jakiekolwiek zbilansowanie diety będzie problemem, niezależnie od tego, czy osoba ta je mięso, czy też nie. Dieta warzywna z dodatkiem razowego chleba, kasz, ryżu, roślin strączkowych, orzechów oraz owoców jest dietą optymalną.

Czy produkty pochodzenia roślinnego zaspokajają nasze potrzeby?

Wiele osób nadal wątpi, czy produkty pochodzenia roślinnego są w stanie dostarczyć organizmowi człowieka wszystkich niezbędnych składników odżywczych. W Polsce powtarzane są dawno już nieaktualne, obalone przez naukowców argumenty o niewystarczającej ilości białek i niedoborze witamin w diecie wegetariańskiej. Obecnie dysponujemy najnowszymi zdobyczami techniki, by to sprawdzić. Mimo to wiele osób upiera się przy konieczności jedzenia mięsa. Tak samo można upierać się przy teorii, że to Słońce obraca się wokół Ziemi, chociaż dysponujemy urządzeniami, dzięki którym jesteśmy w stanie udowodnić, że to nieprawda.

Stanowisko największych światowych organizacji zajmujących się zdrowiem i żywieniem, to znaczy Amerykańskiego Stowarzyszenia Dietetyków oraz Światowej Organizacji Zdrowia (WHO) jest w tej sprawie jednoznaczne: „W ostatnim czasie zdaliśmy sobie sprawę, że różnorodne produkty roślinne zawarte w dietach wegańskich zapewniają wszystkie niezbędne aminokwasy w odpowiednich proporcjach i dostarczają organizmowi odpowiedniej ilości białka", zaś Amerykańskie Stowarzyszenie Dietetyków i Dietetycy Kanady oświadczyli: „Właściwie zaplanowana dieta wegańska i inne typy diet wegetariańskich są odpowiednie na wszystkich etapach życia, włączając w to okres ciąży, karmienia piersią, niemowlęctwa, dzieciństwa i okres dojrzewania". Dla

Polaków taka deklaracja jest co najmniej szokująca! Na Zachodzie świadomość zdrowotnych korzyści diet wegetariańskich jest coraz większa, jednak wiedza naszego społeczeństwa na temat odżywiania nadal oparta jest na mitach.

Dla kogo dobra jest dieta wegetariańska?

Dieta wegetariańska jest dobrowolnym wyborem, odpowiednim dla osób odpowiedzialnych. Samo zrezygnowanie z jedzenia mięsa nie zapewni zdrowia. Ważna jest zróżnicowana dieta obfita w produkty pochodzenia roślinnego, pełne ziarna i rośliny strączkowe. Nie można jeść byle czego. Niestety niektórzy wegetarianie w ogóle nie jedzą warzyw. Znam osoby, które żywią się wyłącznie makaronem i pizzą! Taka dieta nie jest zdrowa i nie zapewnia składników odżywczych, których potrzebuje organizm. Rezygnacja z mięsa nie musi też zapewnić utraty wagi ciała. Wiele gotowych produktów, które można kupić w sklepach dla wegetarian, a nawet znajdujących się w dziale ze „zdrową żywnością" (zwłaszcza w supermarketach), pełnych jest tłuszczy, sztucznych barwników i polepszaczy smaku.

Od czego zacząć?

Osobom, które wychowały się w kulcie jedzenia mięsa, wcale nie jest łatwo przejść na dietę wegetariańską. Wiem o tym z własnego doświadczenia. Niektórzy z dnia na dzień rezygnują z mięsa, jednak większości z nas potrzeba kilku miesięcy, a nawet kilku lat, by przekonać się, że mięso rzeczywiście nam nie służy. Można zdecydować się na stopniowe kroki. Ja właśnie tak postąpiłam. Tak jak większość z nas zwyczajnie się bałam. Wierzyłam, że bez mięsa będę miała anemię i problemy ze zdrowiem objawiające się spadkiem odporności i brakiem siły witalnych. Z czasem okazało się, że jest dokładnie odwrotnie.

Najpierw zrezygnowałam z mięsa czerwonego. Następnie jadłam tylko drób i ryby. Potem ograniczyłam się jedynie do spożycia ryb i owoców morza. Przez cały czas zwracałam uwagę na swoje samopoczucie i robiłam badania krwi. Okazało się, że wyniki nie stawały się gorsze, ale coraz lepsze. Podobnie jak moje samopoczucie. Czułam się lżejsza, pełna energii, bardziej spokojna i pogodna.

Stopniowo zaczęłam wierzyć w siłę potraw roślinnych. Ponieważ jadam jeszcze ryby, nie można nazwać mnie wegetarianką, ale nie mam z tym problemu. Tego procesu nie można przyspieszyć i nie można postępować wbrew sobie. Należy słuchać swojego organizmu, ponieważ wtedy, gdy jest zdrowy i oczyszczony, informuje nas o tym, jakie pożywienie jest mu potrzebne. Rezygnacja z jedzenia mięsa zmieniła nie tylko mój organizm i przewód pokarmowy, ale również moje emocje. Czuję większą empatię i mam większy szacunek dla zwierząt. Cenię życie wszelkich żywych istot.

Produkty udające mięso

Jeśli zdecydowałaś się na dietę wegetariańską, z rozwagą wybieraj gotowe produkty proponowane jako substytuty mięsa. Bezmięsne hamburgery, kiełbasy, pasztety, flaczki i wędliny przeważnie zawierają mnóstwo tłuszczy, chemicznych konserwantów i polepszaczy smaku. Niestety, osoby, które zaczynają swoją przygodę z dietą wegetariańską, właśnie po nie sięgają. Ja też tak robiłam. Kupiłam kiedyś pasztet sojowy i dopiero w domu przeczytałam skład opisany na opakowaniu tak maleńkimi literkami, że z trudem je rozszyfrowałam. Mój „zdrowy" pasztet zawierał: ekstrakty drożdżowe, cukry, substancje wzmacniające smak i zapach: E-621, E-627, regulatory kwasowości: E-330, E-331. Takiego pasztetu sojowego nie można nazwać zdrowym produktem. Nie powinien znaleźć się w dziale ze zdrową żywnością. Na naszym rynku pojawiają się jednak naturalne, zdrowe produkty, z roślin niemodyfikowanych genetycznie i bez dodatków chemicznych. Należy ich tylko poszukać.

Przez lata przekonywano nas, że jedzenie mięsa jest niezbędne dla zdrowia, dlatego w pierwszym odruchu szukamy jego substytutów. Pionierzy diety wegetariańskiej często w ogóle nie wiedzą, co powinni jeść, i czują się zagubieni.

Odnalezienie się w nowej sytuacji i wyrobienie w sobie nowych, zdrowych nawyków żywieniowych wymaga czasu. Dieta wegetariańska to głównie zmiana sposobu myślenia o pożywieniu i przestawienie się na zupełnie inne tory. Dopiero po pewnym czasie zaczynamy odkrywać ogromne bogactwo wspaniałych potraw, smaków i aromatów, ze zdziwieniem stwierdzając, że dieta bezmięsna jest najbogatszym i najbardziej różnorodnym sposobem odżywiania.

Naturalne „spalacze" tłuszczów

Istnieje wiele suplementów diety, które mają nam pomóc w utracie wagi. Natura wyposażyła nas jednak w produkty, które świetnie sobie radzą ze spalaniem zbędnych zapasów tłuszczu. Naukowcy, którzy zajęli się ich badaniem, zalecają, by jak najczęściej znajdowały się w naszym *menu*. W połączeniu z odpowiednią dietą i odrobiną ruchu w sposób naturalny pomogą nam w uzyskaniu optymalnej wagi.

Grejpfrut

Wyniki licznych naukowych doświadczeń potwierdziły wpływ spożycia grejpfrutów na utratę wagi. Według badań przeprowadzonych w Scripps Clinic w Kalifornii spożywanie połówki grejpfruta przed każdym posiłkiem pomaga stracić do pół kilograma tygodniowo. Zauważono, że dzieje się tak nawet wtedy, gdy w diecie i stylu życia badanych osób nic się nie zmieniło. Związki zawarte w grejpfrutach pomagają regulować poziom insuliny, która odpowiedzialna jest za magazynowanie tłuszczu w organizmie. Istnieje pogląd,

że produkty, które obniżają poziom insuliny, pomagają w utracie wagi. Inne badania wykazały, że spożywanie połowy grejpfruta przed każdym posiłkiem powoduje obniżenie masy ciała o 7 kilogramów w ciągu 12 tygodni. Osoby, które odżywiały się dokładnie w ten sam sposób, ale nie umieściły w swojej diecie grejpfrutów, schudły tylko 1 kilogram w tym samym czasie.

Na bazie grejpfrutów konstruuje się obecnie wiele diet, ponieważ ich spożycie pomaga usuwać z organizmu tłuszcz, który kumuluje się na biodrach, udach oraz pośladkach. Jedzenie tych owoców zapobiega także powstawaniu w komórkach nowego tłuszczu. Dodatkową zaletą są wysokie walory odżywcze grejpfrutów. Bogate w witaminę C pomagają w obronie przed żylakami. Zawierają też witaminy z grupy B i witaminę E (witamina młodości) oraz wiele cennych składników, takich jak flawonoidy (antyoksydanty, które powstrzymują efekty starzenia), pektyny (wspomagają procesy trawienia) oraz organiczny kwas salicylowy (pomaga rozpuścić nieorganiczny wapń w organizmie). Czerwony grejpfrut jest bogaty w karotenoid (zwany likopenem), który chroni przed nowotworami pęcherza, trzustki i szyjki macicy. Grejpfrut obniża też poziom cholesterolu we krwi, w czym pomagają przede wszystkim białe, gorzkawe (dlatego zwykle usuwane podczas spożycia) błonki występujące pod skórką. Grejpfruty mają niską wartość energetyczną, przyspieszają przemianę materii, wspomagają odchudzanie, oczyszczają organizm i usuwają toksyny. Należy je spożywać wyłącznie w stanie surowym. Nigdy nie słodzimy grejpfrutów cukrem czy miodem, gdyż takie połączenie zakwasza organizm i powoduje fermentację.

Jeśli chcemy, by grejpfruty usuwały zgromadzony w naszym organizmie zbędny tłuszcz, nie możemy ich zastąpić sokiem kupionym w sklepie. Konserwowanie, a zwłaszcza zagęszczanie soku niszczy wartość substancji organicznych. Aby wspomóc kurację odchudzającą, należy pić codziennie przez 3 tygodnie na czczo szklankę soku świeżo wyciśniętego z grejpfruta (razem z gęstym miąższem) lub w ciągu dnia zjeść cały owoc. Trzeba pamiętać, że to właśnie w miąższu grejpfrutów znajdują się pektyny zmniejszające absorpcję tłuszczów, a przez to przyspieszające proces odchudzania.

Kiwi

Kiwi ma cały zestaw substancji, które wspomagają proces utraty wagi. Zawarte w kiwi kwasy owocowe i enzymy przyspieszają przemianę materii i sprawiają, że łatwiej spalany jest tłuszcz zgromadzony w organizmie, a występujący w kiwi błonnik reguluje i przyspiesza trawienie. Niemal natychmiast po zjedzeniu owocu proces trawienia staje się szybszy. Pracując jako modelka, zwykle zjadałam kiwi dzień przed pokazem mody, by następnego dnia mieć płaski brzuch.

Ananas

Ananas słynie ze swych właściwości odchudzających. Na jego bazie powstają liczne specyfiki wspomagające utratę wagi ciała. Pomimo tego, że jest bardzo słodki, zawiera substancję o nazwie bromelina, która ułatwia trawienie białek, tłuszczy oraz skrobi, działa przeciwzapalnie i przeciwobrzękowo. Bromelina wspomaga przemianę materii, a zawarty w ananasie błonnik ma bardzo korzystny wpływ na pracę całego przewodu pokarmowego.

Uwaga! Jedzmy tylko świeże ananasy. Te w puszce tracą wszystkie cenne właściwości.

Ocet jabłkowy

O cudownym wpływie octu jabłkowego na proces utraty wagi powiedziała mi moja bratowa, która piła go na początku kuracji odchudzającej, aby przyspieszyć jej efekt. Ocet jabłkowy jest ceniony na całym świecie. We Francji na jego bazie produkuje się kosmetyki, a pewna wiekowa już gwiazda w jednym z wywiadów wyznała, że swoją młodość i nienaganną sylwetkę zawdzięcza właśnie octowi jabłkowemu. Wszystko to zachęca, by przyjrzeć mu się bliżej. Tym bardziej że jest produktem naturalnym i relatywnie tanim.

Ocet jabłkowy od dawna słynie jako świetny dodatek do potraw i kosmetyków, a nawet lek. Ceniony jest głównie ze względu na dużą zawartość potasu, pektyn, wapnia, fosforu i sodu. W naturalnym occie jabłkowym jest około 20 najważniejszych substancji mineralnych i mikroelementów, a także cenne substancje balastowe. Rzymscy legioniści nosili przy sobie buteleczkę octu jabłkowego – uważali go za cudowne lekarstwo: pomagał na wszelkie opuchnięcia i ukąszenia, łagodził problemy związane z niestrawnością. Jego właściwości znano też w starożytnym Egipcie. Kleopatra, która słynęła ze wspaniałej figury i dobrego zdrowia, piła rozcieńczony wodą ocet jabłkowy po każdej obfitej uczcie.

Jak wspomniałam, produkt ten jest powszechnie ceniony ze względu na wysoką zawartość potasu, który jest niezbędny dla prawidłowego funkcjonowania organizmu. Niedobór tego pierwiastka prowadzi do osłabienia pamięci, nadwrażliwości na zimno, skłonności do zaparć, podatności na przeziębienia, a także występowania na skórze wyprysków. Z punktu widzenia przydatności w dietach odchudzających pektyny zawarte w occie to substancje balastowe, które regulują proces trawienia. Pobudzają wydzielanie soków żołądkowych i syntezę enzymów trawiennych, przez co złogi tłuszczu zostają rozszczepione i usunięte z organizmu. Wszystko to przyczynia się do obniżenia wagi ciała.

Spożywanie naturalnego octu jabłkowego wpływa na obniżenie poziomu cholesterolu we krwi, a także poprawia stan naczyń krwionośnych. Zapobiega powstawaniu miażdżycy i nadciśnienia. Ocet jabłkowy zawiera także witaminę E, która jest jednym z najsilniejszych przeciwutleniaczy i – o czym pisałam już wielokrotnie – słynnym „eliksirem młodości". Neutralizuje szkodliwe działania wolnych rodników, które mogą być przyczyną przedwczesnego starzenia. Jest także cenny dla systemu nerwowego i układu krążenia. Reguluje równowagę zasadowo-kwasową. Wbrew pozorom nie zakwasza organizmu, a wręcz przeciwnie, służy jego odkwaszaniu. Stymuluje pracę nerek i pobudza układ immunologiczny. Działa oczyszczająco na organizm. Codzienna porcja octu jabłkowego zalecana jest osobom cierpiącym na anemię, ponieważ pobudza on produkcję czerwonych krwinek.

Ocet jabłkowy można kupić w sklepie. Kupujmy tylko ten naturalny, bez chemicznych dodatków, najlepiej ekologiczny (dostępny w sklepach ze zdrową żywnością).

Osoby walczące z nadwagą mogą pić naturalny ocet jabłkowy trzy razy dziennie: 1–2 łyżki octu jabłkowego na pół szklanki letniej wody. Najlepiej pić na czczo (przed śniadaniem), przed obiadem i przed snem. Spalanie tłuszczu odbywa się wtedy systematycznie i bez szkody dla zdrowia. Należy jednak pamiętać, że ocet jabłkowy jest tylko suplementem diety i nie może zastępować posiłków.

Herbata pu-erh

Powszechnie znana jako „zabójca tłuszczu", w szybkim czasie stała się bardzo popularna wśród osób walczących z nadwagą. Nie bez powodu – pomaga pozbyć się nadmiaru tkanki tłuszczowej, a także jest znakomitym środkiem wspomagającym trawienie. W tradycyjnej medycynie chińskiej uważa się, że picie czerwonej herbaty przeciwdziała złemu nastrojowi, a nawet depresji. Pu--erh jest też świetnym remedium na kaca, ponieważ przeciwdziała nieprzyjemnym skutkom nadmiernego spożycia alkoholu.

Charakterystyczny smak i aromat, a także właściwości lecznicze herbata pu--erh zawdzięcza specjalnemu procesowi fermentacji, stosowanemu od blisko dwóch tysięcy lat. W odróżnieniu od innych herbat pu-erh musi leżakować w odpowiednich warunkach, a proces jej dojrzewania nie może zostać skrócony. W jego wyniku powstają liczne związki biologicznie czynne, w szczególności flawonoidy, które mają unikalny i bardzo korzystny wpływ na funkcjonowanie organizmu. Uszczelniają i wzmacniają ściany naczyń krwionośnych, oczyszczają organizm z toksyn, obniżają ciśnienie i poprawiają krążenie krwi. Wykazują silne właściwości przeciwutleniające, zapobiegają tworzeniu się wolnych rodników i powstrzymują procesy starzenia. Związki zawarte w herbacie pu--erh pobudzają enzymy pokarmowe do wydzielania soków trawiennych oraz wzmacniają perystaltykę jelit. Wszystko to wpływa na metabolizm tłuszczowy, co powoduje zmniejszenie podskórnej tkanki tłuszczowej.

Jedynym mankamentem tej cudownej herbaty jest jej silny i odpychający zapach, przypominający zapach stęchlizny, fermentacji lub pleśni. Może być jednak zredukowany poprzez dodanie naturalnych substancji aromatycznych. W sklepach z herbatami dostępne są pu-erh o smaku żurawiny, pomarańczy lub grejpfruta, naprawdę bardzo smaczne.

Zielona herbata

Choć jeszcze niedawno większość Polaków nie chciała słyszeć o zielonej herbacie, teraz jej popularność stała się naprawdę ogromna. Wyniki licznych badań dowodzą, że właściwości zielonej herbaty są wyjątkowe. Dzieje się tak za sprawą dużej zawartości flawonoidów, które są silnymi antyoksydantami. Powstrzymują procesy starzenia, zapobiegają powstawaniu złego cholesterolu, miażdżycy i zakrzepów, działają przeciwbakteryjnie i przeciwwirusowo.

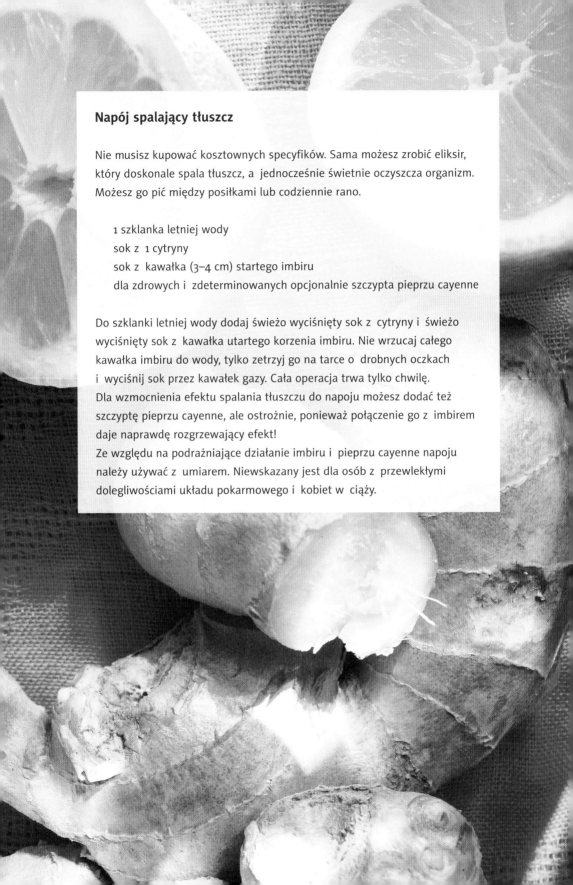

Napój spalający tłuszcz

Nie musisz kupować kosztownych specyfików. Sama możesz zrobić eliksir, który doskonale spala tłuszcz, a jednocześnie świetnie oczyszcza organizm. Możesz go pić między posiłkami lub codziennie rano.

1 szklanka letniej wody
sok z 1 cytryny
sok z kawałka (3–4 cm) startego imbiru
dla zdrowych i zdeterminowanych opcjonalnie szczypta pieprzu cayenne

Do szklanki letniej wody dodaj świeżo wyciśnięty sok z cytryny i świeżo wyciśnięty sok z kawałka utartego korzenia imbiru. Nie wrzucaj całego kawałka imbiru do wody, tylko zetrzyj go na tarce o drobnych oczkach i wyciśnij sok przez kawałek gazy. Cała operacja trwa tylko chwilę.
Dla wzmocnienia efektu spalania tłuszczu do napoju możesz dodać też szczyptę pieprzu cayenne, ale ostrożnie, ponieważ połączenie go z imbirem daje naprawdę rozgrzewający efekt!
Ze względu na podrażniające działanie imbiru i pieprzu cayenne napoju należy używać z umiarem. Niewskazany jest dla osób z przewlekłymi dolegliwościami układu pokarmowego i kobiet w ciąży.

Czytałam badania opublikowane przez „The Journal of Nutrition", według których antyoksydanty zawarte w zielonej herbacie wzmacniają spalanie tłuszczu zwłaszcza podczas wysiłku fizycznego. Zielona herbata intensyfikuje termogenezę – jest to proces spalania, który prowadzi do wzmożonego zużywania tłuszczów zapasowych.

Imbir

Imbir jest jedną z najstarszych roślin leczniczych i przyprawowych. Uprawiany jest od kilku tysięcy lat. Jego popularność w dietach odchudzających spowodowało wyznanie Angeliny Jolie – stwierdziła, że swój szybki powrót do idealnej figury po kolejnej ciąży zawdzięcza tajemniczej herbatce z imbiru. Przepis na nią otrzymała od pewnej kobiety z Namibii i nikomu go nie zdradzi. Zapewne nigdy nie dowiemy się, czy jest to prawda, czy też kolejna plotka, jednak pewne jest, że imbir od wielu lat jest szeroko stosowany w produkcji kosmetyków i preparatów wyszczuplających. Pobudza krążenie i przyspiesza spalanie tłuszczu, pomaga w walce z cellulitem.

Spożywanie imbiru ułatwia trawienie, a zawarty w nim olejek pobudza wydzielanie soków żołądkowych, działa rozkurczowo i przeciwobrzękowo. Niektórzy naukowcy utrzymują, że zawarta w imbirze kapsaicyna (substancja odpowiedzialna za ostry smak) sprawia, iż wzrasta temperatura ciała człowieka, a organizm zużywa więcej kalorii, co pomaga schudnąć.

Pieprz cayenne

O cudownych właściwościach pieprzu cayenne opowiedział mi mój brat, który mieszka w Kanadzie. W Vancouver ta egzotyczna przyprawa stała się niezwykle popularna jako antidotum na wiele dolegliwości, również na otyłość. Pieprz cayenne to jedna z najpopularniejszych roślin o działaniu termogenicznym, a więc rozgrzewającym. Podnosząc ciepłotę ciała, przyspiesza proces spalania tłuszczu zapasowego, poprawia krążenie i usprawnia metabolizm, dzięki czemu wspomaga proces trawienia i odchudzanie. Pieprz cayenne jest stosowany w leczeniu różnych schorzeń, na przykład słabego krążenia krwi, problemów z trawieniem, chorób serca, bólów gardła, głowy i zębów. W medycynie ajurwedyjskiej i chińskiej pieprz cayenne stosowany jest przy słabym trawieniu i problemach żołądkowych.

Pożywienie młodości

Naukowcy wyselekcjonowali witaminy i mikroelementy, które odpowiadają za opóźnienie procesów starzenia, a zatem za przedłużenie młodości. Produkty je zawierające powinny jak najczęściej znajdować się w naszej diecie.

Witamina C

Jedna z najbardziej znanych i popularnych witamin, która jest silnym przeciwutleniaczem.

Pobudza i wzmacnia układ odpornościowy.

Niszczy rakotwórcze wolne rodniki.

Chroni DNA przed zniszczeniem.

Jest niezbędna do syntezy kolagenu.

Chroni arterie (zabezpiecza przed zawałem serca).

Pobudza spalanie tłuszczów w komórkach.

Przyspiesza wydalanie szkodliwych substancji z organizmu.

Najbogatsze w witaminę C są świeże warzywa i owoce: czerwona papryka, natka pietruszki, aronia, owoce cytrusowe, porzeczki (głównie czarna), dzika róża, jagody, maliny, jeżyny, truskawki, warzywa kapustne, a także czarny bez.

Owoce i warzywa najlepiej zjadać surowe – witamina C jest rozpuszczalna w wodzie, więc podczas gotowania warzyw i owoców przechodzi do wywaru. Warzywa zachowują witaminę C, jeśli gotujemy je na parze. W kontakcie z powietrzem witamina C utlenia się, dlatego należy przygotowywać surówki na chwilę przed podaniem.

Witamina A / beta-karoten

Beta-karoten jest prowitaminą witaminy A.

Jest bardzo silnym przeciwutleniaczem.

Jest niezwykle ważny dla systemu immunologicznego.

Chroni błony komórkowe i śluzowe.

Zmniejsza ryzyko powstawania nowotworów.

Zmniejsza ryzyko wystąpienia zawału serca.

Najwięcej witaminy A jest w pomarańczowych warzywach – marchewce, batatach, dyni, a także w ciemnozielonych i czerwonych warzywach i owocach oraz w tranie.

Witamina A jest rozpuszczalna w tłuszczach. Aby została przyswojona przez organizm, niezbędne jest spożywanie jej w towarzystwie tłuszczy (na przykład w sałatce z pomidorów polanych oliwą z oliwek).

Witamina E

Zwana wymiataczem wolnych rodników oraz witaminą młodości.

Chroni przed chorobami serca i rakiem.

Zmniejsza ryzyko zawału serca.

Wzmacnia układ immunologiczny.

Jej niedobór osłabia mechanizmy obronne skóry i przyspiesza proces starzenia.

Objawy niedoboru witaminy E to wysuszenie naskórka, łuszczenie się i przebarwienia skóry, plamy oraz odwodnienie naskórka i wiotczejąca cera.

Najwięcej witaminy E jest w olejach roślinnych (zwłaszcza tłoczonych na zimno), migdałach, orzechach (zwłaszcza laskowych), oleju rybnym (tranie), awokado, ziarnach zbóż, kiełkach soi i innych roślin strączkowych, szparagach, kapuście, szpinaku i brokułach.

Koenzym Q10

Jest silnym przeciwutleniaczem.

Spowalnia procesy starzenia.

Spala tłuszcz do postaci energii, zmniejszając w ten sposób otyłość.

Poprawia funkcjonowanie serca.

Odmładza system immunologiczny nawet u starzejących się ludzi.

Działa antybakteryjnie, antywirusowo i antynowotworowo.

Występuje zwłaszcza w tłustych rybach morskich i owocach morza (makreli, łososiu, sardynkach). Niewielkie jego ilości są również w świeżych owocach i warzywach, oleju sojowym i orzeszkach ziemnych.

Koenzym Q10 ulega zniszczeniu podczas gotowania i przetwarzania produktów. Ponieważ zaliczany jest do związków rozpuszczalnych w tłuszczach, tylko w ich obecności jest wchłaniany z przewodu pokarmowego.

Antyoksydanty

Pomagają „oszukać czas" i spowolnić proces starzenia zarówno naszego ciała, jak i mózgu. Zwiększając spożycie owoców i warzyw, możemy znacząco podnieść poziom antyoksydantów w krwioobiegu. Zapobiegają one utracie pamięci długoterminowej i zdolności uczenia się w średnim wieku.

Owoce o najwyższym wskaźniku antyoksydacyjnym to suszone śliwki, noni (owoc pochodzący z Indii i południowej Azji), mangostan (azjatycki owoc zwany magicznym owocem bogów), borówki, rodzynki, czarne jagody, maliny, truskawki, śliwki, pomarańcze, czerwone grejpfruty, jabłka i gruszki.

Bardzo dużą ilość antyoksydantów zawierają suszone śliwki. Najlepiej kupować je w sklepach ze zdrową żywnością, suszone na słońcu, bez dodatku siarki i konserwantów. 2–3 suszone śliwki dziennie spożywane między posiłkami dostarczą naszemu organizmowi niewiele kalorii, a jednocześnie doskonale wpłyną na układ trawienny.

Tajemnica wiecznej młodości

Od tysięcy lat ludzie starają się odkryć tajemnicę wiecznej młodości. Literaccy bohaterowie, tacy jak doktor Faust czy Dorian Gray, byli w stanie zaprzedać duszę diabłu, by nigdy nie poznać smaku starości. Współcześnie naukowcy wykorzystują najbardziej nowoczesne urządzenia, by potwierdzić to, co wiedzieli chińscy lekarze już dwa i pół tysiąca lat temu. Na sekret długowieczności mają wpływ trzy czynniki:

1. Dieta – to, co jemy każdego dnia.
2. Styl życia – odpowiednia ilość ruchu, przebywanie na świeżym powietrzu, umiejętność oddychania.
3. Mentalność – pozytywne nastawienie do życia, umiejętność radzenia sobie ze stresem.

Przedmiotem badań jest nie tylko samo przedłużenie życia, ale również jego jakość. Chodzi przecież o to, by do późnych lat pozostać osobą zdrową, sprawną, pogodną i samodzielną. Istnieją na naszej planecie społeczności, których mieszkańcy tak właśnie żyją, a obchody setnych urodzin nie należą tam do rzadkości. Dziewięćdziesięciolatkowie są sprawni fizycznie, intelektualnie i prowadzą satysfakcjonujące, samodzielne życie.

Gdzie znajdują się te szczęśliwe krainy „wiecznej młodości"? Wyselekcjonowano pięć miejsc na świecie, w których ludzie żyją najdłużej:

- japońska wyspa Okinawa,
- włoska wioska Campodimele,
- grecka wyspa Symi,
- pakistańska kraina Hunza,
- chiński powiat Bama.

Co łączy te oddalone od siebie regiony? Po pierwsze dieta ich mieszkańców, która polega na spożywaniu dużych ilości lokalnie uprawianych warzyw i owoców, czasem ryb i bardzo małej ilości mięsa – i to mięsa zwierząt hodowanych w naturalnych warunkach. Po drugie duża ilość ruchu na świeżym powietrzu, a po trzecie optymistyczne podejście do życia.

Ilość spożywanego pokarmu jest adekwatna do potrzeb, co oznacza, że problem otyłości w ogóle tam nie występuje. W przypadku mieszkańców Okinawy dzienna ilość energii dostarczanej z pożywienia wynosi zaledwie 1500 kalorii, chociaż mieszkańcy wyspy jedzą sporo i prowadzą bardzo ruchliwy tryb życia.

Istotnym czynnikiem powodującym przedwczesne starzenie organizmu jest przejadanie się, o czym powinni pamiętać mieszkańcy dużo bardziej zamożnego Zachodu. Wielu stulatków, którzy byli badani przez dietetyków i lekarzy, to osoby żyjące w bardzo skromnych warunkach. Jedzą mniej niż przeciętnie, a niektóre z nich muszą nawet raz na jakiś czas głodować.

Przygotuj się na swoje setne urodziny

- Większość stulatków podkreśla, że istotnym elementem zdrowia i długowieczności jest zasada „syty na ¾". Oznacza to, że takie osoby przestają jeść, zanim poczują się naprawdę najedzone. Spróbuj wprowadzić tę zasadę.
- Na długość i jakość życia ogromny wpływ ma oddawanie się swojej pasji i nieustanna ciekawość świata, a także życzliwość dla innych, aktywność społeczna, pomoc osobom potrzebującym. Zrób coś dla siebie i dla innych!
- Po intensywnej pracy zawsze odpoczywaj.
- Po wysiłku intelektualnym spróbuj się umysłowo wyciszyć. Jesteśmy dzisiaj bombardowani nadmiarem informacji, a większość osób „odpoczywa" przed telewizorem. Kolejne newsy wtłaczane do naszej świadomości i podświadomości potęgują zmęczenie. Wyciszeniu umysłu najlepiej służy medytacja lub inne praktyki koncentracji. Polecane są techniki, które łączą ruch, medytację i rozwój świadomości (joga, tai-chi i qigong).
- Pamiętaj, że podstawą zdrowia jest nie tylko pożywienie, ale także ruch: wszelkie prace fizyczne, taniec, sport, spacery, praca w ogrodzie. Badania naukowe dowodzą znacznej roli ruchu w wytwarzaniu w organizmie związków biochemicznych, które pozytywnie wpływają na nastrój i emocje, zmniejszają prawdopodobieństwo wystąpienia depresji czy złego nastroju.
- Optymistyczne podejście do świata, pielęgnowanie dobrego nastroju i śmiech na pewno pomogą Ci czuć się młodo!

Dlaczego się przejadamy?

Osoby, które jedzą zbyt dużo, często sięgają po smakołyki, choć w rzeczywistości ich głód dotyczy całkiem innej sfery. Mamy apetyt na życie, ale zamiast żyć odważnie i prawdziwie, często sięgamy po najprostsze substytuty zadowolenia. Jedzenie może stać się jednym z nich. Moim zdaniem nadwaga często jest wynikiem braku równowagi ciała, ducha i emocji. Jeśli zajmiemy się redukcją pokarmów, a nie osiągniemy wewnętrznej harmonii, nadwaga powróci. Natomiast osiągnięcie równowagi zawsze prowadzi do spontanicznego uzyskania optymalnej wagi ciała.

Optymalna waga

Nasze typy budowy ciała są bardzo różne. Na tym właśnie polega wyjątkowość każdej z nas. Świat mody promuje jednak tylko jeden, ściśle określony typ: bardzo wysokie, niezwykle szczupłe dziewczyny z małym biustem i wąskimi biodrami. Zaledwie znikomy procent kobiet odpowiada tym „wymogom". Reszta z nas walczy ze sobą i ze swoją naturą, by sprostać obowiązującym kanonom. Jeśli nam się to nie udaje, czujemy się gorsze. Jednak to właśnie samoakceptacja jest niezbędnym warunkiem urody fizycznej i emocjonalnego piękna. Nie jesteśmy w stanie prawdziwie rozkwitnąć, gdy nieustannie negujemy i krytykujemy siebie. Nie każda z nas może mieć 180 centymetrów wzrostu, w sposób naturalny ważyć 55 kilogramów i zawsze mieć 20 lat. Jesteśmy różne. Wszystkie kobiety nie mogą wyglądać tak samo.

Badania przeprowadzone na Uniwersytecie Stanowym Ohio dowodzą, że na to, jak wyglądamy, wielki wpływ ma poziom samoakceptacji. Wyniki testów pokazują, że kobiety lubiące i akceptujące siebie odżywiają się znacznie zdrowiej. Osoby, które słuchają sygnałów dawanych im przez ciało, nie przejadają się i dostarczają organizmowi odpowiednią ilość składników odżywczych. Wyrabiają w sobie zdrowe nawyki żywieniowe, a co za tym idzie, są szczuplejsze. O tym, co jedzą, decydują nie emocje, ale zapotrzebowanie organizmu. Kochanie siebie to jedyny sposób na nadwagę, który jest naprawdę skuteczny.

Negatywne myślenie o sobie często skutkuje emocjonalnym podejściem do jedzenia – jedzenie ma wynagrodzić brak miłości i szacunku do samej siebie. W ten sposób napędza się spirala, z której ciężko się uwolnić: czując się źle, jemy, a potem czujemy się źle, ponieważ jadłyśmy. Wyrządzamy sobie krzywdę, gdy mamy w swojej głowie krytyka, który nieustannie nas ocenia.

Skuteczną dietę należy zacząć od zbudowania solidnego fundamentu pozytywnego myślenia na swój temat. Nie musimy dążyć do sprostania cudzym wyobrażeniom o tym, jak powinna wyglądać kobieta. Nasze prawdziwe, unikalne piękno rozkwitnie, gdy odnajdziemy wewnętrzną harmonię zbudowaną na samoakceptacji i pozytywnym obrazie siebie. Nie walczmy ze sobą. Traktujmy siebie z troską i mądrością. „Relacja kobiety z własnym ciałem jest najważniejszą relacją w jej życiu" – mówi ekspert w dziedzinach zdrowia i fitnessu Diana Roesch. Z uzdrowienia tej relacji wynikają pozytywne zmiany w kontaktach z życiowym partnerem, dziećmi czy przyjaciółmi.

Gdy następnym razem będziesz miała ochotę na coś do jedzenia, mimo że sporo już zjadłaś, zatrzymaj się i zastanów, czego w tej chwili tak naprawdę pragniesz. Jesteś rzeczywiście głodna, czy też pożywieniem starasz się zaspokoić inne pragnienia? Sekret idealnej wagi tkwi w wewnętrznej równowadze. Istnieją liczne techniki, które pomogą nam w osiągnięciu harmonii oraz odkryciu tego, co w nas naprawdę piękne i wartościowe. Bardzo skuteczne są joga, tai-chi i medytacja.

Czy duszę można nakarmić?

Ajurwedyjskie pojęcie zdrowia oznacza bycie w stanie harmonii. Pożywienie powinno służyć każdej sferze życia człowieka – zdrowiu fizycznemu, kondycji psychicznej i intelektualnej oraz rozwojowi duchowemu. Czy jest to możliwe? Z punktu widzenia ajurwedy pożywienie może wywołać w nas uczucie spokoju lub niepokoju, a nawet wzbudzić agresję. Dopiero teraz współczesna nauka jest w stanie potwierdzić wiedzę, którą starożytni mędrcy posiedli już kilka tysięcy lat temu.

Ajurweda jest częścią nauk wedyjskich, które mają ponad pięć tysięcy lat. Dotyczy szeroko pojętej praktyki medycznej, która rozpowszechniła się na terenie obecnych Indii. Ajurweda, zwana matką medycyny, uważana jest za najstarszy system medyczny na świecie. Jej nazwa pochodzi od sanskryckich słów *ajus* – życie oraz *veda* – wiedza. Jest to więc w i e d z a o ż y c i u w ujęciu holistycznym. Ciało, umysł i dusza muszą znajdować się w równowadze, by człowiek mógł cieszyć się pełnią sił witalnych, zdrowiem, radością i wewnętrznym spokojem. Zdrowie jest oznaką harmonii, a choroba jej zaburzeniem. Pożywienie może tę równowagę budować lub ją zakłócać.

Z punktu widzenia ajurwedy na świecie istnieją trzy pierwotne sił natury (guny): *sattwa*, *rajas* i *tamas*. Każda z nich jest niezbędna i spełnia inne zadanie: *sattwa* jest siłą tworzącą, *rajas* – podtrzymującą, *tamas* – niszczącą.

Właściwą siłą i stanem umysłu jest oczywiście *sattwa*. *Rajas* i *tamas* są zanieczyszczeniami osłabiającymi zdolność postrzegania prawdy i blokującymi możliwość osiągnięcia przez człowieka pełnego rozwoju. Jednym z podstawowych czynników wpływających na umysł jest pożywienie. Ajurweda dzieli produkty spożywcze ze względu na ich wpływ na umysł i ciało na sattwiczne, rajasowe i tamasowe.

Pożywienie sattwiczne, które uspokaja i rozjaśnia umysł

Zalicza się do niego produkty bogate w energię życiową (pranę), świeże, niezanieczyszczone, przygotowane bezpośrednio przed spożyciem, umiarkowanie ugotowane, z niewielką ilością soli, niezbyt tłuste. Osoby sattwiczne nie przejadają się. Spożywają tylko tyle pokarmu, ile potrzebuje ich organizm.

Pożywienie sattwiczne: owoce, warzywa, zboża, nasiona, orzechy, rośliny strączkowe (soczewica, groch, fasola mung), świeżo udojone mleko (niepoddane procesowi pasteryzacji, od krów z wolnego chowu), przyprawy (kurkuma, imbir, cynamon, kardamon, kolendra, koper włoski, anyż), ryż (basmati, brązowy), ziarno sezamowe, migdały, czysta woda źródlana, ghee (klarowane masło), oliwa z oliwek z pierwszego tłoczenia.

Pożywienie rajasowe, przynoszące niepokój

Rajas powoduje gniew, zmienność, niecierpliwość, irytację. Osoba mająca osobowość rajasową jest chimeryczna, agresywna, materialistyczna, ma egocentryczne ambicje, silne pragnienia i krytycznie podchodzi do otoczenia. Rajasowe produkty spożywcze są zbyt pikantne, słone lub kwaśne, są to również substancje pobudzające i wszelkie używki.

Pożywienie rajasowe: ryby, cebula, czosnek, ostra papryka, ocet, marynaty, napoje alkoholowe, kawa, herbata, napoje gazowane, przyprawy (czarny pieprz i inne ostre dodatki).

Pożywienie tamasowe, pogarszające nastrój

Produkty tamasowe, ogólnie rzecz biorąc, pogarszają nastrój, prowadzą do zaciemnienia umysłu, ignorancji, uporu, braku wrażliwości. Zalicza się do nich pożywienie słabej jakości, rozgotowane, przetworzone, mrożone, puszkowane, zawierające substancje chemiczne lub częściowo zepsute (na przykład stare sery). Mięso zalicza się do kategorii żywności tamasowej (choć ma też pewne cechy rajasowe). Nadmierna ilość tłuszczu obciąża wątrobę, wywołuje gniew, przygnębienie, zniecierpliwienie oraz inne utrudniające życie emocje.

Pożywienie tamasowe: mięso, jaja, biała mąka (i wszystko, co z niej powstaje), „stare" sery, biały cukier, pasteryzowane produkty mleczne, podgrzewany miód.

Ajurweda zaleca dietę wegetariańską, która nie niszczy żadnej formy życia. Mimo że ma wiedzę o różnych rodzajach mięsa i ich właściwościach, nie zalicza go do dobrych pokarmów. Mówi o negatywnych konsekwencjach jego spożywania. Jedyny wyjątek stanowi jedzenie mięsa, jeśli jest to niezbędne dla ratowania życia człowieka. Według ajurwedy mięso wydziela toksyny w formie złych energii.

Ajurweda podkreśla jednak, że chore umysły można leczyć tak jak chore ciała. Została ona doceniona przez Światową Organizację Zdrowia (WHO), która uznała ten sposób podejścia do życia i diety za skuteczną metodę walki z chorobami cywilizacyjnymi.

Według ajurwedy zdrowie i długowieczność można osiągnąć, dbając o ciało, stosując odpowiednią dietę, ćwicząc jogę i pamiętając o potrzebach duszy. Kluczem do tego są:

- właściwe odżywianie,
- oczyszczanie organizmu,
- rewitalizacja organizmu,
- praktykowanie jogi,
- stosowanie różnego rodzaju technik masażu,
- oczyszczanie umysłu za pomocą medytacji,
- podnoszenie wibracji energii za pomocą modlitwy.

URODA

Najlepszym kosmetykiem dla kobiety jest radość życia.

Rosalind Russell

Uroda zaczyna się w kuchni – napisałam w książce *Smak życia* i naprawdę tak uważam. To, co znajduje się na naszym talerzu, w ciągu całego dnia pracuje na wygląd naszej skóry, włosów i paznokci. Poprzez pożywienie wzmacniamy naszą witalność i siłę. Ale uroda to nie tylko atrakcyjna powierzchowność.

Od tysięcy lat ludzie zastanawiają się nad istotą prawdziwego piękna. Poeci, malarze czy rzeźbiarze od wieków pragną je uchwycić, utrwalić i wyrazić. Zmieniają się mody, kanony i wzorce. W dzisiejszych czasach to nie artyści, ale kolorowe magazyny, pokazy mody i filmy wyznaczają ideały urody. Czasem zgadzamy się z nimi, a innym razem nie. Jednak niezależnie od gustów, mód i preferencji istnieje piękno, któremu ulegamy wszyscy.

Są na świecie kobiety, które potrafią zachwycić nas jednym uśmiechem i jednym spojrzeniem. Emanują ciepłem, mądrością, wrażliwością i dobrem, czymś nieuchwytnym, co wszystkich oczarowuje.

W towarzystwie takich kobiet uwielbiają przebywać mężczyźni, dzieci i zwierzęta, a także inne kobiety. Nazywamy je pięknymi, choć często nie jesteśmy w stanie opisać kształtu ich oczu czy ust. W ich przypadku zmarszczki i wymiary nie mają żadnego znaczenia. Chcemy być jak najbliżej nich, a każde spotkanie z nimi koi nas i napełnia inspiracją. To jest właśnie esencja naszego prawdziwego i ponadczasowego kobiecego piękna.

Gdy żyjemy w harmonii i w zgodzie same ze sobą, w naszych oczach pojawia się błysk, promieniejemy wewnętrznym ogniem, pasją i zachwytem nad życiem. Tego nie można kupić w perfumerii, zamknąć w słoiczku z kosmetykiem ani połknąć w postaci tabletki. To jest życie, które pulsuje wewnątrz nas i którym emanujemy. Nasze prawdziwe piękno.

Aby nasza uroda mogła rozkwitnąć, musimy traktować same siebie dobrze, z szacunkiem i akceptacją. Zamiast wyrzucać sobie wady i niedoskonałości, lepiej skoncentrować się na tym, co w nas wyjątkowe, cenne i wartościowe. Każda z nas bez wyjątku ma to w sobie.

Gdy czujesz się zagubiona, zmęczona i pozbawiona wewnętrznego blasku, zastanów się, czy jesteś dla siebie dobra.
Czy znajdujesz czas na twórcze wycieczki?
Ile godzin śpisz?
Kiedy ostatni raz patrzyłaś w niebo?

Czułaś trawę pod stopami?
Oglądałaś gwiazdy?
Czy chodzisz na spacery?
Ćwiczysz? Trenujesz?
Odwiedzasz wystawy?
Czytasz inspirujące książki?
Medytujesz?
Ile czasu poświęcasz na marzenia? Na relaks?

Największy wróg naszej urody

Życie nauczyło mnie, że największym wrogiem urody nie jest wiek, brak snu, palenie papierosów czy picie alkoholu, lecz stres. To on powoduje, że mamy problemy ze snem, sięgamy po papierosy, a wieczorem po lampkę wina dla rozluźnienia. Najlepszym sposobem na urodę jest więc odprężenie i relaks. Jeśli chcemy na długie lata zachować urodę, powinnyśmy nauczyć się radzić sobie ze stresem.

Napięcia, jakie wywołuje długotrwały stres, widoczne są w całym naszym ciele. Wiemy, że jego wpływ osłabia nasze włosy i paznokcie, ponieważ organizm, próbując zachować równowagę, wykorzystuje zapasy magnezu i witamin z grupy B. Nadaktywność hormonów prowadzi do problemów ze skórą. Utrata wody w organizmie powoduje powstawanie przedwczesnych zmarszczek. Skóra traci jędrność, cera staje się blada, szara i matowa. Pojawiają się cienie pod oczami. Stres dosłownie wysysa z nas energię i chęć do życia.

Zmienia się nasza postawa. Pod wpływem ciągłych napięć plecy, barki i szyja stają się obolałe. Jest nam ciężko. Dźwiganie emocjonalnych problemów jest równoznaczne z noszeniem prawdziwych ciężarów na naszych ramionach. Tracimy witalność. Zaczynamy się garbić i chodzić z pochyloną głową. Nie dodaje to nam urody, tylko postarza.

Napięcia gromadzą się również w naszych twarzach. Gdy pojawia się złość, zawiść, zazdrość, smutek lub inne negatywne emocje, nasze rysy nabierają ostrości i surowości. Zęby zaciskają się mocno (nawet podczas snu). Napinają się wszystkie mięśnie. I to właśnie sprawia najmocniej, że wyglądamy na starsze o co najmniej kilka lat. W takiej sytuacji nawet najdroższy krem przeciwzmarszczkowy okazuje się bezskuteczny, a najlepszy makijaż nie jest w stanie ukryć naszego wyczerpania.

Jeśli wieczorem, przed pójściem spać, nie zrzucimy z siebie ciężarów całego dnia, noc nie przyniesie wypoczynku, a ranek nie będzie promienny i lekki.

Najlepszy sposób na zmarszczki

Najlepszym środkiem przeciw zmarszczkom jest poczucie wewnętrznej harmonii. Według ajurwedy prawdziwe piękno ciała możliwe jest tylko wtedy, gdy odzwierciedla równowagę i wewnętrzny spokój. Nie możemy jednak spowodować, by życie dostarczało nam tylko miłych wrażeń. Gdy pośpiech, praca i rozterki codzienności pozbawiają nas energii, pierwszą rzeczą, z jakiej zwykle rezygnujemy, jest to, czego najbardziej nam potrzeba – czas dla samych siebie oraz przestrzeń potrzebna na wyciszenie i relaks.

Nadchodzi jednak moment, gdy musimy kompleksowo zadbać o siebie. Pierwszym krokiem jest odpowiednia dieta (ziarna, produkty pełnoziarniste, warzywa, owoce, woda). Kolejne to ruch, ćwiczenia, regularna medytacja i zmiana sposobu myślenia. Na poziomie fizycznym do równowagi wewnętrznej może doprowadzić nas relaks ciała. Dobry masaż pomaga pozbyć się napięć i uspokoić emocje. Poprzez nasze zmysły możemy dotrzeć do obolałych i osłabionych sfer naszego wnętrza, by oczyścić je i wzmocnić. Na tym właśnie polega filozofia i fenomen salonów SPA. Dbałość o piękno ciała przynosi nam odprężenie. Dzieje się to przy udziale wszystkich zmysłów:

- dotyku (kąpiele, masaże, maseczki),
- dźwięku (relaksacyjna muzyka),
- zapachu (aromaterapia),
- wzroku (spokojne, naturalne barwy, kwiaty, minerały, harmonijne przedmioty),
- smaku (balansujące herbaty i napary z ziół).

Domowe SPA

Bardzo wielu z nas brakuje czasu lub pieniędzy, by korzystać z salonów SPA zawsze wtedy, gdy są nam one najbardziej potrzebne. Niemal każdego dnia jesteśmy narażone na stres. Być może raz na jakiś czas uda nam się wyrwać z miasta, by na kilka dni pojechać do kliniki odnowy biologicznej. Taki wyjazd przynosi zazwyczaj cenny relaks i zastrzyk dobrej energii. Nasza uroda potrzebuje jednak systematycznej dbałości – tylko wtedy prawdziwie rozkwitnie. Doraźne zajmowanie się nią nie zastąpi codziennej troski. Czasem jesteśmy już tak bardzo zmęczone i wyczerpane, że nawet dwa tygodnie masaży i maseczek nie są w stanie nam pomóc. Aby nie doprowadzić się do takiego stanu, dbanie o siebie powinnyśmy uczynić stałym elementem codzienności. Jeśli nie możemy systematycznie korzystać z dobrodziejstw salonu SPA, to urządźmy SPA w swojej łazience!

Nie oszukujmy się, nikt nie ma czasu na to, by każdego dnia bez wyjątku robić sobie długie kąpiele w wannie. Musimy przecież znaleźć czas również na inne przyjemności. We wszystkim potrzebny jest umiar, zdrowy rozsądek i odpowiednie proporcje.

- Jeśli prowadzisz intensywny tryb życia, na wieczorne rytuały możesz przeznaczyć przynajmniej dwa dni w tygodniu.
- Jeśli przeżywasz kryzys lub przechodzisz trudny okres, zamiast rozpaczliwej ucieczki w męczące, odbierające siłę rozrywki daj sobie więcej czasu na regenerację, wyciszenie i odpoczynek. To jest moment, gdy należy zatroszczyć się o siebie w sposób szczególny.
- Bez względu na okoliczności raz w tygodniu postaraj się znaleźć czas na solidną odnowę, odprężenie i zabiegi poświęcone urodzie. Może to być chociaż godzina. Nawet jeśli jesteś zapracowana, zaganiana, a w domu

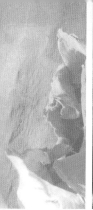

pokrzykuje gromadka dzieci, dla dobra Twojego i Twojej rodziny spróbuj wygospodarować ten czas dla siebie.

Pamiętaj o tym, że niezwykle ważne jest Twoje nastawienie. Jeśli będziesz się spieszyć i godzina relaksu dla Ciebie będzie kolejnym obowiązkiem, punktem do odhaczenia na liście rzeczy do zrobienia, nie przyniesie żadnych efektów.

- ❧ Chwila, którą spędzasz w „domowym SPA", to Twój czas. Nie myśl wtedy o problemach, rachunkach, szefie, szkole swoich dzieci czy wadach partnera. Niech Twoją najgłębszą intencją będzie oczyszczenie, odprężenie i wypoczynek.
- ❧ Jeśli masz skłonności do wyrzutów sumienia i obarczania siebie poczuciem winy („Jest przecież tyle ważnych rzeczy do zrobienia!"), popracuj nad sobą, by uwolnić się od tego rodzaju myślenia. Odpuść sobie. Ty też jesteś ważna. Najważniejsza.
- ❧ Wyłącz telefon. Świat się nie zawali, gdy przez jakiś czas nie będzie miał z Tobą kontaktu. Wszystko może zaczekać.
- ❧ Dzieci zostaw pod opieką lub połóż spać i uprzedź domowników, by nikt Ci nie przeszkadzał.
- ❧ Zostań sama ze sobą.

Jak urządzić domowe SPA?

Łazienka jest naszym sekretnym azylem. Miejscem, gdzie możemy się rozpieszczać i z dala od krytycznych spojrzeń, zupełnie rozluźnione, zająć się tylko sobą. Najlepiej, jeśli łazienka wykonana jest z przyjaznych, naturalnych materiałów w stonowanych barwach. To przecież miejsce, w którym rano nabierasz sił na cały dzień, a wieczorem odpoczywasz. Jeśli najnowsze trendy mody zachęcają, by w aranżacji wnętrz zdecydować się na odważne akcenty, warto im nie ulegać. Najlepiej, gdy podczas odpoczynku nic nadmiernie nie angażuje uwagi. Harmonia, natura, spokój i łagodność to kluczowe słowa, o których warto pamiętać podczas urządzania wnętrza łazienki. Wiem, co mówię, ponieważ jako młoda osoba zafundowałam sobie odważne barwy, a sufit pomalowałam na… złoto!

◊ Jeśli masz w łazience okno, ani przez chwilę nie wahaj się i postaw w nim żywe rośliny. Kupując je, spytaj w kwiaciarni specjalistkę o takie, które najlepiej czują się w wilgotnym klimacie. Rośliny pozytywnie jonizują powietrze, a ich widok łagodzi stres i dodaje nam pozytywnej energii.

◊ W łazience powinna oczywiście panować idealna czystość.

◊ Jeśli wnętrze łazienki jest małe, poszukaj rozwiązań, by tę przestrzeń mądrze zagospodarować. Nieocenione okazują się wiklinowe kosze i koszyczki, pojemniki i zamykane szafki.

Ręczniki

Warto zaopatrzyć się we wszelkie akcesoria, które uprzyjemnią i ułatwią zabiegi w naszym domowym SPA. Z całą pewnością przyda się nam nie tylko duży, miękki, wygodny szlafrok (najlepiej z kapturem), ale również spora ilość ręczników. Powinny być wykonane z bawełny, najlepiej w stonowanych, naturalnych barwach. Ręczniki należy prać w bardzo delikatnych środkach piorących, ponieważ wycieramy nimi nie tylko ciało, ale również twarz i oczy. Zbyt silne środki piorące, zmiękczające lub zapachowe mogą powodować alergie, uczulenia lub podrażnienia wrażliwej skóry. Najlepiej, jeśli środki piorące nie zawierają składników chemicznych.

Ja do prania używam naturalnych orzechów piorących, które pochodzą z drzewa *Sapindus mukorossi* i zawierają saponinę – naturalny środek piorący. Można je kupić w sklepach ekologicznych lub ze zdrową żywnością. Orzechy są bardzo łagodne i niezwykle wydajne. Pół kilograma wystarcza na mniej więcej 70 prań. Dla nadania ubraniom pięknego zapachu do płukania dodaję kilka kropli naturalnego olejku eterycznego.

Domowa aromaterapia

Kochamy zapachy. Jesteśmy podekscytowane na myśl o nowych perfumach naszej ulubionej marki. Ale piękne zapachy to nie tylko perfumeria. Natura pełna jest zachwycających, naturalnych aromatów.

Pomyśl o zapachu świeżej skórki cytryny. Soczystej pomarańczy. Cynamonu. Wanilii. Kardamonu. Lawendy. Róży. Tymianku. Drzewa, żywicy, trawy. Wiatru od morza. Lasu i deszczu. Słońca na twojej skórze. Wszystkie budzą emocje, otwierają zmysły, poruszają i ekscytują.

Niektórych zapachów nie da się zamknąć w butelce. To nieuchwytność i ulotność decyduje o ich magii. Mamy jednak do dyspozycji całą gamę naturalnych olejków eterycznych, które wywierają na nas dobroczynny wpływ. Niektóre uspokajają, inne dodają energii. A przy okazji także leczą.

Aby w to uwierzyć, musiałam sama na sobie doświadczyć ich ożywczej mocy i uzdrawiających właściwości. Zapachy działają na ciało i umysł, poprawiają nastrój i uwalniają od napięć. Zmysł zapachu ma podstawową więź z mózgiem. Aromaty, które wdychamy, powodują biochemiczną reakcję wywierającą wpływ na nasze emocje. Poprzez odpowiednio dobrane zapachy możemy nimi kierować.

Od czego zacząć?

Zaopatrzyłam się w kilka wodnych lampek (tak zwanych kominków). Czasem trudno od razu kupić taki, który spełni nasze oczekiwania. Przede wszystkim nie powinien być zbyt mały. Klasyczna świeczka *tee light* pali się około 3–4 godzin. Jeśli pojemnik na wodę jest malutki, trzeba uważać, by woda nie wyparowała, zanim świeczka się wypali. Przypalony pojemnik na olejek eteryczny to nic przyjemnego. Może zniweczyć nasze plany odprężenia i relaksu.

Do kominka wstawiamy świeczkę, a do pojemniczka nalewamy wodę i wkraplamy olejek. Naturalne olejki eteryczne otrzymywane są z kwiatów, liści, nasion, łodyg lub korzeni aromatycznych roślin, ziół i owoców. Już samo to brzmi niezwykle ekscytująco! Natura jest naszym dobroczyńcą. Korzystajmy z tego.

Naturalne olejki eteryczne są bardzo skondensowanymi, intensywnymi i silnymi substancjami, dlatego należy ich używać tylko w małych ilościach. Ich jakość różni się w zależności od metod ekstraktacji i kraju pochodzenia. Ma to oczywiście związek z ich ceną. Kupując olejki, należy bardzo uważać, ponieważ na rynku dostępna jest ogromna ilość produktów syntetycznych. Z punktu widzenia aromaterapii są one zupełnie bezwartościowe, bo zamiast leczyć, zatruwają oparami chemii. Naturalne olejki eteryczne są na pewno droższe od syntetycznych. Ich produkcja jest bardzo kosztowna, więc cena nie może być niska.

W sklepach z naturalną żywnością lub zielarniach można jednak kupić naturalne olejki eteryczne w przyzwoitej cenie. Doskonały olejek może kosztować sto złotych, ale całkiem niezły nawet piętnaście. Kupując tańszy produkt, sprawdź dokładnie jego skład. Piękne nazwy i eleganckie opakowania mogą okazać się bardzo zwodnicze. Nas interesuje tylko 100% naturalnego olejku eterycznego. Bez żadnych domieszek.

Aromaterapią możemy cieszyć się w ciągu całego dnia. Dzięki niej od samego rana w moim mieszkaniu pięknie pachnie. Teraz, gdy piszę te słowa, oddycham lawendą, cytryną, rozmarynem i mandarynką. Taka mieszanka delikatnie mnie pobudza, orzeźwia, inspiruje i mobilizuje koncentrację. Dzięki tym zapachom zapraszam do mojego domu część natury i świata, za którym tęsknię. Lawenda to Prowansja, ale również mój ogród. Wspomnienie dobrych, spokojnych letnich dni. Rozmaryn rośnie na parapecie mojego okna, ale przypomina mi również duże krzaki tej rośliny, których zapachem oddychałam na Krecie w rozgrzane, wakacyjne wieczory. Owoce cytryny i pomarańczy wąchałam w sadach na Kostaryce, Sycylii czy w Kalifornii… W tych zapachach jest część mojego życia, moich dobrych wspomnień.

Postaraj się pamiętać o kilku rzeczach:

◈ Do aromaterapii używamy 10–15 kropli naturalnego olejku eterycznego. Przy wykonywaniu mieszanki również sumujemy olejki do 10–15 kropli wszystkich razem.

◈ Możemy oczywiście robić mieszanki, jednak nie z więcej niż 5 różnych olejków. Każdy z nich ma silne i bardzo złożone działanie, nie należy więc przesadzać.

◈ Korzystamy tylko z takich olejków, których zapach najbardziej nam odpowiada. Nie warto zmuszać się do wdychania aromatów, które nie sprawiają nam przyjemności.

◈ Przy przeziębieniu warto używać olejków zalecanych podczas infekcji i takich, które udrożniają drogi oddechowe, a przy okazji lekko pobudzają i niwelują ból głowy.

Rodzaje i działanie olejków eterycznych

Każdy z nas inaczej reaguje na zapachy – ten sam aromat może wzbudzić różne emocje i nastroje. Dlatego zachęcam do eksperymentów i poszukiwań, dzięki którym stworzysz swoją własną niepowtarzalną listę ulubionych olejków eterycznych.

Być może inspiracją będą aromaty, które stale są obecne w moim życiu.

Lawenda

Dla mnie jest królową zapachów.

Kiedyś byłam przekonana, że nie zanoszę zapachu lawendy. Kojarzyła mi się z wodą toaletową, której używał mój dziadek. W moim przekonaniu był to więc zapach starości. Aż do chwili, gdy po raz pierwszy powąchałam świeży kwiat lawendy. Wtedy przekonałam się, że perfumy mojego dziadka nie miały z nią nic wspólnego. Były raczej wyobrażeniem tego, czym lawenda jest naprawdę. Odkryłam dla siebie tę zachwycającą roślinę, która teraz rośnie w moim ogrodzie.

◈ Działa uspokajająco, przeciwbólowo i przeciwzapalnie.

◈ Łagodzi lęki, depresję, zmęczenie i napięcia nerwowe.

◈ Ma działanie immunologiczne. Łagodzi bóle głowy.

Cytryna

Olejek cytrynowy otrzymywany jest ze skórki cytryny. Charakteryzuje się świeżym, ożywczym zapachem.

◈ Działa lekko stymulująco.

◈ Łagodzi lęki, umysłowe zmęczenie, przeziębienie i katar.

◈ Ożywia i dodaje energii.

Bergamotka

Olejek bergamotowy wyciskany jest ze skórek owoców bergamotki. Charakteryzuje się świeżym, orzeźwiającym zapachem.

- Ma działanie antystresowe i przeciwzapalne.
- Łagodzi napięcia nerwowe, apatię oraz stany zapalne skóry.

Grejpfrut

Olejek grejpfrutowy otrzymywany jest ze skórki owoców grejpfruta. Posiada orzeźwiający, cytrusowy zapach.

- Działa tonizująco i przeciwdepresyjnie.
- Łagodzi napięcia nerwowe, stres i bóle głowy.
- Stosowany jest w terapiach otyłości.

Geranium

Jest popularną rośliną, którą często hodujemy w naszych domach. Charakteryzuje się pięknym, lekko cytrusowym zapachem.

- Olejek geraniowy ma działanie przeciwdepresyjne.
- Łagodzi napięcia nerwowe oraz lęki.
- Pomaga podczas przeziębień, grypy i kataru.

Bazylia

Ma bardzo intensywny, charakterystyczny zapach.

- Działa pobudzająco i przeciwbólowo.
- Łagodzi lęki, zmęczenie fizyczne i psychiczne, bóle głowy oraz nerwobóle.
- Podnosi poziom koncentracji.

Pomarańcza

Olejek otrzymywany jest ze skórek owoców, które mają bardzo intensywny, lekko słodki, owocowy zapach.

- Wykazuje działanie uspokajające i przeciwdepresyjne.
- Łagodzi napięcia nerwowe i bezsenność. Poprawia nastrój.

Rozmaryn

Olejek rozmarynowy jest jednym z najcenniejszych olejków używanych w aromaterapii ze względu na silne i bardzo szerokie działanie. Charakteryzuje się intensywnym, ziołowym, lekko żywicznym zapachem.

- Ma działanie pobudzające, przeciwbólowe i antyseptyczne.
- Odmładza i wzmacnia system immunologiczny.
- Łagodzi zmęczenie (zarówno fizyczne, jak i umysłowe), bóle głowy oraz migreny.
- Poprawia koncentrację, wzmacnia pamięć.
- Jest bardzo skuteczny podczas przeziębień, grypy, kataru i kaszlu.

Melisa

Jest znaną i popularną rośliną o działaniu uspokajającym i antyseptycznym o pięknym, ziołowo-cytrusowym zapachu.

- Olejek melisowy łagodzi napięcia nerwowe, lęki i bezsenność.

Mięta pieprzowa

Charakteryzuje się wyjątkowym, orzeźwiającym zapachem.

- Łagodzi zmęczenie, napięcia nerwowe, bóle głowy, grypę i przeziębienia.

Tymianek

Olejek tymiankowy ma bardzo intensywny, ziołowo-żywiczny aromat.

- Łagodzi zmęczenie, ociężałość umysłową, bezsenność, depresję i lęki.
- Jest bardzo skuteczny podczas infekcji bakteryjnych i wirusowych.
- Wspomaga leczenie kaszlu, kataru i zapalenia zatok.
- Podnosi ciśnienie krwi, dlatego nie jest wskazany przy nadciśnieniu.

Cyprys

Olejek cyprysowy ma charakterystyczny zapach lasów południowej Francji i Włoch.

- Łagodzi napięcia nerwowe, bezsenność, rozdrażnienie, przeziębienia i kaszel.

Drzewo herbaciane

Olejek z drzewa herbacianego jest wyjątkowo cenny. Ma charakterystyczny, bardzo intensywny ziołowy zapach, dlatego należy używać go z umiarem.

- Jest niezwykle silnym środkiem bakteriobójczym i przeciwwirusowym.
- Łagodzi przeziębienia, grypy i infekcje wirusowe.
- Wykazuje działanie immunologiczne i jest silnym antyseptykiem.

Limetka

Olejek limetkowy uzyskiwany jest ze skórek tych owoców. Ma zapach podobny do cytryny.

- Ma działanie przeciwdepresyjne.
- Łagodzi lęki, przeziębienia i bóle głowy.

Mandarynka

Olejek mandarynkowy pięknie komponuje się z innymi zapachami, na przykład z lawendą i cytryną.

- Ma działanie uspokajające, łagodzi bezsenność, napięcia nerwowe i lęki.

Bardzo lubię naturalne kadzidełka, ale zapalanie ich w łazience nie jest wskazane. Kadzidełka wymagają większych, przewiewnych pomieszczeń. Nadmiar dymu może nie tylko podrażnić oczy, ale również spowodować ból głowy. Aby się odprężyć, potrzebujemy czystego powietrza.

Świece zapachowe bardzo pozytywnie wpływają na podniesienie nastroju. Najzdrowsze dla nas są te wykonane z naturalnego wosku pszczelego lub z tłuszczy roślinnych (na przykład naturalnie aromatyzowane świece sojowe).

Herbatka z melisy

Moją ulubioną rośliną na wieczory jest melisa. Tonizuje organizm i uspokaja.
Łagodzi napięcia. Ma ziołowy, lekko cytrusowy smak i aromat. Jest po prostu
pyszna. Latem używam świeżych listków, a zimą suszonych. Ponieważ hoduję
zioła w swoim ogródku, mam ich zawsze spory zapas. Jeśli musisz je kupić, udaj
się do sklepu z ziołami i poszukaj melisy nie w ekspresowych torebkach, ale
pakowanej luzem. Taka jest zdrowsza i bardziej wartościowa. Przyda się także
pokrzywa, która wzmacnia organizm i oczyszcza krew.

> Wieczorem przygotuj mieszankę, która składa się w równych porcjach
> z rooibos, melisy i pokrzywy.
> Zimą możesz dodać trochę imbiru, cynamonu i suszonej skórki pomarańczy.
> Latem świeża melisa ma tak oszałamiający smak, że nie potrzebuje żadnych
> „ulepszaczy".
> Zalej zioła wrzącą wodą i zostaw pod przykryciem na 10 minut.
> Przecedź napar przez gęste sitko. Możesz dodać łyżeczkę jasnego miodu,
> na przykład lipowego lub akacjowego.

Herbatka lawendowa

Lawenda kojarzy się nam głównie z aromatem. W Prowansji jest jednak tak
popularna, że stosuje się ją również jako środek spożywczy. Moja przyjaciółka
przywiozła mi kiedyś w prezencie syrop lawendowy. Miał piękny, liliowy kolor
i wspaniały, delikatny smak.

Wieczorem bardzo lubię pić delikatny napar z kwiatów lawendy i rumianku,
który również ma działanie tonizujące i uspokajające. Z odrobiną jasnego
miodu (lipowego lub akacjowego) jest jednym z najbardziej romantycznych
i inspirujących napojów, jakie znam.
Kwiat lawendy można kupić w sklepach z ziołami. Jest pakowany luzem (nie
w torebkach), a spora paczka kosztuje zaledwie kilka złotych.

Jeśli rytuał domowego SPA urządzasz rano, proponuję filiżankę mate. Doskonałe
są również herbaty zielone lub białe, które działają delikatnie pobudzająco,
a duża zawartość antyoksydantów pomaga w pielęgnowaniu urody.

Dźwięki

W ciągu dnia słyszymy bardzo wiele dźwięków, które często mocno nas męczą. Dlatego aby się odprężyć, czasem potrzebujemy jedynie ciszy. Znam jednak osoby, które całkowita cisza po prostu przeraża. Na co dzień są otoczone dużą ilością zewnętrznych bodźców i czują się zagubione, gdy niczego nie słyszą.

Aby się odprężyć, poszukajmy dźwięków, które wyciszą nas i uspokoją. Każda z nas jest inna. Niektóre z nas koi szum morza, inne wolą śpiew ptaków, spokojną muzykę fortepianową, dźwięki fletu, buddyjskie mantry lub muzykę relaksacyjną. Szukajmy „białych dźwięków", czyli takich, które pozytywnie wpływają na nastrój, ale nie angażują uwagi, tylko płyną obok.

Smak

W osiągnięciu prawdziwego oczyszczenia i relaksu mogą nam pomóc napary z ziół. Myślisz, że zioła są nudne i bez smaku? Wręcz przeciwnie, są bardzo ekscytujące! Dla mnie są jak promień słońca. Ich siła jest godna podziwu. Odradzają się na wiosnę po długiej zimie, są w stanie przetrwać ulewy, susze i mrozy. Rosną na jałowej ziemi, piachu, czasem nawet na kamieniach. Najbardziej aromatyczne i wartościowe są te, które rosną w najtrudniejszych warunkach. Czyż nie jest to inspirujące?

Masaż

Stres powoduje, że nasz organizm osiąga stan napięcia. Ciało staje się naprężone i gotowe do działania: ataku lub ucieczki, mięśnie napinają się. Gdy doświadczamy długotrwałego stresu, zmęczenie kumuluje się w naszym ciele. Powstają blokady energetyczne, które nie pozwalają na swobodny przepływ energii. Każda komórka staje się wrażliwa na dotyk i obolała. Potrzebujemy wtedy dobrego masażu, który jest najprostszą i najszybszą metodą przywrócenia wewnętrznej harmonii. Jego siłę i moc podkreślała już wiele tysięcy lat temu ajurweda. Masaż jest również nieodłącznym elementem wielkiej medycyny chińskiej. Istnieje wiele odmian masażu – jest niezwykle popularny od Tajlandii po Skandynawię.

Przynosząc odprężenie mięśniom, odprężamy umysł. Masaż pomaga usunąć z organizmu substancje toksyczne. Zostają rozprowadzone złogi zalegające w żyłach, przez co poprawia się dopływ krwi do serca i pobudzone zostaje krążenie. Masaże ujędrniają mięśnie, stymulują produkcję endorfin, a wykonane przez odpowiedniego specjalistę niwelują także blokady energetyczne. Uciskanie pewnych punktów znajdujących się na całym ciele, nawet tych na dłoniach, twarzy i głowie, pozwala usunąć napięcie.

Z całą pewnością najlepiej jest, gdy masaż wykona specjalista – zaczynając od stóp, poprzez całe ciało, dłonie, twarz, a na czubku głowy kończąc. Dobry masaż to dla naszego zdrowia i urody nieoceniona pomoc. Już sam troskliwy dotyk dłoni może bardzo nam pomóc. Jeśli nas na to stać, warto zainwestować w dobry masaż regularnie, przynajmniej raz w tygodniu. Jeśli jednak nie możemy sobie na to pozwolić, naszym ratunkiem może okazać się automasaż.

Automasaż

Często intuicyjnie i bezwiednie wykonujemy automasaż, dotykając miejsc, które nas bolą lub są napięte. Oczywiście nie możemy same wymasować sobie wszystkich części ciała, to fizycznie niemożliwe. Mamy jednak swobodny dostęp do naszych stóp, dłoni oraz twarzy, a właśnie tam znajdują się receptory, które korespondują ze wszystkimi naszymi organami wewnętrznymi.

Do automasażu będzie nam potrzebna dobra oliwka.

Ajurweda zaleca używanie kosmetyków naturalnego pochodzenia. Mówi się nawet: „nie wcieraj w ciało tego, czego nie możesz zjeść". Do masażu i nacierania ciała zaleca się masło kokosowe, oliwę z oliwek z pierwszego tłoczenia, nierafinowany olej sezamowy, migdałowy lub z pestek moreli. Najlepiej jeśli produkty te opatrzone są certyfikatem czystości ekologicznej (można je kupić w sklepach ze zdrową żywnością). Dla uzyskania pięknego zapachu polecane jest dodanie do kosmetyku kilku kropli naturalnego olejku lawendowego, rozmarynowego lub cytrynowego.

Olejki do pielęgnacji skóry i masażu ciała

Olejek ze słodkich migdałów

Polecany do skóry suchej i starzejącej się. Jest bogaty w witaminy i fitosterole, dzięki czemu opóźnia efekty starzenia się skóry.

Olejek migdałowy działa zmiękczająco na wszystkie rodzaje skóry, nawilża ją i pomaga pozbyć się zmarszczek w sposób naturalny. Znam osoby, które mimo tego, że są bardzo zamożne i stać je na najdroższe specyfiki świata, w skórę swojego ciała wcierają jedynie olejek z migdałów.

Olej z pestek winogron

Zawiera fitosterole i witaminy A, D i K. Jest także niezwykle bogatym źródłem witaminy E.

Tajemnica jego tłoczenia była znana podobno już w starożytności. Polecany jest do skóry normalnej i ze skłonnością do przetłuszczania się. Wygładza i uelastycznia ją, nie zatykając porów.

Olej sezamowy

Polecany do masażu i jako oliwka do ciała dla cery mieszanej, suchej, zniszczonej i dojrzałej, z oznakami złego ukrwienia. Ma właściwości rozgrzewające i odtruwające. Reguluje pracę gruczołów łojowych. Oczyszcza skórę z toksyn. Poprawia krążenie. Jest bardzo aktywnym antyutleniaczem i niszczy wolne rodniki.

Zalicza się do naturalnych środków hamujących procesy starzenia. Zwiększa elastyczność skóry, hamuje utratę wody przez naskórek. Stanowi naturalną ochronę przeciwsłoneczną (faktor 3). Polecany jest również do pielęgnacji suchych włosów i skóry głowy. Jest unikalny ze względu na wyjątkowo wysoką zawartość kwasów tłuszczowych z grupy omega-6. Zawiera kwas oleinowy, bogactwo lecytyny, fosforu, wapnia, magnezu, żelaza, cynku, a także tokoferole i witaminę B6.

Bardzo wysoko ceniony w ajurwedzie.

Olej kokosowy

Olej kokosowy pozyskuje się z miąższu orzecha kokosowego. W temperaturze do 20°C olej przybiera postać stałą, dlatego często nazywany jest również masłem kokosowym. Postać płynną przyjmuje dopiero w wyższych temperaturach.

Jest stosowany w celu łagodzenia skutków poparzeń słonecznych. Ma właściwości nawilżające. Spowalnia procesy starzenia się i powstawanie zmarszczek.

Olejek z awokado

Polecany do skóry suchej, wrażliwej i dojrzałej. Nie podrażnia ani nie uczula. Jest łatwo wchłaniany przez skórę i z łatwością dociera do jej głębokich warstw. Zawiera nienasycone kwasy tłuszczowe. Zwany olejem siedmiu witamin, ponieważ zawiera witaminy A, B, D, E, H, K oraz PP. Dobrze nawilża i silnie odżywia naskórek. Uzupełnia barierę lipidową i przywraca jej funkcje ochronne.

Wzmacnia skórę, podnosi jej wytrzymałość, wygładza i regeneruje. Chroni ją przed wpływem czynników zewnętrznych.

Jest bardzo dobry do masażu. Ponieważ ma gęstą konsystencję, zaleca się przy masażu mieszać go z innymi olejami, na przykład olejem z pestek winogron, olejem ze słodkich migdałów lub olejem z pestek moreli.

Olej z pestek moreli

Polecany osobom z cerą mieszaną, wrażliwą, suchą, spierzchniętą i popękaną. Bardzo skuteczny w przypadku skóry dojrzałej, zwiotczałej, zmęczonej, pokrytej zmarszczkami. Łatwo wnika w naskórek bez pozostawiania tłustej powłoki. Nawilża skórę i poprawia jej napięcie.

Zawiera między innymi witaminy A, B, E, kwas linolowy oraz składniki mineralne.

Stosowany jest do olejków do ciała oraz do masażu.

Olej z kiełków pszenicy

Bardzo bogaty w substancje odżywcze. Zawiera kwas oleinowy, linolowy, karoteny, witaminy A, D, B, C, E, składniki mineralne, fitoestrogeny. Polecany do skóry wrażliwej i dojrzałej. Spowalnia procesy starzenia, nawilża i uelastycznia skórę, a także łagodzi podrażnienia. Nadaje gładkość i miękkość. Doskonały do wysuszonej i łuszczącej się skóry. Dobrze miesza się z innymi roślinami, na przykład z olejem jojoba, co zapobiega powstawaniu rozstępów. Jego zapach jest dosyć mocny, długotrwały i charakterystyczny.

Olej z jojoby

Nadaje się do każdego rodzaju skóry. Idealny do suchej ze skłonnością do łuszczenia się. Zawiera palmitynian cetylu, który charakteryzuje się cennymi własnościami natłuszczającymi i odżywczymi. Olej z jojoby jest również bogaty w witaminę F.

Chroni skórę przed utratą wody i przesuszeniem. Zmiękcza ją i nadaje jej gładkość.

Zapobiega powstawaniu rozstępów. Polecany przy oparzeniach słonecznych.

Masło shea *(zwane również* karité*)*

Pozyskiwane jest z owoców drzewa *shea*, rosnącego na terenie zachodniej Afryki na otwartych przestrzeniach sawanny. Masło jest bogate w witaminy A i E oraz witaminę F. Nawilża, natłuszcza i odżywia skórę oraz poprawia jej elastyczność. Jest naturalnym filtrem słonecznym, więc doskonale nadaje się do opalania.

Masło *shea* w czystej postaci stosuje się do pielęgnacji skóry oraz do masażu ciała.

Przed użyciem należy ogrzać je w dłoni, ponieważ konsystencja sprawia wrażenie twardej.

Nacierając ciało oliwkami, kremami lub balsamami, nie zapominajmy o skórze pod pachami. Zwykle pomijamy tę część naszego ciała, w związku z tym ma ona tendencję do przedwczesnego starzenia się. Chcąc zachować ładną szyję, pachy, ramiona, biust i dekolt, musimy o nie dbać tak samo jak o twarz.

Jak zrobić automasaż?

Zanim zaczniesz automasaż, pomyśl o sobie z akceptacją i troską.
Z każdym dotykiem, czy to podczas masażu, czy nacierania skóry olejkami lub balsamami, przesyłaj swojemu ciału jasne, uzdrawiające światło. Niech wnika w każdą komórkę Twojego ciała, niosąc uzdrowienie.

Etapy automasażu:

Stopy

Zacznij od masażu stóp. Wykonujemy go w pozycji siedzącej.
Masowana stopa powinna spoczywać na udzie przeciwnej nogi, podeszwą skierowana do góry.
Na dłonie nałóż taką ilość olejku (na przykład oleju sezamowego), by masaż odbywał się swobodnie. Olejku nie może być zbyt mało.
Rozcieraj całe stopy, mocno masuj kciukami, kostkami palców i całymi dłońmi podeszwy i wierzch stopy. Nie zapomnij o palcach, stronach zewnętrznych,

kostkach i okolicach ponad nimi. Miejsca szczególnie bolesne należy masować dłużej, mocniej i bardziej intensywnie, aż ból ustąpi.

Jeśli często chodzisz na wysokich obcasach, powinnaś wykonywać taki masaż niemal każdego dnia.

Po zakończeniu masażu obu stóp bardzo dokładnie wytrzyj je suchym ręcznikiem, żeby się nie poślizgnąć, kiedy wstaniesz.

Dłonie

Masowaną rękę oprzyj stabilnie na łokciu, dłoń zwróć ku górze. Kciukiem przeciwnej dłoni wykonuj energiczny masaż.

Pod koniec mocno wyciągnij każdy palec, używając do tego całej przeciwnej dłoni.

Nie wycieraj olejku z dłoni, tylko wymasuj kark, szyję, a nawet płatki uszu i skórę głowy.

Twarz

Na końcu wykonaj masaż twarzy.

W tym celu możesz użyć specjalnej oliwki, balsamu albo maseczki (odżywczej lub nawilżającej), jednak ważne jest, by miała dobry „poślizg".

Masaż twarzy najłatwiej jest wykonać na leżąco, chociaż nie jest to konieczne. Ważne jest jednak, byś całkowicie się odprężyła. Może się zdarzyć, że uwalnianie napięcia podczas masażu twarzy spowoduje wydawanie postękiwań, pojękiwań lub innych odgłosów. Nie krępuj się!

Masuj całą twarz, czoło, skronie, nos i płatki uszu. Ze szczególną atencją masuj brwi, okolice między nimi i wokół nich, pod oczami, nos i wokół nosa. Znajdują się tam bolesne punkty, a masując je, udrożniamy również zatoki. Górne powieki masuj na zasadzie akupresury, łagodnie uciskając gałki oczne.

Rozluźnij całą szczękę, tak by była całkiem swobodna, delikatnie rozchyl usta. Używając kciuków, masuj okolice pod kośćmi policzkowymi, a następnie całą dłonią całkowicie rozluźnione policzki i żuchwę. W tej chwili nadchodzi zupełne odprężenie.

Możesz również opuszkami palców opukać całą twarz, a na końcu dokładnie ją oklepać całymi dłońmi, aby pobudzić jej ukrwienie. Nie zapomnij o podbródku! Klepanie twarzy poleciły mi moja Mama i jej koleżanki jako najbardziej skuteczną metodę na jędrną twarz i zdrowe policzki. Klepię się z takim zapałem, że na niektórych portalach pojawiały się komentarze internautów, że jestem... nieźle naciągnięta! Klepanie się jest bardzo skuteczne, a w dodatku zupełnie darmowe! Polecam.

Pielęgnacja twarzy

Zwykle najwięcej troski poświęcamy wyglądowi naszej twarzy. Jej pielęgnacja będzie tak naprawdę skuteczna tylko, jeśli dokładnie określimy rodzaj naszej skóry. Może nam w tym pomóc dobra specjalistka, co jest najlepszym rozwiązaniem, ponieważ my same czasem mamy z tym problemy i popełniamy błędy.

Przez długi czas byłam przekonana, że mam skórę suchą. Myślałam tak, bo po umyciu twarzy czułam silne napięcie, wysuszenie i ściągnięcie. Używałam więc bardzo tłustych kremów. W pewnym momencie zaczęłam mieć niezwykle poważne problemy z cerą. Trafiłam wtedy do świetnej, bardzo doświadczonej pani dermatolog, która stwierdziła, że swoją mieszaną cerę brutalnie traktuję bardzo tłustymi kremami, stąd moje kłopoty. Gdy zmieniałam rodzaj kremów i środków pielęgnacyjnych, wszystko wróciło do normy.

Większość z nas wie, że skórę twarzy musimy oczyszczać, nawilżać, chronić i odżywiać. W tym celu przemysł kosmetyczny dwoi się i troi, by dostarczyć nam szeroką gamę środków, które mogą nam w tym pomóc. Mamy do dyspozycji kosmetyki drogie i tanie, pochodzenia naturalnego oraz zdobycze najnowszej technologii. Wybór zależy od naszych indywidualnych preferencji i zasobności portfela.

Nikt jednak nie zaprzeczy, że natura ma na naszą skórę zbawienny wpływ, a wiele środków upiększających możemy znaleźć w swojej kuchni.

Jak sama mogę zrobić naturalny kosmetyk?

Możesz sama zrobić peeling lub maseczkę. Jest wiele sposobów na to, by całkowicie naturalnie zadbać o urodę. Bogactwo roślin jest łatwo dostępne, a szukanie w naturze tego, co najlepsze dla Ciebie, może być wspaniałą przygodą. Spróbuj dobrać dla siebie zioła i sama zrobić tonik. To prostsze, niż Ci się wydaje!

Doskonały peeling do twarzy możemy wykonać z płatów owsianych. Ja robię go w następujący sposób: mieszam w miseczce 2 łyżki stołowe płatków owsianych z wodą, przez kilka minut energicznie nacieram nimi skórę twarzy, a następnie spłukuję ciepłą wodą. Taki peeling można też stosować na całe ciało.

Dodając do namoczonych płatków owsianych łyżkę jasnego miodu, kilka kropli oliwy i octu jabłkowego, zrobimy doskonałą maseczkę oczyszczająco--odżywczą, którą trzymamy na twarzy około 20 minut.

Kąpiele parowe twarzy rozszerzają i oczyszczają pory, a także uelastyczniają i nawilżają skórę. Nie są jednak polecane osobom, które mają problemy z pękającymi naczynkami krwionośnymi, mają bardzo wrażliwą skórę lub cierpią na astmę. Doskonale natomiast nadają się dla osób, które mają cerę tłustą, mieszaną lub ze skłonnością do wyprysków.

Kąpiel parowa

Przed kąpielą parową dobrze umyj i oczyść twarz z resztek makijażu, a włosy zepnij i zabezpiecz opaską. Ja swoje „parówki" robię w następujący sposób: do miski wsypuję 2 łyżki stołowe ziół (na przykład rumianku, nagietka) i zalewam mniej więcej 1 litrem wrzącej wody. Gdy woda lekko przestygnie, pochylam się nad miską w odległości 20–30 centymetrów, a głowę przykrywam ręcznikiem, tak by para wodna nie uciekała na boki. Taka kąpiel parowa powinna trwać 7–10 minut. Dodatkowym bonusem jest genialne oczyszczenie zatok!
Po „parówce" rozgrzaną twarz delikatnie przecieram ręcznikiem, a gdy ostygnie, przemywam naturalnym tonikiem lub delikatną wodą kwiatową.
Tak przygotowaną skórę oczyści maseczka. Ja najbardziej lubię te z naturalnego błota lub glinki.

Na problemy z przebarwieniami doskonale nadaje się sok ze startego świeżego ogórka. Należy codziennie rano i wieczorem nacierać nim twarz. W ajurwedzie sok ze świeżego ogórka stosowany jest jako substancja rozjaśniająca i odświeżająca.

Dobrym środkiem likwidującym przebarwienia jest również… cebula. W tym celu przygotuj tonik: do szklanki włóż 1/2 obranej cebuli, zalej całość letnią wodą, bardzo szczelnie okryj folią i wstaw na godzinę do lodówki. Tak przygotowanym płynem smaruj miejsca przebarwione lub całą twarz. Do likwidowania przebarwień nadają się również białe wino, ocet jabłkowy lub sok z cytryny.

Zamiast tradycyjnych toników do twarzy możemy używać delikatnego naparu z ziół:

◈ kwiat lipy – rozjaśnia cerę, oczyszcza skórę, wygładza zmarszczki;
◈ rumianek – działa rozjaśniająco, dezynfekuje, łagodzi stany zapalne;
◈ koper włoski – wygładza zmarszczki;
◈ rozmaryn – działa rozgrzewająco, poprawia ukrwienie;
◈ kwiat czarnego bzu – usuwa piegi i zmarszczki, łagodzi poparzenia słoneczne, oczyszcza i wygładza skórę;
◈ krwawnik – polecany do skóry tłustej;
◈ płatki nagietka – leczą trądzik, korzystnie wpływają na blizny i szorstką skórę;
◈ żywokost – leczy, odmładza, odżywia.

Sposoby na spierzchnięte usta

Wiatr, mróz i ostre słońce powodują, że nasze usta stają się suche, spierzchnięte i tracą swoją zmysłową jędrność. Zawsze mam pod ręką balsam nawilżający, ale gdy on nie pomaga, stosuję następujące metody:

Peeling ust

Wykonuję go specjalną szczoteczką (może być szczoteczka do zębów), którą wcześniej moczę w oleju sezamowym lub w oleju rycynowym. Może być również oliwa z oliwek.

Odżywcza maseczka na usta

Dokładnie mieszam 1 łyżeczkę jasnego miodu z kilkoma kroplami oleju sezamowego lub rycynowego. Nakładam na usta wierzchem łyżeczki grubą warstwę tej mieszanki i trzymam maseczkę co najmniej 15 minut.

Sekretnym sposobem na spierzchnięte usta, który zdradziła mi moja przyjaciółka Agnieszka (świetna makijażystka), jest używanie... kremu na brodawki sutkowe. Dokładnie takiego samego, jakiego używają kobiety w ciąży i karmiące matki. Agnieszka ma dwoje dzieci i wpadła kiedyś na ten genialny pomysł. Takie preparaty są bardzo tłuste, doskonale nawilżają i są w 100% naturalne.

Oczy

Na zmęczone oczy można położyć waciki nasączone naparem z ziół. Doskonale nadaje się do tego napar z rumianku, świetlika, płatków chabrów, nagietka lub słabej, czarnej herbaty. W ten sposób nasze oczy mogą się zregenerować i odpocząć, zwłaszcza jeśli spędzamy dużo czasu przed komputerem lub telewizorem.

Ukojenie zmęczonym oczom przyniosą cienkie plasterki ogórka. Przy okazji zlikwidują obrzęki. Należy je trzymać na powiekach przez 10 minut. Najlepiej oczywiście, jeśli ogórki pochodzą z hodowli ekologicznej lub z własnego ogródka.

Włosy, rzęsy i brwi

Nasze włosy odżywiamy głównie od wewnątrz. Ważne jest spożywanie dużych ilości surowych owoców i warzyw, bogatych w białko pochodzenia roślinnego i witaminy z grupy B, zwłaszcza soczewicy, soi i innych roślin strączkowych oraz ryżu. Osoby o suchych włosach powinny jak najczęściej jeść kiełki pszenicy.

Bardzo ważne jest częste i dokładne szczotkowanie włosów specjalną szczotką, z głową opuszczoną w dół. Poprawia to ukrwienie głowy, pobudza i wzmacnia cebulki, a także rozprowadza zawarte w nich substancje ochronne na powierzchnię całych włosów.

W Indiach uważa się, że włosy należy ścinać podczas nowiu księżyca, ponieważ wtedy staną się mocniejsze, grubsze i gęstsze. Zdaniem wielu fryzjerów kobiety w okresie menstruacji nie powinny włosów ścinać, farbować ani wykonywać innych zabiegów zmieniających ich wygląd.

Olej rycynowy stosuję nie tylko jako składnik maseczki, ale również do nabłyszczania i odżywiania zniszczonych końcówek włosów. Od wielu już lat ratuję nim też moje rzęsy i brwi. Nie znam lepszego i bardziej skutecznego środka do ich odżywienia.

Doskonała maseczka do włosów

Gdy byłam nastolatką, znalazłam w „Filipince" przepis na maseczkę do włosów, którą stosowały nasze babcie. Używam jej do dzisiaj. Doskonale odżywia zniszczone i osłabione włosy, nadaje mi połysk i wzmacnia. By osiągnąć efekty, należy stosować ją systematycznie raz w tygodniu lub raz na dwa tygodnie (w zależności od kondycji włosów). Gdy włosy są bardzo zniszczone, przesuszone, łamią się lub wypadają, można stosować ją częściej.

1 żółtko
1 łyżka oleju rycynowego
1 łyżka oliwy z oliwek (z pierwszego tłoczenia)
kilka kropli soku z cytryny
Do włosów długich można użyć podwójnej ilości składników.

Całość dokładnie wymieszaj, lekko podgrzej (miseczkę z maseczką postaw na mniejszym naczyniu z gorącą wodą), a następnie równomiernie nałóż na włosy. Włóż czepek foliowy, delikatnie ogrzej głowę suszarką, owiń ręcznikiem i zawiń go w turban, by się nie zsuwał. Trzymaj maseczkę na włosach w cieple co najmniej pół godziny.
Po umyciu włosów do ostatniego płukania dodaj sok z cytryny lub ocet jabłkowy.

Inna wersja tej maseczki:

Lekko podgrzej 1 łyżkę oleju rycynowego, dodaj 1 łyżkę jasnego miodu i dokładnie wymieszaj. Następnie dodaj 2 żółtka i kilka kropli soku z cytryny. Po wymieszaniu nałóż na włosy i postępuj dokładnie tak samo, jak w przypadku pierwszej wersji maseczki.

Od ponad 20 lat niemal codziennie używam zalotki do rzęs, która bardzo im szkodzi. Również tusze i środki do demakijażu niszczą i wysuszają rzęsy. Wieczorem, po dokładnym zmyciu makijażu, nakładam specjalną szczoteczką (może być nawet taka do zębów) olej rycynowy na rzęsy i brwi. Szczotkuję je dokładnie przy użyciu bardzo małej ilości oleju.

Gdy moje paznokcie są bardzo zniszczone środkami chemicznymi lub pracą w ogrodzie, łamią się lub rozdwajają, lekko podgrzewam trochę oleju rycynowego w miseczce i zanurzam w nim palce. Następnie wcieram olej w paznokcie i skórki, wykonując delikatny masaż.

Szybka kuracja dla zniszczonych włosów

Gdy włosy są matowe, można dodać do ich płukania ½ szklanki soku z cytryny lub octu jabłkowego wymieszanego z ½ litra letniej wody.

Dobrze się sprawdza w przypadku włosów ze skłonnością do przetłuszczania się.

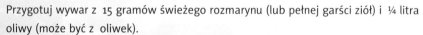

Ziołowe mieszanki do włosów

Zioła są bardzo skuteczne do wzmacniania włosów i ich cebulek. Regularnie stosowany wywar z rozmarynu jest skuteczną metodą nawet w przypadku przedwczesnego łysienia u mężczyzn. Włosy stają się gęste, zdrowe, mocne i lśniące.

Do wzmacniania włosów ciemnych doskonale nadaje się wywar z szałwii, który dodatkowo je przyciemni. Wzmocnienie i dodatkowy połysk zapewni mieszanka z kwiatu rumianku, skrzypu, pokrzywy, rozmarynu, wawrzynu, szałwii i byliny bożego drzewka (w równych ilościach).

Do włosów suchych nadają się: żywokost lekarski, kwiat szałwii, kwiat czarnego bzu.

Dla włosów tłustych przeznaczone są: skrzyp, mięta, lawenda, melisa, krwawnik, nagietek. Można stosować napary z jednego zioła lub robić mieszanki.

Ziołowy olejek do włosów suchych

Przygotuj wywar z 15 gramów świeżego rozmarynu (lub pełnej garści ziół) i ¼ litra oliwy (może być z oliwek).

Odstaw na nasłoneczniony parapet na tydzień.

Wetrzyj olejek w skórę głowy i całe włosy.

Ogrzej włosy suszarką, nałóż czepek, owiń głowę ciepłym ręcznikiem. Po upływie 30 minut umyj włosy.

W ten sam sposób przygotowuje się oliwkę z pokrzywy, która pobudza porost włosów, wzmacnia je i nadaje im piękny połysk.

Wywar podstawowy z rozmarynu

10 gramów suszonego lub garść świeżego rozmarynu wrzuć do ½ litra
wrzącej wody. Gotuj pod przykryciem na wolnym ogniu przez 10 minut.
Odstaw na 1–2 godziny, a następnie przecedź przez gęste sitko lub gazę.
Wywar możesz przechowywać przez tydzień, w lodówce, w szczelnie
zamkniętym pojemniku, jednak najcenniejszy jest bezpośrednio po
przygotowaniu.
Jeśli chcesz uzyskać płyn o silniejszym stężeniu, możesz zaparzyć podwójną
ilość ziół.
Wcieraj w skórę głowy po umyciu włosów. Rozczesz na całej długości
włosów, by dokładnie rozprowadzić eliksir.
W ten sam sposób można przygotować tonik z innych ziół lub ich mieszanek.

Olej kokosowy

Może być stosowany jako maseczka lub serum na włosy. Jako jedyny olej chroni je przed utratą protein. Dzięki swej specyficznej budowie jest w stanie wniknąć w strukturę włosa i dokładnie go nawilżyć. Przesuszone włosy odzyskują miękkość i połysk, stają się mocniejsze.

Olej kokosowy stosowany na skórę głowy zwiększa jej ukrwienie, wzmacnia cebulki i zapobiega wypadaniu włosów. Można go używać jak maseczki, na całej długości włosów (przed myciem), lub nałożyć na przesuszone i rozdwojone końcówki.

Ciepły kompres z oleju kokosowego z Wysp Bahama

Bardzo delikatnie podgrzej olej kokosowy w garnku o grubym dnie. Gdy będzie ciepły, nanieś olej na włosy, wmasowując go dokładnie pasmo po paśmie. Nałóż czepek, ogrzej całość suszarką i zawiń głowę ręcznikiem na co najmniej 30 minut lub na kilka godzin. Następnie dokładnie umyj włosy.
Taki kompres świetnie nadaje się do włosów bardzo suchych.
W Indiach w ten sam sposób przygotowuje się kompres z oleju sezamowego.

Olejek z kiełków pszenicy

Doskonale nadaje się do włosów bardzo przesuszonych i zniszczonych.
Podgrzany olejek należy równomiernie nałożyć na całą długość włosów, przykryć je czepkiem, rozgrzać suszarką i owinąć ręcznikiem.
Po upływie 30 minut dwukrotnie umyć włosy szamponem.

Piwo

Być może brzmi to trochę dziwnie, ale używanie do włosów zwietrzałego piwa ma bardzo długą tradycję. Był to jeden z podstawowych kosmetyków naszych babć i mam. Znam pewną modelkę, która zawsze używała do układania włosów tylko zwietrzałego piwa! Dzisiaj jest już dziewczyną po pięćdziesiątce i nadal ma wyjątkowo piękne, bujne włosy, których wszyscy jej zazdroszczą. Piwo dostarcza włosom i skórze głowy wielu cennych, naturalnych witamin i minerałów, dzięki czemu wzmacnia je, zapobiega ich przetłuszczaniu i powoduje, że stają się lśniące i podatne na układanie.

Po umyciu głowy wystarczy wetrzeć piwo w lekko wilgotne włosy i skórę głowy (przy okazji wykonując masaż), a następnie włosy wysuszyć i ułożyć fryzurę.

Należy używać jasnego piwa z beczek lub butelek, ale nie z puszek.

W razie wypadania włosów można wykonać specjalny, wzmacniający tonik: ½ szklanki zwietrzałego piwa zmieszać z taką samą ilością intensywnego wywaru z pokrzywy. Po umyciu włosów tonik wetrzeć w skórę głowy. Nie spłukiwać.

Pielęgnacja ciała

Istnieje ogromna różnica między kąpaniem się i braniem kąpieli. Jest to różnica pomiędzy umyciem się a mistyczną ceremonią. Od wieków ludzie gromadzili się wokół źródeł, aby pić wody mineralne i brać kąpiele, które oczyszczały nie tylko ciało, ale również ducha. Nie bez powodu po trudnych doświadczeniach życiowych mówimy czasem „muszę to z siebie zmyć". Oczyszczająca moc wody jest bardzo istotnym elementem wielu kultur i niemal wszystkich religii. Woda łagodzi nerwowość i przyspieszony puls. Być może ma to związek z naszym życiem w łonie matki, gdy zanurzone w wodach płodowych doświadczałyśmy poczucia bezpieczeństwa. Teraz możemy czerpać z tej oczyszczającej, uzdrawiającej mocy wody niemal codziennie, w naszych łazienkach.

Zanurzone w ciepłej kąpieli rozluźniamy zmęczone mięśnie, uwalniamy napięcie i uspokajamy umysł. Kąpiel przy świetle świecy i kojących, łagodnych dźwiękach bywa bezcennym lekarstwem na trudy codzienności. Nasza domowa hydroterapia może być elementem psychoterapii.

Bez problemu można kupić cały zestaw „uzdrawiających" przedmiotów: naturalne gąbki i delikatne szczotki do masażu, rękawice z rufy, miękkie ręczniki i ciepły, miękki szlafrok. Zapal w łazience kominek z naturalnymi olejkami eterycznymi lub aromatyczną świecę, a do wody dodaj produkty, które odprężą i usuną z ciała substancje toksyczne.

◈ Dodana do kąpieli sól morska rozluźnia mięśnie i pomaga usunąć z komórek toksyczne substancje nagromadzone przez stres, niezdrowe pożywienie i leki. Polecam moją mieszankę: na wannę wody daję ½ kilograma soli kamiennej i 3 opakowania sody oczyszczonej. W takiej kąpieli należy spędzić co najmniej 15 minut. Następnie dobrze jest wyszorować ciało szorstką rękawicą i opłukać czystą wodą.

- Do wanny możesz wrzucić kilka przeciętych na ćwiartki cytryn (wcześniej dobrze wyszorowanych i sparzonych) i podczas kąpieli wyciskać z nich sok. Kwasy owocowe rozjaśniają i oczyszczają skórę, a także działają jak delikatny peeling owocowy. Aromat cytryny łagodzi napięcie mięśni i dodaje energii. Nie należy jednak łączyć soli z cytryną – takie kąpiele przygotowujemy oddzielnie.
- Podczas kąpieli możesz zrobić peeling całego ciała, żeby usunąć z powierzchni naskórka obumarłe komórki i poprawić ukrwienie skóry. Dla mnie peelingi to również podstawa dbałości o jędrność skóry i dobre samopoczucie. Świetnie sprawdza się również szorowanie ciała myjką z rufy lub specjalnymi szorstkimi rękawicami do masażu, z odrobiną kremu peelingującego. Można je kupić w wielu drogeriach.

Zrób peeling sama!

Peeling do ciała można kupić gotowy lub przygotować go samodzielnie. Ja robię to w następujący sposób: mieszam gruby cukier lub sól kamienną z odrobiną oleju (na przykład sezamowego, oliwy z oliwek, oleju z pestek winogron) z dodatkiem kilku kropli olejku aromatycznego (na przykład lawendowego, rozmarynowego, pomarańczowego), żeby nadać kosmetykowi piękny zapach. Robię mikstury trochę więcej i przechowuję w dekoracyjnym, szerokim słoiku. Przed kolejnym użyciem preparat mieszam drewnianą szpatułką. Ponieważ taki peeling nie zawiera środków konserwujących, nie można przetrzymywać go zbyt długo.

- Masaż peelingujący zaczynaj zawsze od stóp, a następnie kolistymi ruchami masuj całe ciało w kierunku serca. W ten sposób pobudza się krążenie limfatyczne, pomaga organizmowi usunąć toksyny oraz substancje, które powodują cellulit i obrzęki.
- Podczas kąpieli nie należy zapominać o masażu piersi. Biustonosze, które codziennie nosimy, blokują swobodny przepływ krwi, a w okolicy piersi również kumulują się substancje toksyczne. Masaż należy wykonać dokładnie, wokół całych piersi obiema dłońmi. Po takim masażu piersi należy umyć i dokładnie opłukać, aby pozbyć się wszelkich substancji toksycznych.
- Do masażu ciała podczas kąpieli możemy użyć specjalnej, gumowej rękawicy lub „szczotki" z wystającymi punktami. Można je kupić w drogeriach. Taki masaż limfatyczny z dodatkiem specjalnego preparatu na cellulit jest świetny na okolice wyjątkowo narażone na blokady i powstawanie nierówności: uda, pośladki, brzuch i ramiona.

◊ Po kąpieli peelingującej nasza skóra jest doskonale przygotowana do przyjęcia kremów, balsamów lub olejków nawilżających i odżywczych. W miejsca narażone na powstawanie cellulitu należy systematycznie wcierać, intensywnie masując, preparaty, które go zwalczają. Dostępna jest w sprzedaży cała gama balsamów i kremów, w tym również pochodzenia naturalnego, bez dodatków substancji chemicznych.

Kąpiel w płatkach róż

Wiele salonów SPA oferuje prawdziwie królewską przyjemność, jaką jest kąpiel w płatkach róż. Brzmi to bajecznie i luksusowo, prawda? Mam dobrą wiadomość – same możemy przygotować sobie taką ucztę dla ciała i zmysłów w swojej łazience!

Zbieram płatki dzikich, różowych róż, kiedy kwiaty są w pełnym rozkwicie, a następnie je suszę. Od kilku lat udaje mi się zgromadzić zapasy na całą zimę! Z części świeżych płatków robię konfitury. Wysuszone mieszam z kwiatami lawendy, z których wykonuję *potpourri*. Umieszczam je w koszyczkach ustawionych w różnych częściach mieszkania, a resztę (zapakowaną w specjalne woreczki uszyte z naturalnych tkanin) w szafach i garderobie.

Właściwości płatków róż:

◊ mają działanie antyseptyczne;
◊ wzmacniają, nawilżają i wygładzają skórę;
◊ regenerują naskórek;
◊ rozjaśniają przebarwienia;
◊ leczą popękane naczynka;
◊ pobudzają wydzielanie kolagenu (działanie przeciwzmarszczkowe);
◊ regenerują i ujędrniają;
◊ aromat róży działa relaksująco.

Dłonie

Pielęgnację skóry zmęczonych, spierzchniętych dłoni można z powodzeniem wykonać, korzystając z zasobów naszej kuchni. Cytryna, banany, cukier i oliwa – to wszystko, czego nam potrzeba, by przywrócić dłoniom piękny wygląd.

Kąpiel w płatkach róż

Sposób pierwszy:

Płatki róż umieść w wannie (lub w dowolnym naczyniu) i zalej wrzątkiem,
by uwolniły się substancje aromatyczne, a następnie napełnij wannę ciepłą
wodą. Przyjemność z takiej kąpieli jest naprawdę ogromna. Należy jednak
uważać przy wypuszczaniu wody, aby odpływ nie zatkał się płatkami!

Sposób drugi:

Dużą ilość płatków róż umieść w garnku, zalej wrzątkiem i gotuj przez
5–10 minut. Intensywny wywar po przecedzeniu wlej do kąpieli.
Taką właśnie metodę stosuje wiele salonów SPA za względu na drożność
dysz w wannach. Do kąpieli dodawane są tam również różane olejki
eteryczne. Ja używam tylko naturalnego olejku z róży damasceńskiej (jest
najbardziej aromatyczny), który przywozi z Damaszku mój znajomy szaman.

W podobny sposób można przygotować wywar do kąpieli z płatków nagietka
(do kupienia w sklepach z ziołami), który koi skórę, łagodzi podrażnienia
i niweluje szorstkość naskórka. Aromat jest wyjątkowy! A koszt takiej kąpieli
to zaledwie kilka złotych.
Do tego kilka świec wokół wanny i królewska kąpiel gotowa!

- Kruche, łamiące się paznokcie najlepiej jest moczyć codziennie przez 10 minut w lekko podgrzanym olejku ze słodkich migdałów.
- Peeling do dłoni wykonamy, mieszając cukier z oliwą z oliwek. Można też dodać odrobinę soku z cytryny.
- Skórki wokół paznokci dobrze jest nacierać masłem kakaowym, masłem *shea* lub olejem kokosowym.
- Ratunkiem dla bardzo zniszczonych dłoni jest nałożenie grubej warstwy ciepłej parafiny lub wosku pszczelego i owinięcie ich bawełnianą tkaniną, aby zmiękczyć skórę.
- Wzmacniająco na paznokcie działa moczenie dłoni w mocnym wywarze ze skrzypu polnego i bylicy pospolitej przez 10 minut.
- Zaczerwienienie rąk i wszelkie przebarwienia likwiduje sok z cytryny.
- Krem do rąk można zrobić z rozgniecionego banana z dodatkiem oleju sezamowego lub oliwy z oliwek.
- Sok z cytryny zmieszany z miodem przywraca skórze dłoni miękkość i naturalny kolor.
- Skórę rąk wygładza mieszanka octu jabłkowego i wody w proporcji 1:8.

Pełny zabieg w domowym SPA

Poniższą listę możesz potraktować jako instrukcję albo inspirację. Oczywiście wykonanie wszystkich czynności zajmuje sporo czasu. Jednak dobrze jest, gdy raz w tygodniu znajdziemy chwilę, by zadbać o siebie od stóp do głów.

Podczas codziennych wieczornych rytuałów możesz wykorzystać tylko kilka punktów z poniższej listy i dowolnie wybierać to, na co masz ochotę lub czego najbardziej potrzebujesz.

- Zaparz ulubioną herbatę lub zioła.
- Wybierz ulubione naturalne olejki eteryczne i zapal świeczkę w kominku wodnym.
- Włącz muzykę, które Cię uspokaja.
- Wyszczotkuj dobrze włosy (najlepiej sto razy), w każdą stronę, również zwieszając głowę do dołu. Najlepiej szczotką, która ma miękkie zakończenia w postaci kulek, które masują i poprawiają ukrwienie skóry głowy.

- Pod prysznicem umyj włosy szamponem oczyszczającym, by pozbyć się wszystkich produktów do stylizacji oraz kurzu i zanieczyszczeń. Nie nakładaj odżywki na włosy – zabiegi, które właśnie wykonujesz, są dla niej przygotowaniem.
- Nałóż na ręce szorstkie rękawice i przy użyciu peelingu wyszoruj dokładnie całe ciało, ze szczególnym uwzględnieniem miejsc, które mają skłonność do cellulitu. Możesz zastosować specjalny naturalny peeling wspomagający wyszczuplanie i przeznaczony do redukcji skórki pomarańczowej.
- Delikatnie rozczesz włosy i wytrzyj je ręcznikiem, by pozostały tylko lekko wilgotne.
- Wytrzyj dokładnie całe ciało.
- Wetrzyj w skórę głowy preparat lub zioła, które wzmacniają cebulki włosów wykonując palcami solidny masaż skóry głowy.
- Nałóż na włosy odżywczą maseczkę, rozczesz je grzebieniem o rzadkich zębach, zepnij i przykryj czepkiem z folii. Ogrzej głowę powietrzem z suszarki, gdyż odżywcze składniki najskuteczniej wnikają we włosy pod wpływem ciepła. Owiń głowę ręcznikiem, robiąc z niego turban. Zepnij go tak, by się nie zsuwał i zapewnił Ci swobodę ruchów.
- Zrób automasaż – zacznij od stóp. Gdy go skończysz, dokładnie wytrzyj olejek specjalnym ręcznikiem!
- Następnie wykonaj masaż dłoni, karku i ramion, a na końcu całej twarzy.
- Nałóż na całe ciało specjalną maskę (ja najbardziej lubię siarkową lub mineralne błoto) ze szczególnym uwzględnieniem miejsc najbardziej zagrożonych cellulitem. Uda, pośladki i brzuch możesz masować specjalną rękawicą do masażu, aby zwiększyć efektywność działania maski.
- Nałóż na twarz maseczkę oczyszczającą.
- Jeśli masz taką potrzebę, zadbaj o paznokcie dłoni i stóp.
- Opłucz maseczki z włosów, twarzy i ciała.
- Połóż na twarz maseczkę nawilżającą lub odżywczą, a na oczy regenerujące kompresy i weź odprężającą kąpiel.
- Umyj ciało oraz włosy, nałóż odżywkę. Gdy ją spłuczesz, opłucz również całe ciało chłodną wodą, a następnie delikatnie wytrzyj się ciepłym ręcznikiem.
- Wetrzyj w ciało i twarz olejki, balsamy lub ulubione kremy. Nie zapomnij o dokładnym wtarciu preparatów antycellulitowych w okolice najbardziej narażone na powstawanie skórki pomarańczowej.

WEWNĘTRZNA HARMONIA

Szczęście nie jest dziełem przypadku ani darem bogów.
Szczęście to coś, co każdy z nas musi wypracować
dla samego siebie.

Erich Fromm

Przebudzenie

Jakiś czas temu przechodziłam trudny okres. Czułam się zupełnie wyczerpana fizycznie, psychicznie i emocjonalnie. Mój świat się rozpadał, a ja razem z nim. Poczułam, że muszę wyjechać i spędzić kilka dni w samotności. Potrzebowałam spokoju, przestrzeni i kontaktu z naturą.

Wybrałam grecką wyspę Korfu. Znalazłam, jak mi się wydawało, spokojny hotel tuż nad brzegiem morza. Gdy wieczorem dotarłam na miejsce, hotel okazał się dużo większy niż przypuszczałam i pełen turystów, a plaża dużo mniejsza niż wydawała się na zdjęciach w folderze. Byłam przerażona. Nie miałam szansy uciec – samolot do kraju odlatywał za tydzień. Następnego dnia po śniadaniu spakowałam do dużej torby ręcznik, trochę owoców, kilka książek (nie wiedziałam, którą z nich zechcę przeczytać), notatnik i iPoda.

Na plaży było już sporo osób. Znalazłam jednak w miarę spokojne miejsce w cieniu dużych, kilkusetletnich drzew oliwnych. Położyłam się na leżaku. Zamknęłam oczy. Moją głowę rozsadzał hałas. Na moje niespokojne myśli nakładał się histeryczny krzyk dzieci i ich rozgorączkowanych matek, pisk rozbawionych nastolatków, jazgot zakochanych par, które całemu światu chciały obwieścić fakt pierwszego w tym roku kontaktu z wodą. Myślałam, że eksploduję.

Czułam się rozpaczliwie bezradna. Przecież nie mogłam uspokoić wszystkich na plaży. Nie byłam w stanie zmusić ich do zachowania ciszy, bo tu oto leży strapiony, umęczony człowiek, który rozpaczliwie potrzebuje spokoju. Nerwowo wyjęłam z torby iPoda i włożyłam słuchawki. Włączyłam spokojną, relaksacyjną muzykę. Wsłuchałam się w nią. Odetchnęłam. Zgiełk plaży rozpłynął się. Leżałam w cieniu drzew, wsłuchując się w muzykę i swój własny, równy, spokojny oddech. Czas przestał istnieć.

Nie zauważyłam, kiedy plaża opustoszała i nastał wieczór. Owinęłam się ręcznikiem, zdjęłam słuchawki i słuchałam szumu drzew. Oddychałam razem z nimi. Czułam ich spokój, siłę, wytrwałość. Stały tu od kilkuset lat, choć wszystko wokół nich się zmieniło. Trwały tu niezależnie od pory roku, przetrwały upały, susze, ulewy i wiatry. Teraz cierpliwie znosiły obecność hoteli i męczących turystów. Wszystko wokół nich się zmieniło, ale nie one same.

Z niewzruszonym spokojem przez cały dzień dawały mi cień, a teraz dzielą się ze mną swoją siłą. Czułam, jak wzmacnia mnie ich energia.

Po powrocie do hotelu zjadłam kolację i poszłam spać. Niczego nie przeczytałam i niczego nie napisałam. Mój kolejny dzień wyglądał dokładnie tak samo, z tym że wieczorem zostałam na plaży trochę dłużej. Bardziej świadomie czułam siłę drzew. Ich spokój wypełniał mnie. Gdy kilka metrów ode mnie usiadała zakochana para, przyjęłam ich obecność z opanowaniem, a widok kochających się ludzi sprawił mi nawet pewną radość.

Następny dzień miał wyglądać tak samo jak poprzednie. Jak zwykle przyszłam na plażę z torbą wypchaną książkami i postanowieniem, że powinnam aktywnie wykorzystać ten czas. Rozwijać się, czytając i pisząc. Jednak po raz kolejny sięgnęłam po iPoda. Zanim założyłam słuchawki, dotarło do mnie, że hałas wcale mi nie przeszkadza. Zdziwiłam się. Leżałam, obserwując ludzi. Krzyki dzieci, piski nastolatków, euforia zakochanych zlały się z moim oddechem i szumem drzew. Otaczające mnie dźwięki zaczęłam odbierać jako radosny głos życia. Wokół mnie było Życie! Czułam, jak czerpię siłę nie tylko z drzew, ale także z kamieni, piasku, morza, wiatru i ludzi, którzy są wokół mnie. Poczułam, że wkrótce rozwiążę wszystkie moje problemy. Doświadczyłam poczucia jedności ze światem. Po raz pierwszy od bardzo, bardzo dawna uśmiechałam się. Tak po prostu.

Takich chwil się nie zapomina.

Leżąc na plaży, nie zmieniłam świata. Zmiana nastąpiła we mnie. Dzieci nadal krzyczały, ich matki gorączkowały się, a nastolatki piszczały. Wokół mnie panowało takie samo szaleństwo, a jednak ja zupełnie inaczej reagowałam na te same okoliczności. Był we mnie spokój, zrozumienie i akceptacja.

Zastanawiałam się, w jaki sposób zatrzymać w sobie to uczucie, gdy wrócę do Warszawy. Nie mogę przecież spędzić życia, leżąc na plaży. Nie mogę też spowodować, by otaczali mnie tylko mili ludzie i zdarzały mi się jedynie dobre sytuacje. W pracy spotyka mnie wiele wyzwań i napięć, mnóstwo wydarzeń,

nad którymi nie będę mieć kontroli. Jak sobie z nimi radzić i w normalnym świecie, codziennym życiu odnaleźć ten sam wewnętrzny spokój? Nie przeżywamy przecież mistycznych doznań, biegnąc rano do pracy, stojąc w korkach czy kupując ziemniaki.

Pragnęłam, by to uczucie nie stało się jedynie odległym wspomnieniem z wakacji, ale elementem mojej codzienności. Gdy odnalazłam prawdziwą siebie, nie chciałam znowu zagubić się w stresie, rachunkach, nowych sukienkach, zawodowych i osobistych wyzwaniach, oczekiwaniach innych ludzi.

Gdy opowiedziałam o swoim doświadczeniu bratu, stwierdził, że leżąc na plaży, weszłam w stan głębokiej medytacji. W naturalny sposób, nie znając żadnych technik, korzystałam z oczyszczającej mocy oddechu. Kierując się intuicją połączyłam medytację (o której wcześniej nic nie wiedziałam) i uzdrawiającą moc żywiołów natury. Doświadczyłam tego, czego uczą nauczyciele duchowi poprzez jogę i medytację. Poczucia jedności z otoczeniem.

Stan, w jakim byłam, przylatując na Korfu, spowodowany był stresem. Postanowiłam wszystkiego się o stresie dowiedzieć. Musimy dobrze poznać swojego wroga, aby go pokonać. Moim sprzymierzeńcem w walce okazał się oddech, medytacja i siły natury oraz zmiana sposobu myślenia i postrzegania świata. Postanowiłam dobrze poznać również moich sprzymierzeńców.

Zrozumiałam, że nie mogę zmienić świata, ale mogę zmienić samą siebie. Pragnęłam nauczyć się, jak sprawić, by nawet wtedy, gdy wokół mnie będzie panowała burza, zachować wewnętrzny spokój. Nie chciałam być dłużej rozbitkiem na tratwie na szalejącym oceanie życia. Postanowiłam chwycić ster w swoje ręce. Nie mogę kontrolować świata, ale mogę przejąć kontrolę nad swoimi emocjami i reakcjami.

Otworzyłam się na nowe doświadczenia. Byłam pewna, że jestem na dobrej drodze i spotkam na niej odpowiednich nauczycieli.

Tak zaczęła się moja nowa przygoda.

Co to jest zdrowie?

Przez wiele ostatnich lat uważano, że zdrowie jest to stan braku choroby. W *Małym słowniku języka polskiego* pod hasłem „zdrowie" czytamy: „Dobry, normalny stan organizmu (…) niedotkniętego chorobą". Jednak takie określenie zdrowia uznano za niewystarczające. Już ponad pół wieku temu w Konstytucji Światowej Organizacji Zdrowia (WHO) ustanowiono, że „zdrowie to nie tylko brak choroby i niedołęstwa, ale stan dobrego fizycznego, psychicznego i społecznego samopoczucia". Według tych założeń zdrowy człowiek ma prawidłowo i harmonijnie funkcjonujące ciało, umysł oraz psychikę.

Wiemy już, co zrobić, aby dobrze się odżywiać. Coraz częściej lekarze i naukowcy podkreślają, że na ciało i ogólną kondycję człowieka ogromny wpływ wywiera stres. To on staje się przyczyną większości chorób, problemów z łaknieniem (objadania się lub utraty apetytu), jest odpowiedzialny za jakość kontaktów międzyludzkich i efektywność pracy.

Stres

Cierpimy dzisiaj na prawdziwą epidemię stresu. Współczesny styl życia wymaga od nas tak wiele, że z trudem łączymy obowiązki rodzinne i zawodowe. Żyjemy w ciągłym pośpiechu, poddani nieustannej konkurencji i presji otoczenia oczekującego od nas, byśmy osiągali nadzwyczajne rezultaty w każdej dziedzinie życia. Media, które powinny służyć informacji, bardzo często

nadużywają swych kompetencji. W celu pozyskania widzów lub czytelników przyczyniają się do wzrostu poczucia zagrożenia. Codziennie słyszymy o katastrofach, nieszczęściach i niestabilnej sytuacji finansowej świata, a wiadomości te nie są zrównoważone dobrymi i pozytywnymi informacjami.

Materialny sukces, nienaganna sylwetka i nieprzemijająca młodość promowane jako wymagany ideał w wielu z nas budzą napięcia i brak samoakceptacji. Trudno jest nadążyć za oczekiwaniami współczesnego świata, tym bardziej że życie każdego dnia stwarza sytuacje, których nie jesteśmy w stanie przewidzieć, nad którymi często nie możemy zapanować. Żyjemy w ciągłym napięciu, a poczucie zagrożenia wywołuje w organizmie człowieka bardzo wyraźne zmiany fizjologiczne, które w konsekwencji przekładają się na reakcje psychofizyczne.

Czym jest stres?

Stres to reakcja organizmu, która pojawia się w odpowiedzi na działanie bodźców zakłócających jego równowagę. Pod wpływem sytuacji stresowej reakcje człowieka zachodzą jednocześnie na kilku poziomach i dotyczą procesów fizycznych, zachowania, emocji i myślenia. Walter Canzon, jeden z wielkich badaczy stresu, nazwał reakcje organizmu na stres zespołem „walcz lub uciekaj", gdyż przygotowują organizm do walki lub ucieczki w bezpieczne miejsce. Układ nerwowy wysyła wiadomość do mięśni, narządów i węzłów chłonnych, które pomagają organizmowi szybko zareagować.

Pod wpływem adrenaliny (zwanej hormonem strachu) oraz innych hormonów, wydzielanych między innymi przez nadnercza, w organizmie zachodzą silne reakcje chemiczne. Ich objawami są reakcje fizyczne:

- przyspieszone bicie serca (powoduje zwiększone zapotrzebowanie na przepływ krwi do mięśnia sercowego);
- podwyższone ciśnienie krwi (zwiększone napięcie ścian naczyń krwionośnych);
- zaburzenia rytmu serca (w jego konsekwencji wzrasta tętno);
- zwiększenie ilości soków trawiennych (może prowadzić do bólu brzucha, a kumulacja stresu powoduje wrzody żołądka);
- zmniejszony dopływ krwi do żołądka i jelit (prowadzi do obniżenia zdolności trawienia);
- zwiększone napięcie mięśni (może prowadzić do bólów głowy, szyi i kręgosłupa);
- zwiększenie krzepliwości krwi (naczynia krwionośne się zwężają);
- zwiększenie stężenia cholesterolu we krwi;
- zwiększenie stężenia cukru we krwi;
- skrócenie, spłycenie i przyspieszenie oddechu;
- zwiększona produkcja białych ciałek przez szpik kostny (osłabienie układu odpornościowego);
- zatrzymanie płynów w organizmie;
- wstrzymanie funkcji organizmu, które nie są związane z przygotowaniem do krytycznej sytuacji, jak na przykład trawienie.

Wszystko to zostało wypracowane przez naturę w procesie ewolucji i miało na celu natychmiastową mobilizację całego organizmu, by mógł odpowiednio zareagować na niebezpieczeństwo i przetrwać. Dzisiaj naszym zagrożeniem nie są już dzikie zwierzęta, ale przeważnie inni ludzie oraz sytuacje związane z pracą i życiem codziennym. Niestety, pojawiają się one niemal nieustannie, jedna po drugiej, a reakcje organizmu, jakich doświadczali nasi przodkowie raz na jakiś czas, my przeżywamy bardzo często, każdego niemal dnia. I chociaż sytuacje, które nas spotykają, zwykle nie są adekwatne do siły reakcji, jednak w sposób automatyczny uruchamia się w naszym organizmie odruch „walcz lub uciekaj", który zakłóca jego normalne funkcjonowanie.

Przewlekły, kumulowany stres powoduje poważne i szerokie konsekwencje zdrowotne: obniża odporność organizmu i jest jednym z czynników prowadzących do większości chorób cywilizacyjnych, takich jak choroby serca, nadciśnienie, choroba wrzodowa, przewlekłe bóle głowy, problemy z kręgosłupem, a nawet rozwój chorób nowotworowych. Konsekwencją stresu są także zaburzenia psychiczne: nerwice, depresje, alkoholizm, problemy ze snem (bezsenność, ospałość lub paradoks polegający na nieustannym poczuciu zmęczenia i niemożności uśnięcia), zaburzenia seksualne, nadpobudliwość, problemy z łaknieniem (przejadanie się lub unikanie jedzenia). Stres wywołuje uczucie niepokoju, gniewu, wrogość, strach i złość. Pojawiają się drażliwość, zniecierpliwienie i utrata panowania nad sobą z najbardziej błahych powodów, skutkujące napastliwością wobec innych bez żadnych racjonalnych przyczyn.

Wiele osób ma kłopoty z huśtawką nastrojów, nadmierną skłonnością do płaczu lub balansowaniem na skraju emocji – od przesadnej wesołości do stanów przygnębienia. Niektórzy doświadczają niepewności i onieśmielenia nawet wobec osób, które darzyły zaufaniem. Pojawia się wrażenie bycia obserwowanym, osądzanym i krytykowanym.

Stres ma także duży wpływ na problemy związane z koncentracją i pamięcią. Ucząc się pod wpływem stresu, przeważnie natychmiast wszystko zapominamy.

Jak radzić sobie ze stresem?

Umiejętność radzenia sobie ze stresem staje się dzisiaj jednym z podstawowych wymogów. Większość z nas reaguje na stres w sposób nieświadomy, co zwykle go potęguje i wywołuje reakcję „błędnego koła". Oto kilka najpopularniejszych przykładów:

- ucieczka w pracę,
- przejadanie się (lub unikanie jedzenia),
- używki (alkohol, papierosy, leki, narkotyki),
- izolacja (nieodpowiadanie na telefony, uczucie odizolowania od rodziny i przyjaciół, poczucie „samotności w tłumie"),
- bezczynność (otępienie, ospałość, apatia),
- kompulsywne zakupy i inne nieprzemyślane działania,
- obsesja na punkcie wyglądu (przesadne dbanie o wygląd zewnętrzny, nieustanne dążenie do jego poprawy: operacje plastyczne, wyczerpujące ćwiczenia fizyczne, stosowanie różnych diet),
- obwinianie wszystkich dookoła,
- poczucie winy.

Psychologowie wyróżnili dwa podstawowe sposoby radzenia sobie ze stresem:

Unikanie stresu

Można to osiągnąć poprzez redukcję zewnętrznych czynników powodujących stres. Unikanie miejsc, sytuacji lub osób, które powodują sytuacje stresowe. Niestety nie zawsze jest to możliwe, a czasem nawet nie jest pożądane (na przykład gdy powodem stresów jest członek rodziny, szkoła, miejsce pracy).

Zmiana sposobu reagowania na sytuację wywołującą stres

Okoliczności się nie zmienią, ale możemy zmienić nasze podejście do nich. Stres nie jest wydarzeniem, lecz naszą reakcją na wydarzenie. Jeśli nie mamy wpływu na sytuację wywołującą stres, dobrą metodą jest skupienie się na reakcjach fizycznych i emocjach, które jej towarzyszą, i przyglądanie się sytuacji z pozycji obserwatora. To daje jasność widzenia i umożliwia powstrzymanie emocjonalnego zaangażowania. Uzyskany dystans pozwala świadomie zmienić uczucia i myśli odnoszące się do sytuacji stresowej.

Można zmienić siebie za pomocą czynności, które sprawiają, że czujemy się lepiej, ale nie zmieniają one osoby, która nas stresuje. Działania te polegają na stosowaniu metod relaksacji (rozluźnienie napięcia mięśniowego, świadome oddychanie), myśleniu o stresorze w sposób racjonalny, odwróceniu uwagi (skupieniu się na czymś pozytywnym) lub fantazjowaniu (wymyślaniu alternatywnego scenariusza – pozytywnego rozwiązania sytuacji).

Wyniki badań naukowych coraz częściej udowadniają, że najskuteczniejszymi metodami zapobiegania powstawaniu stresu oraz radzenia sobie z jego skutkami są znane od tysięcy lat techniki wschodnie, takie jak joga, tai-chi, medytacja oraz świadomy oddech. Rozwijają samoświadomość, powodując, że wiemy, co dzieje się wewnątrz nas na poziomie fizycznym, emocjonalnym i duchowym. Kiedy pojawia się zewnętrzny bodziec powodujący stres, mamy wtedy wewnętrzną przestrzeń, która daje nam możliwość wyboru reakcji. Dzięki temu jesteśmy lepiej przygotowane do sytuacji stresowej i panujemy nad sobą, wprowadzając zmiany w naszym myśleniu i zachowaniu, zanim porwie nas emocjonalna burza.

Proste i skuteczne metody na codzienny stres:

- ruszaj się – spaceruj, tańcz, pływaj, ćwicz jogę lub tai-chi;
- znajdź chociaż krótką chwilę na samotność;
- dbaj o porządek (wewnętrzny porządek zaczyna się od zewnętrznego);
- dwa razy w tygodniu chodź wcześnie spać;
- oddychaj często, głęboko i świadomie;
- gdy tylko to możliwe, szukaj kontaktu z naturą;
- pij dużo wody;
- jedz tylko wtedy, gdy jesteś głodna;
- jeden dzień w tygodniu przeznacz na wypoczynek i odnowę;
- noś wygodne ubrania z naturalnych tkanin;
- w domu i w pracy staraj się otaczać ciepłymi, przyjaznymi barwami;
- śmiej się tak często, jak to tylko możliwe;
- unikaj prasy, która szuka sensacji;
- zamiast oglądać telewizję, czytaj książki;
- słuchaj radosnej, optymistycznej i pozytywnej muzyki;
- znajdź czas na ciszę;
- wyłączaj telefon podczas posiłków i rozmów z bliskimi;
- unikaj osób, które stale krytykują, osądzają, narzekają, użalają się nad sobą i roztaczają negatywną aurę – możesz być pewna, że pod pozorem niewinnej rozmowy wyciągną z Ciebie całą energię, która jeszcze Ci została;
- otaczaj się pięknem – pielęgnuj w domu rośliny doniczkowe, kupuj kwiaty cięte i stawiaj je w pobliżu swojego miejsca pracy;
- nie martw się na zapas;
- codziennie wyrażaj miłość;
- w każdej sytuacji staraj się dostrzec coś pozytywnego;
- trudności traktuj jak wyzwania i lekcje, które pomagają Ci się rozwijać;
- nie rób niczego wbrew sobie – bądź w zgodzie ze sobą;
- znajduj czas na swoje hobby i rozwój wewnętrzny;
- nie krytykuj, nie oceniaj i nie narzekaj;
- zachowuj zdrowy egoizm, pamiętając, że możesz dać innym dużo z siebie tylko wtedy, gdy masz dobry kontakt ze sobą i masz „naładowane akumulatory";
- spróbuj każdy dzień zaczynać i kończyć medytacją, modlitwą i świadomym oddechem;
- odczuwaj wdzięczność za wszystko, co dobre i piękne.

Oddech

Kilka lat temu spotkałam osobę, która obserwując mnie, stwierdziła, że zupełnie nie potrafię oddychać. Trochę mnie to rozbawiło, a trochę zirytowało. Byłam pewna, że oddychać potrafi każdy. Od pierwszej chwili życia instynktownie wiemy, jak to robić. Nie widziałam powodu, by się nad tym zastanawiać.

Mimo wszystko zaczęłam się sobie przyglądać. Zauważyłam, że często wzdycham, ale uznałam, że jest to zupełnie normalne. Potem przekonałam się, że pod wpływem stresu mój oddech stawał się płytki i nierówny, a nagłe westchnienia były odruchem „ratowania się", szybkiego dotlenienia organizmu. Rozpoczęłam naukę świadomego oddechu.

Mówi się, że oddech to życie. W Biblii identyfikowany jest z „darem życia" i nie ma w tym przesady. Przez pewien czas jesteśmy w stanie żyć bez pokarmu czy bez wody, ale bez oddychania umrzemy w ciągu kilku chwil. Wprawdzie nie można żyć samym powietrzem, ale bez powietrza żyć się nie da.

Oddech jest podstawą naszej siły życiowej. Wszystkie starożytne cywilizacje badały jego moc. W filozofii hinduskiej to nie tylko tlen, ale energia. Zwany jest praną lub *shakti*. Uznawano, że za jego pośrednictwem możemy doświadczyć w sobie siły, która podtrzymuje cały świat.

Jego znaczenie, tak podkreślane w wielu dawnych tradycjach Wschodu, wśród mieszkańców Zachodu często jest lekceważone. U większości z nas oddech jest płytki, krótki i zachodzi przy udziale samych płuc. Umiejętność prawidłowego, świadomego oddychania jest prawdziwą rzadkością, a sposób, w jaki oddychamy, odzwierciedla nasz stan emocjonalny. Gdy jesteśmy zdenerwowane, oddychamy płytko, szybko, nierównomiernie. Gdy w naszym organizmie kumuluje się stres, nieprawidłowy oddech staje się normą, tak jak przewlekła choroba. Gdy czujemy gniew, często wstrzymujemy oddech. Tamując oddech, tłumimy emocje, które potem mogą wybuchnąć ze zdwojoną siłą.

Ćwiczenie uwalniające od napięcia i stresu

1. Wyobraź sobie sytuację, która powoduje w Tobie napięcie.
   Mogą to być problemy w pracy, związku, rodzinie czy też strach,
   na przykład przed starością.
2. Zamknij oczy i wyobraź sobie, że nadmuchujesz balon.
   Z każdym wdechem przez nos poczuj, jak wnika w Twoje ciało nowa,
   jasna, czysta, dobra energia, która uzdrawia.
   Z każdym wydechem przez usta (dmuchasz balon) pozbywasz się
   wszelkich napięć, złości, smutku, czyli całej starej, zużytej i niepotrzebnej
   już energii.
3. Zauważ, jak z każdym wydechem balon rośnie, a z każdym wdechem
   napełniasz się pozytywną, silną energią.
4. Gdy poczujesz, że pozbyłaś się wszystkiego, co jest Ci już niepotrzebne,
   wyobraź sobie, jak zawiązujesz balon. A następnie wypuść go i obserwuj,
   jak unosi się do góry, coraz wyżej.
   Obserwuj go tak długo, aż stanie się maleńki jak główka szpilki, po czym
   zupełnie zniknie z pola widzenia.
5. Gdy spokojnie otworzysz oczy, poczujesz w sobie lekkość, jaką daje
   uwolnienie od trosk oraz silny ładunek pozytywnej energii.
6. Jeśli masz więcej problemów, możesz sobie wyobrazić, że nadmuchujesz
   kilka balonów, a każdy z nich odpowiada innej sytuacji. Po nadmuchaniu
   zawiąż każdy z nich, a następnie uwolnij je wszystkie.

Czasem wystarczy kilka spokojnych, głębokich oddechów, by się uspokoić i zmienić reakcje naszego organizmu. Przekłada się to na emocje i odczucia, ponieważ oddychanie i odczuwanie są ze sobą ściśle związane. Świadomy oddech rozpływa się jak fala spokoju, przywołując harmonię i opanowanie w nawet najbardziej stresujących sytuacjach.

Organizm człowieka aż w 70% oczyszcza się za pomocą oddechu. Toksyny w głównej mierze wydalane są właśnie za jego pomocą. Oddech dostarcza tkankom i narządom (sercu, płucom, mięśniom, mózgowi i narządom trawiennym) odpowiednią ilość tlenu, co wpływa na ich prawidłowe funkcjonowanie. I nawet jeśli zabrzmi to zabawnie, warto pamiętać, że aby skutecznie schudnąć, dietę należy zacząć od nauki prawidłowego oddychania.

Oddech jest podstawą siły życiowej

Świadomy oddech zapewnia uczucie spokoju, ma działanie terapeutyczne i uzdrawiające. Jest punktem wyjścia do nauki panowania nad sobą, ponieważ stanowi most pomiędzy ciałem i umysłem, świadomością i podświadomością.

Zanim zaczniemy uczyć się medytacji czy relaksacji, najpierw powinnyśmy nauczyć się prawidłowo oddychać. Dla większości z nas jest to dosyć trudne. Oddech należy ćwiczyć tak samo jak wszystko inne. Aby dojść do mistrzostwa, potrzebna jest cierpliwość i wytrwałość. Prawidłowy oddech jest głęboki, wypełnia nie tylko płuca, ale również przeponę. Dzięki temu staje się długi i dostarcza tlen nawet do najniższych partii płuc. Odpowiednia ilość tlenu w organizmie jest podstawą zachowania młodości, przedłuża życie, podnosi i wzmacnia odporność.

„Wystarczy jeden świadomy oddech, by nowy wymiar pojawił się w twoim życiu" – powiedział Eckhart Tolle.

Oddech jogina

Pracując jako modelka, nauczyłam się funkcjonować z wciągniętym cały czas brzuchem. Przyzwyczajenie to jest niestety zgubne dla prawidłowego oddychania. W naszej kulturze uczymy się żyć „na wdechu", ponieważ uważa się, że wówczas sylwetka lepiej się prezentuje. Jest to bardzo szkodliwe przekonanie. Prowadzi do napięcia nie tylko ciała, ale również emocji. Świadomy oddech odbywa się nie tylko za pomocą płuc, ale również przepony. Brzuch powinien być rozluźniony. Płaski brzuch osiąga się nie poprzez wciąganie powietrza, ale przez ćwiczenie jego mięśni, które powinny być mocnym wsparciem dla kręgosłupa.

Od tysięcy lat znane są liczne techniki oddechowe, których wpływ na układ nerwowy jest dzisiaj potwierdzony naukowo. Jednak naukę oddechu należy zacząć od podstaw, czyli od umiejętności głębokiego oddechu przeponowego. Prawidłowy oddech jest także podstawowym elementem jogi. Prana to hinduskie określenie oddechu, ale również nazwa energii kosmicznej ożywiającej wszelką materię, w tym także ludzkie ciało.

Pranajama są to ćwiczenia świadomego oddychania, które prowadzą do mistrzowskiego opanowania oddechu i napełniają ciało praną. Należy je praktykować każdego dnia. Według ich zasad możemy oddychać szybko lub wolno, w zależności od tego, czy naszym celem jest odprężenie i osiągnięcie spokoju, czy też zwiększenie energii i pobudzenie.

Oddech jogina jest długi i głęboki. Jeden wdech i wydech trwa kilka minut i zawsze odbywa się przez nos. Oddychanie przez usta dopuszczone jest tylko podczas wykonywania niektórych ćwiczeń oddechowych i medytacyjnych. Jedno z najważniejszych zaleceń jogi mówi: „usta służą do jedzenia, a nos do oddychania".

Podstawowe ćwiczenie oddechowe

Pomoże nam ono nauczyć się świadomie i pełnie oddychać.

1. Stań lub usiądź prosto. Możesz też położyć się na plecach.
   Połóż dłoń na przeponie (znajduje się pod pępkiem).
   Oddychaj przez nos, wciągając powietrze spokojnie.
   Napełnij powietrzem najpierw dolną część płuc – osiągniesz to przez ruch przepony brzusznej, która wysuwa brzuch do przodu. Poczujesz to, gdy dłoń lekko się uniesie.
   Następnie napełnij środkową część płuc, wyginając najpierw do przodu żebra dolne, potem mostek i pierś.
   Następnie napełnij wierzchołki płuc, wysuwając górną część klatki piersiowej i podnosząc pierś razem z żebrami.
   Wydaje się, że taki wdech składa się z trzech części. Jest to złudzenie. Wdech trwa długo i rozszerza się jednostajnym, płynnym ruchem od przepony aż do najwyższego punktu klatki piersiowej, w okolicy obojczyka. Należy dążyć do wdechu spokojnego, równomiernego, powolnego.
2. Przez parę sekund wstrzymaj oddech.
3. Wydychaj powietrze bardzo powoli, zachowując naprężoną pierś. Kiedy zakończysz wydech, rozluźnij pierś i brzuch.

Choć na początku taki sposób oddychania wydawać się będzie skomplikowany, już po kilku ćwiczeniach powinien odbywać się automatycznie i swobodnie. Pierwsze ćwiczenie można wykonać przed lustrem i trzymając dłoń na przeponie, obserwować jej ruch.

Moja pierwsza praktyka oddechowa

Dziewięć Oczyszczających Oddechów pochodzi z tybetańskiej tradycji *bon* (buddyzmu). Jest moją pierwszą praktyką oddechową. Nie wymaga żadnych umiejętności, przygotowania ani znajomości medytacji. Jest dobra dla początkujących.

Przywraca spokój i równowagę. Oczyszcza energię, usuwa blokady kanałów energetycznych, rozluźnia ciało i umysł. Jest skuteczną pomocą po trudnych spotkaniach i sytuacjach konfliktowych, pełnych napięcia i negatywnych energii. Działa jak wewnętrzny prysznic.

Zalecana jest codziennie rano po przebudzeniu i wieczorem, tuż przed snem.

Pomocna przed praktyką medytacyjną, a także przed rozpoczęciem pracy (wzmacnia koncentrację, intuicję, świadomość, przytomność umysłu).

Można ją wykonać jeden raz (trwa zaledwie kilka minut) lub powtórzyć kilkakrotnie.

Krótka praktyka równoważąca i uspokajająca

Występy publiczne to dla wielu z nas ogromny stres. Ćwiczenia oddechowe, medytacyjne i relaksacyjne są wtedy wielką pomocą.

Gdy miałam poprowadzić duży program emitowany na żywo w telewizji, byłam bardzo zestresowana. Teksty, które miałam wygłosić, do ostatniej chwili ulegały zmianie. Stale byłam informowana o problemach, jakie się pojawiały, i oczekiwano ode mnie natychmiastowych reakcji. Pomimo szaleństwa, jakie panowało wokół mnie, zachowałam spokój, opanowanie i koncentrację. Zawdzięczam to ćwiczeniom oddechowym oraz pewnej krótkiej praktyce. Nauczył mnie jej mój przyjaciel Marcin, który od wielu lat ćwiczy tai-chi.

- Jeśli to możliwe, zdejmij buty i stań mocno stopami na podłodze.
- Stopy rozstaw na szerokość bioder.
- Poruszaj się na stopach przez chwilę, do przodu i do tyłu.
- Znajdź na śródstopiu punkt ciężkości, który jest stabilny. Oznacza on na tyle silne oparcie, że nie można Cię ani popchnąć, ani przewrócić.
- Poczuj tę stabilność, uziemienie.
- Poczuj, jak silne są Twoje stopy i jak mocno na nich stoisz.
- Teraz poczuj siłę swojego podbrzusza, które jest środkiem ciężkości Twojego ciała.
- Poczuj w nim siłę, moc i bezpieczeństwo.
- Następnie wsłuchaj się w swój długi, głęboki oddech (przez nos), który dociera aż do podbrzusza.
- Skoncentruj się na stopach, brzuchu i oddechu.
- Poczuj się pewnie i bezpiecznie.
- Rozluźnij ramiona i mięśnie całego ciała.
- Po kilku wdechach i wydechach (lub po kilku minutach) powoli otwórz oczy.
- Z poczuciem wewnętrznej siły i stabilizacji wróć do swoich zajęć.

Dziewięć Oczyszczających Oddechów

Usiądź w pozycji medytacyjnej (inaczej pozycja lotosu, po turecku). Jeśli nie możesz, usiądź wygodnie na krześle, nie krzyżując nóg. Wyprostuj kręgosłup (już samo siedzenie z wyprostowanymi plecami i wyciągniętym kręgosłupem rozwija przytomność umysłu i uważność). Nie napinaj mięśni pleców, zwłaszcza karku i szyi. Trzymaj brodę lekko opuszczoną do dołu (tak by wyprostować kręgosłup), głowę lekko cofniętą, a ramiona postaraj się ściągnąć do tyłu, co pomoże Ci otworzyć klatkę piersiową. Lewą dłoń połóż na prawej, na podołku, wnętrzem dłoni ku górze. Kciukami naciskaj na podstawy palców serdecznych (to te, na których nosimy obrączkę lub zaręczynowy pierścionek).
Zamknij oczy. Wykonaj trzy serie trzech oddechów.
Pierwsza seria:
Unieś lewą rękę. Zamknij lewe nozdrze palcem serdecznym i powoli wdychaj powietrze prawą dziurką nosa. Następnie tym samym palcem zamknij prawą dziurkę nosa i powoli, świadomie zrób pełen, głęboki wydech lewą dziurką nosa. Trzy razy powtórz takie wdechy i wydechy, na zmianę zatykając raz lewe, raz prawe nozdrze. Podczas wdechu wyobraź sobie czystą, uzdrawiającą energię w kolorze jasnozielonym, która rozpływa się po całym Twoim ciele, wnika szczególnie we wszystkie chore miejsca, oczyszcza je i uzdrawia. Podczas wydechu wyrzuć negatywną energię w kolorze jasnoniebieskim, która jest związana z potencjałem męskim i przeszłością. Opuszczają Cię wszystkie przeszkody i blokady z przeszłości.
Druga seria:
Powtórz taki sam cykl wdechów i wydechów, używając drugiej ręki. Unieś prawą rękę. Palcem serdecznym zamknij prawe nozdrze i zrób wdech lewą dziurką. Następnie zamknij lewą dziurkę i zrób wydech prawą. Nadal wdychasz jasnozieloną, uzdrawiającą energię. Podczas wydechu opuszcza Cię negatywna energia w kolorze różowym, związana z potencjałem żeńskim oraz przyszłością. Podczas wydechu opuszczają Cię wszelkie przeszkody.
Trzecia seria:
Dłonie ułóż na podołku – lewa ręka na prawej, wnętrza dłoni skierowane ku górze. Trzy ostatnie wdechy i wydechy wykonaj oboma nozdrzami. Wdychasz uzdrawiającą energię w kolorze jasnozielonym. W momencie wydechu wyrzucasz z siebie idący od szczytu głowy ciemny dym i wszystkie przeszkody związane z teraźniejszością.

Mężczyźni wykonują to ćwiczenie odwrotnie, to znaczy trzy pierwsze oddechy zaczynają od zamknięcia prawego nozdrza prawą dłonią, a pierwszy wdech robią lewą dziurką nosa.

Medytacja

*Jest wielu ludzi geniuszu, olbrzymów intelektu, którzy całe życie gromadzą
wiedzę z przeróżnych dziedzin, ale gdy się ich spyta, czy rozwiązali zagadnienie
człowieka, czy odgadli jego tajemnicę, czy zdobyli wiedzę o sobie, pochylają głowę
ze wstydem.*

*Na cóż zda się wiedza o różnych rzeczach, gdy nie wiedzą, kim są sami. Ludzie
unikają owego pytania i zagłębienia się w swą prawdziwą naturę, a czy istnieje
coś bardziej godnego naszego trudu?*

Śri Ramana Mahariszi

Chociaż wielu osobom wydaje się, że medytacja jest czymś bardzo trudnym,
ezoterycznym czy mistycznym, to jednak jest dla człowieka stanem bardzo naturalnym. Medytowano kiedyś, patrząc w ogień, lepiąc gliniane naczynia, pie-
kąc chleb, rąbiąc drewno czy kosząc siano. Każde zajęcie, które wycisza stałą
aktywność umysłu i prowadzi do poczucia wewnętrznego spokoju, może stać
się rodzajem medytacji. W dzisiejszym świecie jesteśmy stale bombardowani
nadmiarem informacji oraz nowymi zadaniami do wykonania. Tempo życia
stało się tak szybkie, że często brakuje nam czasu, by się zatrzymać i spojrzeć
w głąb siebie. Nasze umysły zalewa lawina myśli, które nigdy nie dają nam
spokoju, nawet podczas snu. Prowadzi to do wyczerpania i poczucia zagubienia. Medytacja jest najprostszym i najbardziej efektywnym narzędziem, które
pomaga nam osiągnąć stan spokoju i wewnętrznej harmonii, uspokoić myśli
i nabrać do nich dystansu. Medytacja jest też drogą do poznania siebie.

Istnieje wiele technik medytacyjnych znanych ludzkości od wieków. Przywi-
lejem naszych czasów jest łatwy dostęp do informacji. Mamy do dyspozycji przekazywane przez tysiące lat z pokolenia na pokolenie jak cenne skarby
techniki: buddyjskie, tybetańskie, hinduskie czy chrześcijańskie, które teraz
wykraczają poza religie i stają się uniwersalnymi narzędziami dostępnymi dla
każdego z nas. Jestem pewna, że gdyby wszyscy ludzie medytowali codziennie
chociaż przez kilka minut, świat stałby się lepszym miejscem.

Po co medytować?

Celami medytacji są uspokojenie oraz oczyszczenie umysłu, które prowadzą
do nawiązania kontaktu ze swoim wnętrzem. Nasze myśli są często jak fale na
wzburzonym morzu. Gdy jednak spróbujemy się przez nie przedrzeć i sięgnąć

głębiej, często okazuje się, że panuje tam spokój, niezależnie od tego, co dzieje się na powierzchni. Dla niektórych osób medytacja jest jak wyjście z gęstej mgły, którą są niespokojne myśli przesłaniające czysty i klarowny obraz rzeczywistości. Jest to droga do odnalezienia w swoim wnętrzu szczęścia, radości i spokoju. Medytacja jest też narzędziem rozwoju świadomości i tym samym metodą eliminowania stresu i jego skutków.

Przez ostatnie lata szeroko dostępne stały się różne jej techniki. Ich popularność lawinowo rośnie, ponieważ okazały się bardzo skuteczne. Zainteresowało to wielu naukowców, którzy zajęli się badaniem fenomenu medytacji, by za pomocą racjonalnych metod sprawdzić, jaki wpływ wywiera ona na organizm człowieka.

Co mają do powiedzenia naukowcy na temat medytacji?

Jednym z pierwszych naukowców, który zajął się medytacją, był amerykański psycholog Robert Keith Wallace, który w latach sześćdziesiątych XX wieku przeprowadził nad nią szereg badań. Był zdumiony, gdy aparatura badająca ludzki mózg będący w stanie medytacji zarejestrowała zupełnie inny rodzaj jego aktywności, niż dotąd znane. Wcześniej uważano, że istnieją tylko trzy jej rodzaje: czuwanie, sen i marzenia senne. Odkryto czwarty stan świadomości, który objawia się zwiększoną intensywnością fal alfa w centralnej i przedniej części mózgu. Nazwano go transcendentalnym. Było to pierwsze naukowo potwierdzone badanie reakcji, jakie zachodzą w organizmie człowieka podczas medytacji.

To zdumiewające odkrycie zachęciło naukowców do dalszych badań. Ponad wszelką wątpliwość udowodniono, że stany medytacyjne prowadzą do odprężenia i regeneracji całego organizmu. Aktywność mózgu podczas medytacji jest większa niż we śnie. Już po kilku minutach od jej rozpoczęcia zachodzi zjawisko uaktywnienia zazwyczaj mniej aktywnej prawej półkuli. Procesy zachodzące w obu półkulach ulegają synchronizacji. Lewa półkula mózgowa jest odpowiedzialna za myślenie analityczno-logiczne, a prawa za myślenie abstrakcyjne i twórcze. Daje to dostęp do głębokich sfer świadomości, z których na co dzień nie możemy korzystać.

Odkryto również wiele innych, bardzo pozytywnych skutków medytacji, które przynosi nawet krótka, ale regularna praktyka:

- Odporność skóry zwiększa się aż o 500%, co oznacza, że nie odczuwamy lęku ani stresu. Częstość akcji serca spada średnio o pięć uderzeń na minutę, serce jest więc mniej obciążone. Organizm wydziela mniej adrenaliny, zachodzi wówczas proces eliminowania stresu.
- Codzienna czterdziestominutowa medytacja pogrubia części kory mózgowej odpowiedzialnej za uwagę i przetwarzanie sensoryczne.
- U osób, które miały nikłe pojęcie o technikach medytacyjnych i które medytowały codziennie przez niespełna pół godziny, nastrój poprawił się w takim stopniu, jak gdyby zażywały środki antydepresyjne.
- Medytacja wzmacnia sprawność umysłową, zwiększa ukrwienie mózgu oraz refleks. Poprawa koncentracji nie tylko stabilizuje i usprawnia umysł, ale ma również wpływ na kreatywność oraz poprawę kontaktów z innymi ludźmi.
- Medytacja ma pozytywny wpływ na emocje. Nie przekształca samych emocji, ale zmienia nasz stosunek do nich. Uczy dystansu, ponieważ przestajemy się z nimi identyfikować.
- Pozwala świadomie obserwować zmiany nastroju i reagować na nie w sposób kontrolowany. Dzięki temu łatwiej jest uniknąć formułowania niesprawiedliwych osądów i spokojniej reagować w trudnych sytuacjach.
- Za pomocą medytacji możemy zmienić to, co uważamy za trwałe cechy naszego charakteru, zapanować nad niepokojem, gniewem lub złością. Zaczynamy „patrzeć do wewnątrz" i dostrzegamy, jak funkcjonuje nasz umysł. Zmieniamy go myśl po myśli, co pozwala modyfikować nastroje i świadomie nimi kierować.
- Rozwija się stabilność emocjonalna, która pomaga rozumieć uczucia swoje oraz innych ludzi, uwolnić się od ograniczeń, które uniemożliwiają nam doświadczanie szczęścia.
- Zwiększa się empatia i następuje pełniejsze wykorzystywanie swojego umysłu. Dzięki temu możemy bardziej cieszyć się życiem. Medytacja daje poczucie bezpieczeństwa, spokój, radość i wewnętrzną harmonię.
- Medytacja jest również doskonałym środkiem przedłużającym młodość! Okazało się, że osoby regularnie medytujące są biologicznie młodsze w stosunku do swojego rzeczywistego wieku. Medytujący od kilku lat byli o 5 lat młodsi, niż wskazywał ich wiek metrykalny, a medytujący dłużej byli młodsi aż o 12 lat.

Od czego zacząć?

Kiedyś osiągałam stan medytacji w sposób naturalny, chociaż nie zdawałam sobie z tego sprawy. Gdy tkałam gobeliny, malowałam obrazy, pieliłam grządki, robiłam na drutach, ucierałam ciasto czy odmawiałam litanię w kościele. Każdy kiedyś medytował. Gdy jesteśmy całkowicie skoncentrowani na jakimś zadaniu, które nas relaksuje, pozwalamy na ujawnienie się naszej naturalnej, spokojnej, wewnętrznej istocie. Przestajemy zauważać upływający czas i zatapiamy się całkowicie w wykonywanej czynności. Medytacja polegająca na zogniskowaniu umysłu na jednym punkcie nazywa jest przez niektórych koncentracją, a przez innych kontemplacją. Możemy skupiać się na oddechu, mantrze, mandali – dowolnym przedmiocie albo elemencie krajobrazu, który budzi w nas poczucie piękna i spokoju.

Przed kilkoma laty moim pierwszym świadomym ćwiczeniem medytacyjnym było wpatrywanie się w płomień świecy oraz koncentracja na oddechu. Robiłam to codziennie i konsekwentnie przez 10 minut. Wybrałam na to moment tuż przed snem. Sądziłam wcześniej, że medytacja to coś bardzo skomplikowanego, wielkiego i mistycznego. Nie przypuszczałam, że może być tak prosta, jak ćwiczenie, które wykonywałam. Przedtem bardzo chciałam nauczyć się medytować, ale nie wiedziałam, jak to robić i od czego zacząć. Kupiłam kilka książek poświęconych tej tematyce, które zalecały głównie, by siedzieć w ciszy i nie myśleć o niczym. Nie potrafiłam nie myśleć i nie wiedziałam jak „wyłączyć" swoje myśli. Im bardziej się starałam, tym bardziej narastały we mnie irytacja i rozdrażnienie. Walczyłam ze swoimi myślami, zmuszałam je do wyciszenia, ale zamiast spokoju doświadczałam męczącej, wewnętrznej dyskusji.

Gdy zaczynałam wpatrywać się w płomień świecy, czas płynął nieubłaganie wolno. Zawsze byłam osobą aktywną, ruchliwą i stale czymś zajętą. Siedzenie „bezczynnie" w ciszy i spokoju przez 10 minut okazało się dla mnie ogromnym wyzwaniem. Roznosiło mnie. Nastawiałam budzik i z trudem wytrzymywałam do końca sesji. Jednak każdego wieczora uparcie wracałam do ćwiczenia, które stało się moim codziennym rytuałem. Pewnego dnia zaczęłam doświadczać uczucia spokoju. Mój oddech stał się dłuższy, głębszy i pełniejszy. Działało to bardzo kojąco. Prawdopodobnie tak właśnie czuje się dziecko w łonie matki. Bezpiecznie.

Po pewnym czasie budzik przestał być potrzebny. Obserwowałam swoje myśli, które pojawiały się i odpływały jak obłoki. Przestałam się z nimi identyfikować. Nabrałam do nich dystansu. Kładłam się spać z poczuciem wewnętrznego spokoju, harmonii i radości, a potem łagodnie odpływałam w sen. To była prawdziwa przemiana, ponieważ przedtem zasypiałam z trudem. Kładłam się spać późno i zamiast tracić przytomność ze zmęczenia, długo leżałam w łóżku, rozmyślając o tysiącu spraw z przeszłości i planując przyszłość. To się zmieniło. Zasypiałam szybko, spałam spokojnie i mocno. Nareszcie zaczęłam naprawdę odpoczywać i regenerować siły. Czułam się uwolniona.

Trudne są tylko początki

Gdy zaczynamy przygodę z medytacją, największą przeszkodą okazuje się nasz umysł, który uaktywnia się wtedy bardziej niż w innych sytuacjach. To naturalne. Pozostawanie w ciszy, w pozycji statycznej, do której nie jesteśmy przyzwyczajeni, jest na początku zupełnym szokiem dla organizmu, który przywykł do innego rodzaju aktywności. Musi się buntować, krytykować i zwracać uwagę na wszelkie niedogodności. Wyolbrzymia je i neguje zasadność tego, co robimy.

W takich sytuacjach dobrą metodą jest obserwowanie z pozycji świadka tego, co rozgrywa się w naszej głowie. Nasze myśli będą zapewne wyczyniać niestworzone rzeczy. Przyglądajmy się temu i starajmy się nie oceniać. Z czasem nabierzemy do nich dystansu, a wszystkie obrazy i myśli zaczną odpływać jak obłoki. Przestaniemy się z nimi identyfikować. Dzięki temu nauczymy się w sposób świadomy kierować swoimi reakcjami, emocjami i myślami i nie będziemy już ich niewolnikami. To z pewnością wpłynie na nasze zachowanie i zaczniemy doświadczać większego spokoju we wszystkich dziedzinach życia.

Istnieje bardzo wiele technik medytacji, więc każdy może wybrać najbardziej odpowiednią dla siebie. Niektóre zalecają zamknięcie oczu i zatopienie się w oddechu. Inne proponują „kotwice", czyli punkty zaczepienia, takie jak płomień świecy, kwiat, krajobraz, mantra (na przykład *Kyrie eleison*), mandala czy spoglądanie na czubek nosa (te są dla mnie najtrudniejsze). Pięknym rodzajem medytacji jest śpiewanie mantr, które polega na powtarzaniu krótkiej sentencji posiadającej głębokie znaczenie i moc.

Osoby przepełnione energią mogą wybrać medytację w ruchu. Spacer, taniec, bieganie czy pływanie również mogą stać się rodzajem medytacji. Podczas wykonywania tych czynności nie należy jednak rozmyślać, ale głęboko wejść w wykonywaną czynność i koncentrować się na oddechu.

Chociaż medytacja kojarzy się głównie z odosobnieniem, cennym doświadczeniem może okazać się medytacja w grupie. Energia osób, które zbierają się w tym samym celu może być dla nas bardzo silnym wzmocnieniem i wsparciem.

Praktyczne rady

- Dobrym pomysłem jest znalezienie nauczyciela (może być dobry nauczyciel jogi), który pomoże Ci pokonać początkowe trudności, nauczy nowych technik, wzmocni motywację.
- Nie zmuszaj się do „wyłączenia" myśli. Nie można wyciszyć się na siłę. Wywieranie presji i odprężenie nie idą ze sobą w parze.
- Bądź dla siebie łagodna, cierpliwa i wyrozumiała. To, z czym walczysz, staje się Twoim wrogiem. Walcząc, wzmacniasz go i nadajesz mu siłę. Gdy pojawiają się myśli, świadomie wróć do koncentracji na oddechu i uwolnij je.
- Nie krytykuj siebie i nie oceniaj. Bądź obserwatorem. W medytacji nie jest ważny cel, ale sam proces.
- Jeśli masz bardzo duży problem z odprężeniem się, zwróć uwagę na swoje ciało. Obserwuj, które mięśnie są napięte. Świadomie zauważ, dlaczego tak się dzieje. Czasem jest to efekt kumulacji stresu, a czasem tylko niewygodna pozycja. Świadomie odpręż wszystkie napięte części ciała i znajdź wygodną pozycję.
- Jeśli medytujesz w domu, wyłącz telefon i zrób wszystko, co jesteś w stanie, by zapewnić sobie chociaż chwilę spokoju. Jeśli nie jest to możliwe, pamiętaj, że praktyka medytacji doprowadzi Cię do punktu, w którym bodźce z zewnątrz przestaną Cię rozpraszać.
- Twoje miejsce do medytacji powinno być czyste, uporządkowane i wywietrzone.

- Unikaj medytacji zaraz po posiłku. Najlepiej jest medytować na czczo lub co najmniej godzinę po jedzeniu.
- Wielu nauczycieli medytacji zaleca praktykę bardzo wcześnie rano. Uważa się, że optymalna jest pora między 4:00 a 7:00 rano, ponieważ wtedy energia jest najbardziej czysta. Zaleca się również medytację wieczorem, przed pójściem spać.
- Gdy medytujemy wcześnie rano, zaraz po przebudzeniu, warto przemyć twarz zimną wodą, aby w pełni się obudzić. Medytacja nie jest drzemaniem.
- Przed medytacją należy zdjąć wszelkie metalowe ozdoby, ponieważ uważa się, że zakłócają one pole energetyczne człowieka.
- Energia, którą otaczamy się podczas medytacji, powinna być naturalna, dlatego nie należy siadać na macie z tworzyw sztucznych, ale używać dywaników bawełnianych lub wełnianych.
- Gdy medytujemy na siedząco, możemy podłożyć pod pośladki twardą poduszkę wypełnioną łuską gryczaną (lub inną naturalną substancją), albo zwinięty koc, by zapewnić sobie wygodę.
- Podczas medytacji nasza odzież powinna być luźna, wygodna i uszyta z naturalnych tkanin. Aby zapewnić sobie komfort i ciepło, można owinąć się szalem lub kocem.
- Miejsce do medytacji można udekorować świecami, minerałami, muszlami, obrazkami, kwiatami, inspirującymi książkami lub przedmiotami – wszystkim, co będzie przypominało o celu medytacji, budząc poczucie harmonii i piękna.
- Dobrze jest medytować w tym samym miejscu i o stałej porze.
- Na początek można zacząć od jednego lub dwóch posiedzeń w ciągu dnia (rano i wieczorem) przez 10 minut. Jeśli jest to zbyt długo, można zacząć od 3–5 minut i stopniowo ten czas wydłużać, przyzwyczajając umysł i organizm do nowej sytuacji. Nie należy forsować się lub pospieszać, by osiągnąć jakiś wynik. Warto dać sobie czas i okazać cierpliwość.

- Przed przystąpieniem do medytacji pomocne mogą być praktyki ruchowe (na przykład joga) lub oddechowe, które zrelaksują ciało i ułatwią koncentrację.
- Dobrze jest praktykować regularnie, chociaż kilka minut dziennie, aby medytacja stała się nawykiem.
- Warto pamiętać, że najprostszym i najbardziej idealnym instrumentem medytacji jest nasz oddech. Samo skupienie na nim uwagi jest medytacją. Gdy mamy problemy z wyciszeniem, zawsze możemy wrócić do koncentracji na każdym wdechu i wydechu.

Tylko początkujący i nowicjusze w życiu duchowym muszą wyznaczać sobie specjalne godziny na medytacje. Człowiek, który robi postępy, poznaje wkrótce głęboką, duchową radość, a odczuwać ją może zarówno w pracy, jak i podczas medytacji. Prąd energii wytworzony podczas medytacji, może być utrzymywany drogą stałej praktyki, która wkrótce wchodzi w przyzwyczajenie. A wtedy wszelka praca i działalność odbywa się jakby w tym prądzie; nic go nie narusza i nie przerywa. Gdy medytacja będzie uprawiana we właściwy sposób, stworzy tak silny prąd myśli, że ten nie przerwie się przez cały dzień, nawet podczas wszelkich innych zajęć. A więc po pewnym czasie nie ma różnicy pomiędzy medytacją a działalnością zewnętrzną. Istnieją jakby dwa sposoby wyrażania tego samego: idee, które obiera się do medytacji, mogą być wyrażane w działaniu.

Śri Ramana Mahariszi

Medytacja chrześcijańska

Medytacja towarzyszy ludzkości od wielu tysięcy lat. Od niepamiętnych czasów obecna była w hinduizmie, a następnie w naturalny sposób przeszła do buddyzmu. W krajach Zachodu pojawiła się na początku XX wieku, jednak jej rozwój został zahamowany z powodu wojen światowych. Dopiero w latach sześćdziesiątych ubiegłego wieku na nowo zwrócono się w kierunku Wschodu, by tam znaleźć odpowiedzi na egzystencjalne pytania, które coraz częściej stawiała sobie zachodnia cywilizacja.

Thomas Merton, zafascynowany buddyzmem *zen* członek katolickiego zakonu cystersów, rozpoczął badania dotyczące katolickich mistyków ubiegłych wieków. Doszedł do wniosku, że buddyzm i chrześcijaństwo więcej łączy niż dzieli. Merton, który przez wiele lat uprawiał medytację, uznał ją za najlepszą drogę wiodącą do poznania Stwórcy. Otworzyło to drzwi dla wielu chrześcijan, którzy poszukiwali głębokiego, wewnętrznego kontaktu z Bogiem.

Jednym z naszych wybitnych rodaków, który propagował medytację, był zmarły w 2011 roku benedyktyn ojciec Jan M. Bereza, filozof i teolog. Przez wiele lat studiował i zgłębiał tajniki filozofii klasycznej i indyjskiej oraz filozofię jogi. W medytacji chrześcijańskiej czerpał z wiedzy i praktyk Ojców Pustyni z pierwszych wieków chrześcijaństwa. Stosował również elementy buddyzmu *zen* jako narzędzie pomagające w skupieniu. Uważał, że filozofia ta może pomóc w odkryciu kontemplacyjnego wymiaru naszej własnej religii. Na spotkania medytacyjne zapraszał mistrzów *zen*. Był założycielem Ośrodka Medytacji i Dialogu Międzyreligijnego. Zakon benedyktynów kontynuuje jego pracę i prowadzi otwarte warsztaty medytacyjne. Informacje można znaleźć na stronach www.benedyktyni.net i www.kultura.benedyktyni.com.

Medytacja z mantrą

Słowo *man* oznacza umysł lub myśleć, a *trai* – wznosić lub chronić. Można więc rozumieć, że słowo „mantra" oznacza albo myśl, która nas chroni, wznosi ponad materialny wymiar, albo też wznoszenie umysłu na wyższy poziom.

Mantry to specjalna formuła sylab, które tworzą dźwięki i specjalne wibracje. Śpiewanie mantr znane jest od niepamiętnych czasów ludziom w każdej części świata. Ten rodzaj aktywnej medytacji jest szczególnie cenny, a efekty, które daje, są wyjątkowo silne. Potrzeba śpiewania jest wpisana w ludzką naturę. Tak wiele razy słyszeliśmy jednak, że śpiewać powinny jedynie osoby wyjątkowo uzdolnione, że wyrażanie emocji poprzez śpiew w życiu codziennym właściwie zanika. Może właśnie dlatego, gdy po raz pierwszy spotkałam się z takim rodzajem medytacji, czułam się nieco zdezorientowana i onieśmielona. Nasze ograniczenia kulturowe stają często na przeszkodzie odważnemu korzystaniu z narzędzi, które mogą przynieść nam wiele dobrego. Stajemy się krytyczni wobec swoich wokalnych możliwości, ponieważ otoczenie uczy nas, że śpiewać powinny jedynie osoby posiadające wyjątkowe predyspozycje. Dlatego często mamy do siebie żal, że nasz głos nie brzmi wystarczająco czysto, dźwięcznie i okazale. Jednak podczas śpiewania mantr nie ma to żadnego znaczenia. Medytacja jest procesem, który polega na wyzbyciu się pokusy popisywania się i oceniania. Jest to bardzo dalekie od tego, czego uczy nas kultura Zachodu.

Śpiewając nie tylko głosem, ale też sercem, otwieramy się na zupełnie nowe doznania. Jest to proces bardzo indywidualny, jednak odczucia, które towarzyszą śpiewaniu mantr, są zwykle bardzo silne nawet w przypadku nowicjuszy.

Podczas śpiewu wibracje dźwięków są odczuwane w całym ciele. Rezonując, poruszają kanały energetyczne, które poprzez wewnętrzną stymulację odblokowują się i harmonizują. Niektóre osoby już podczas pierwszego kontaktu z mantrą doświadczają wzruszenia, oczyszczenia lub radości. Inni jednak potrzebują nieco więcej czasu, by pozbyć się intelektualnych blokad i otworzyć na nowe przeżycia.

Są mantry, których istnienie przez tysiące lat było owiane tajemnicą, a je same skrzętnie skrywano i udostępniano jedynie wtajemniczonym. Przekazywane z pokolenia na pokolenie jak cenny skarb, pod koniec XX wieku stały się dostępne dla każdego. Wydarzyło się to za sprawą mistrza Yogi Bhajana, który pod koniec lat sześćdziesiątych przybył do USA, by nauczać i przekazać mądrość Wschodu naszej cywilizacji.

Pamiętajmy, że śpiewanie mantr nie wymaga żadnych specjalnych umiejętności. Można je wykonywać niemal w każdym miejscu, głośno lub cicho, by w szybki i skuteczny sposób zmienić samopoczucie.

Zainteresowanych zachęcam do wejścia na strony www.devapremalmiten.com i www.snatamkaur.com.

Prosta medytacja buddyjska

Można wykonywać ją tylko raz dziennie, najlepiej regularnie, przez 24 minuty.
Usiądź po turecku lub połóż się na plecach. Zadbaj o wygodę całego ciała. Umieść
poduszkę pod pośladkami lub połóż się na kocu. Zapewnij sobie ciepło i komfort.
W pozycji siedzącej plecy powinny być wyprostowane, ale nie „przeprostowane".
Kobiety często przesadnie wyginają do przodu dolny odcinek pleców. Nie należy tego
robić, ponieważ prowadzi to do napięć i bólu pleców oraz ramion.
W pozycji siedzącej dłonie ułóż swobodnie na podołku – jedną na drugiej, wnętrzem
zwrócone ku górze. W pozycji leżącej dłonie swobodnie połóż na podłodze, także
wnętrzem zwrócone ku górze.
Zamknij oczy.
Świadomie rozluźnij mięśnie.
Weź trzy głębokie oddechy, wdychaj i wydychaj powietrze przez nos. Nabierając
powietrza, wyobraź sobie, że napełniasz swoje wnętrze świeżą, oczyszczającą energią,
a wydychając powietrze – że pozbywasz się wszystkiego co stare, zużyte i niepotrzebne.
Poczuj wypełniający Cię spokój, nie ruszaj się i wyostrz zmysły.
Zacznij oddychać zgodnie z naturalnym rytmem, nadal przez nos.
Obserwuj proces wdychania i wydychania powietrza. Zauważ, czy oddech jest krótki
i płytki, czy raczej głęboki. Nie oceniaj tego.
Nie narzucaj sobie żadnego wymuszonego rytmu. Bądź dla siebie łagodna.
Pozwól ciału oddychać swobodnie, tak jakbyś miała za chwilę zasnąć, ale rób to
świadomie.
W Twojej głowie mogą się pojawiać różne myśli, a uwagę może odwrócić jakiś hałas
z zewnątrz. Nie staraj się za wszelką cenę ponownie skoncentrować na oddychaniu, lecz
pozwól, by niechciane myśli powędrowały dalej, odpłynęły jak obłoki. Nie denerwuj się.
Ciesz się z tego, że udało Ci się zidentyfikować źródło niepokoju i od niego uwolnić.
Spokojnie powróć do obserwacji oddechu.
Ćwicz tak 24 minuty dziennie.
Adepci medytacji mogą sobie pomagać, licząc każdy oddech aż do osiągnięcia liczby 21.
Za każdym razem, gdy umysł się rozproszy, należy zacząć liczenie od początku.
Po upływie 24 minut należy przebudzić zmysły delikatnie i spokojnie.
Jeśli leżysz na plecach, najpierw wykonaj koliste ruchy stopami, potem poruszaj palcami
dłoni, następnie wykonaj delikatnie ruchy nogami i rękoma, po czym poruszaj całym
ciałem.
Potrzyj o siebie wnętrzem dłoni i stóp, by pobudzić energię.
Powoli otwórz oczy i na chwilę usiądź.
Pomyśl o spokoju i czystej energii, które wypełnia Twoje ciało. Poczuj je.
Poczuj wdzięczność.

JOGA

Nie możemy ustawać w poznawaniu. A jego końcem
będzie przybycie do miejsca, w którym zaczynaliśmy,
i poznanie go po raz pierwszy.

Thomas Stearns Eliot

Moja przygoda z jogą zaczęła się kilka lat temu. Na dobre, bo jej początki sięgają znacznie dalej, do momentu, gdy jako dziecko po raz pierwszy otworzyłam książkę o hatha-jodze. Zafascynowały mnie czarno-białe fotografie, na których ciemnoskóry mistrz prezentował dziwne i bardzo skomplikowane ćwiczenia. Nie umiałam jeszcze wtedy czytać, ale zaintrygowana egzotycznymi praktykami starałam się wykonać niektóre z nich. Były trudne, a ja wtedy jeszcze nie wiedziałam, że siłą napędową do ich wykonania jest odpowiedni oddech. Z rękoma podniesionymi wysoko do góry i nogami skrzyżowanymi w pozycji kwiatu lotosu udawało mi się przez chwilę stać na kolanach. Potrafiłam też założyć stopę na szyję. Zadziwiałam tym moich rodziców i koleżanki w przedszkolu. Siedzenie podczas grupowych zajęć w pozycji kwiatu lotosu uznałam za wygodniejsze niż po turecku, co wzbudzało nie lada sensację. Na tym kończyła się lista moich „popisowych numerów". Ziarno zostało we mnie jednak zasiane i zawsze potem, gdy słyszałam słowo „joga", moje zmysły wyostrzały się, a czujność wzrastała. Byłam pewna, że gdy nadejdzie właściwy moment, na mojej drodze stanie nauczyciel. Tak też się stało.

Po wielu latach podróży po świecie w sprawach zawodowych do Polski przyjechała Iwona. Nie widziałyśmy się od wielu lat. Wiedziałam, że w jej życiu osobistym zaszły zmiany i przeżyła wiele trudnych chwil, więc nie byłam pewna, w jakim nastroju ją zastanę. Gdy otworzyła drzwi apartamentu, który jej firma wynajęła dla niej w Warszawie, od razu uderzyła mnie jej oszałamiająca, promienna energia. Wyglądała co najmniej 10 lat młodziej, niż wskazywała jej metryka. Promieniowała wewnętrzną harmonią, siłą, łagodnością, entuzjazmem i niesamowitą radością.

– Iwona, co to jest? Co ty bierzesz, dziewczyno? – spytałam zdumiona.

– Kochana, to jest joga kundalini! – odpowiedziała, śmiejąc się głośno.

O tej praktyce nigdy wcześniej nie słyszałam, jednak widok Iwony spowodował, że nie wahałam się ani chwili.

– Ja też chcę! Naucz mnie, proszę – wyjęczałam błagalnie.

Iwona, która pracowała jako poważna bizneswoman, od kilku lat nie tylko ćwiczyła jogę, ale również skończyła wszelkie kursy, by móc jej uczyć. Interesowała się również ajurwedą i studiowała u słynnego mistrza, doktora Shivy Kumara Varmy, w Vancouver. Z radością zgodziła się za kilka dni udzielić mi pierwszej lekcji jogi. Gdy jednak nadszedł ten dzień, okazało się, że zebrało się więcej chętnych. Tak działała energia Iwony! Każdy pragnął czuć się tak samo jak ona.

Nasza nowa nauczycielka wynajęła dla nas salę w Instytucie Medycyny Naturalnej w centrum Warszawy. Przyszliśmy trochę przerażeni i niepewni tego, co nas czeka. Czy damy sobie radę? W jednej sali spotkało się kilka osób w różnym wieku, wykonujących różne zawody, mających za sobą różne doświadczenia życiowe i z fizycznymi ograniczeniami.

Cóż, na początku nie było nam łatwo. Myśleliśmy, że joga to bardzo powolne ruchy i lekka nuda. Ćwiczenia były jednak bardzo dynamiczne i dosyć trudne. Same pozycje okazały się proste, jednak intensywność ćwiczeń stanowiła dla nas spore wyzwanie.

Po wyczerpujących ćwiczeniach (potem dowiedziałam się, że nazywają się asany) nastąpiła dziesięciominutowa relaksacja (leżenie na plecach w „pozycji trupa" – wiele osób to właśnie w jodze lubi najbardziej), a następnie krótka medytacja.

Po pierwszych zajęciach czułam się wykończona, zmęczona i bardzo szczęśliwa! Tak właśnie działa joga kundalini – przynosi szybkie i wymierne efekty. Nie musimy na nie czekać przez kilka lat, pojawiają się niemal natychmiast. Chociaż oczywiście dla każdego jest to sprawa indywidualna. Nie mogłam doczekać się następnego spotkania z jogą, mimo że bolały mnie wszystkie mięśnie. Nie miałam pojęcia, że niektóre z nich w ogóle mam, ponieważ chyba nigdy wcześniej tak intensywnie z nich nie korzystałam.

Kolejne zajęcia przynosiły nowe wyzwania i nowe odkrycia. Z biegiem czasu doświadczyłam tego, o czym kiedyś czytałam w książkach, a czego nie potrafiłam pojąć. Czytałam mianowicie, że nie jesteśmy swoim umysłem i każdy z nas posiada zdolność przyglądania się swoim myślom. Nie potrafiłam także nie tylko odpowiedzieć na pytanie, ale w ogóle zrozumieć sensu zagadnienia: kto myśli, a kto się tym myślom przygląda.

Pewnego dnia podczas wymagających ćwiczeń mój umysł nieustannie gadał i krytykował: „Co ty właściwie robisz? Po co to robisz? To jest strasznie głupie. Już nie dasz rady trzymać tych rąk w górze przez kolejną minutę! Czas się poddać, odpocząć, zmienić pozycję". Przyglądałam się jednak tym myślom, a moje ciało, zsynchronizowane z długim, głębokim oddechem, nadal wykonywało ćwiczenie. Spokojnie, konsekwentnie i wytrwale. Do końca. Moje ciało robiło to, czego ja chciałam, a mój umysł opowiadał swoje bajki, którym się przyglądałam i które ignorowałam. Wtedy prawdziwie doświadczyłam tego, że nie jestem swoim umysłem. Nie jestem swoimi myślami. Jestem ponad nimi. Zrozumiałam też, że mój umysł nie zawsze jest moim sprzymierzeńcem. Bojkotuje mnie, ponieważ boi się utraty kontroli i walczy o władzę, zachowanie swojej rangi, pierwszeństwa i dominacji.

Wyruszyłam w podróż, której celem było zapanowanie nad moimi myślami i emocjami. Zmęczona tym, że mój umysł stale mnie kontrolował, stałam się otwarta na nową naukę i doznania. Pragnęłam świadomie i ze spokojem przyglądać się staraniom i wysiłkom swojego umysłu, by nauczyć się korzystania z niego dla najwyższego dobra całej mojej istoty. Joga okazała się dla mnie kluczem do osiągnięcia tego pragnienia, chociaż wcale nie szukałam go w jodze w sposób celowy. To po prostu przyszło samo.

To był przebłysk czystej świadomości, który na zawsze zmienia życie. Chwila, kiedy prawdziwie doświadczamy siebie. Moment, kiedy budzimy się ze snu, po którym nic już nie będzie takie jak do tej pory. Za to właśnie kocham jogę. Pomogła mi dotrzeć do prawdziwej esencji samej siebie i doświadczyć, że mam ciało i umysł, ale jestem kimś więcej. Jestem wiecznym bytem, który dysponuje narzędziami: ciałem i umysłem, by móc doświadczać życia w materialnym świecie. To jest właśnie punkt wyjścia, by narzędzi tych używać świadomie.

Czym jest joga?

Joga nie jest religią ani żadnym innym systemem wierzeń. Może praktykować ją każdy, niezależnie od wyznania, może być rozwiązaniem także dla osób niewierzących. Jest jedyną filozofią, której możemy doświadczyć, ponieważ sama w sobie jest doświadczeniem. Dla każdego z nas jest ono zupełnie inne. Joga „dzieje się" i „staje się" podczas praktyki, gdy czujemy jej wibrację wewnątrz siebie. Jej fenomen polega na harmonijnym połączeniu tego, kim i czym jesteśmy.

Znawcy sanskrytu nie są zgodni co do tego, czy słowo „joga" pochodzi od wyrazu „kontemplacja" czy też „połączenie" (ciała, umysłu i duszy), jednak to drugie znaczenie stało się ogólnie przyjęte. Nauczyciele jogi podkreślają jednak, że to właśnie uwaga i koncentracja mają w praktyce jogi znaczenie podstawowe. Być może istotne jest połączenie obu tych elementów.

Jeśli myślisz, że joga to monotonne, nudne i powolne ćwiczenia, jesteś w błędzie. Chociaż w istocie jest ona jednym, całościowym systemem, istnieje wiele jej odmian, więc każdy może znaleźć technikę odpowiednią dla siebie. Spotkałam osoby, które próbowały ćwiczyć jogę i były bardzo rozczarowane. Na zajęciach zwyczajnie się nudziły i nie rozumiały sensu wykonywanych ćwiczeń, więc rezygnowały. Szkoda, bo wystarczy poszukać nowego nauczyciela lub innej techniki. Niektóre polegają na powolnym wykonywaniu ruchów (jak na przykład hatha-joga), inne są bardziej dynamiczne (kundalini, ashtanga). Każdy może wybrać kierunek, który najbardziej mu odpowiada.

Po co ćwiczyć jogę?

Każda z nas ma inne oczekiwania w stosunku do jogi. Niektóre z nas ćwiczą, by mieć ładniejsze i sprawniejsze ciało. Inne po to, by pozbyć się stresu i osiągnąć spokój umysłu. Dla jednych joga jest drogą rozwoju duchowego, a inni ćwiczą z ciekawości lub tylko dlatego, że taka jest moda. Każdy powód jest dobry. Jeśli praktyka odbywa się regularnie (najlepiej przynajmniej dwa razy w tygodniu) i pod okiem dobrego nauczyciela, efekty na pewno będą pozytywne.

Jeśli dopiero zaczynasz swoją przygodę z jogą, nie zrażaj się początkowymi trudnościami. Na zdjęciach czy filmach instruktażowych widzimy nauczycieli jogi w tak dziwnych i trudnych pozycjach, że można nieźle się przerazić. Joga to stopniowy postęp i praktyka, w ramach której umiejętności zdobywamy krok po kroku, a tempo nie jest ważne. Chociaż ćwiczę już od ponad trzech lat, nadal mam problemy z całkowitym wyprostowaniem kolan podczas skłonu. Nie stoję na głowie i nie wykonuję wielu innych bardzo skomplikowanych pozycji. Robię to, co jestem w stanie zrobić, i z pokorą wsłuchuję się w swoje ciało. W jego ograniczenia, ale również możliwości, które stają się stopniowo coraz większe.

Na pierwsze zajęcia jogi, na które uczęszczałam, przychodziły osoby między dwudziestym a sześćdziesiątym rokiem życia. Podczas ćwiczeń mieliśmy zamknięte oczy i wsłuchiwaliśmy się w siebie. Nie rywalizowaliśmy i nie konkurowaliśmy ze sobą. Podnosiliśmy się na duchu, zachęcaliśmy i wspieraliśmy. Czasem niektórzy z nas głośno wzdychali, sapali, jęczeli, a czasem się śmiali. Właśnie tak uwalniamy się od stresu. Na początku nie wiedziałam o tym. Ćwiczenia traktowałam jak świętość, więc wszelkie odgłosy bardzo mi przeszkadzały i irytowały mnie. Jednak praktyka jogi polega właśnie na pokonywaniu swoich ograniczeń. Ćwiczymy, mimo że umysł uparcie powtarza, że dłużej nie jesteśmy w stanie, i stara się nas przekonać, że to, co robimy, nie ma sensu. Lecz jeśli nadal ćwiczymy, wzmacniamy nie tylko ciało, ale również ducha. Stajemy się skoncentrowane i spokojne, choć inne osoby zakłócają nasz spokój. To nas hartuje i szlifuje nasze charaktery. Daje nam siłę na pokonywanie przeciwności w codziennym życiu.

Osoby, które ćwiczą regularnie, szybko odczuwają, że joga uwalnia od napięć i usuwa efekty stresu. Poprawia jasność umysłu i przynosi emocjonalną stabilność. Na poziomie fizycznym oczyszcza organizm z toksyn i reguluje pracę gruczołów. Wzmacnia układy nerwowy i immunologiczny, hamuje procesy starzenia. Przekonał mnie o tym widok wielu praktykujących osób. Ich jasność, promienność i świeżość bije na głowę wszelkie cuda medycyny estetycznej. Joga wzmacnia nas i podnosi naszą witalność, ponieważ uwalnia blokady i pozwala na swobodny przepływ energii. Wypełnia nas wewnętrznym spokojem i radością. Co prawda nie rozwiąże naszych życiowych problemów, jednak siła, którą dzięki niej możemy zdobyć, jest dużym wsparciem w radzeniu sobie z kłopotami i wyzwaniami codziennego życia.

Gdzie uczyć się jogi?

Szacuje się, że w Polsce jogę ćwiczy już około 250 tysięcy osób. To bardzo dużo, biorąc pod uwagę, że jeszcze nie tak dawno niewiele z nas o niej słyszało. Każdego roku przybywa coraz więcej wyspecjalizowanych centrów jogi, zajęcia można również znaleźć w grafikach fitness klubów. Nie jest jednak łatwo trafić na naprawdę dobrych nauczycieli. Zostają nimi czasem osoby, które ukończyły zaledwie miesięczny kurs i otrzymały dyplom.

Nauczyciela jogi wybierajmy z dużą rozwagą. Ćwiczenia, które wykonujemy, muszą być dostosowane do stanu naszego zdrowia. Niektórych nie mogą wykonywać osoby cierpiące na dyskopatię, nadciśnienie czy wrzody żołądka. Moja przyjaciółka trafiła kiedyś do nauczyciela, który krzyczał do uczniów: „Odpręż się!". Do takich osób po prostu nigdy więcej nie wracajmy, ale też nie zrażajmy się do jogi. Ludzie są różni, a gdy znajdziemy dobrego nauczyciela, wiele na tym zyskamy. Naprawdę warto się o to postarać. Moja nauczycielka jogi jest również moją nauczycielką życia. Ma w sobie ogromną siłę, łagodność, dobro, samodyscyplinę i mądrość. Jest zewnętrznie i wewnętrznie piękna, w sposób, który wykracza daleko poza kanony mody. Nie ocenia i nie krytykuje. Cierpliwie motywuje uczniów do rozwoju i pracy nad sobą. Jest skromna przy jednoczesnym zachowaniu poczucia własnej godności. Dzieli się zdobytą wiedzą bez negowania doświadczeń innych. Jest pełna szacunku dla świata, przyrody, wszelkiego życia, a także dla siebie i ludzi. Moim zdaniem poza odpowiednimi certyfikatami i dyplomami ukończenia kursów właśnie takimi cechami powinien charakteryzować się dobry nauczyciel jogi.

Najpopularniejsze rodzaje jogi

Joga jest tylko jedna, lecz w ciągu kilku tysięcy lat praktykowało ją wielu nauczycieli, mistrzów i guru, którzy tworzyli swoje własne kierunki. Powstało mnóstwo szkół i technik jogi, jednak ich zadaniem jest osiągnięcie tego samego celu. Poprzez pozycje ciała (asany), synchronizację oddechu i koncentrację umysłu dochodzi do poszerzenia i oczyszczenia świadomości, co prowadzi do połączenia z Najwyższą Świadomością, która przejawia się w człowieku poprzez inteligencję, miłość i prawdę.

Joga kundalini

Jeden z najstarszych systemów świadomych ćwiczeń. Przez tysiące lat była praktyką ściśle strzeżoną przez specjalną linię mistrzów, którzy przekazywali ją jedynie wybranej grupie wtajemniczonych uczniów. Jest kompleksową wiedzą o człowieku i szeroko pojmuje jego ciało, umysł i energię. Praktyka jogi kundalini zwana jest diamentem, ponieważ zawiera w sobie wszystkie elementy jogi, to jest kilka milionów krij (wyjaśnienie poniżej). Jest wyjątkowo cenna – to najszybsza i najskuteczniejsza droga do osiągnięcia harmonii ciała, umysłu i duszy. W trakcie praktyki energia kierowana jest od podstawy do góry, wzdłuż kręgosłupa, aż do gruczołu szyszynki (środkowa części mózgu). Osiągnięcie świadomości jest więc na tym poziomie procesem chemicznym.

Guru Yogi Bhajan przerwał długowieczną tradycję sekretu jogi kundalini w 1969 roku i rozpoczął trwające 36 lat nauczanie jej na terenie USA i Europy. Jak sam twierdził, praktyka ta jest wyjątkowo potrzebna ludziom współczes-

nego świata i cenna dla nich, ponieważ jest odpowiedzią na problemy dynamicznie zmieniającej się rzeczywistości. Przynosi szybkie i wymierne efekty, więc jest doskonała dla osób, które pragną łączyć praktykę z aktywnym życiem zawodowym oraz rodzinnym.

Systematyczna praktyka jogi kundalini przynosi szybkie i głębokie zmiany na poziomie świadomości i ciał subtelnych (to niewidoczne dla oczu energie znajdujące się wokół nas), korzystnie wpływa też na kondycję fizyczną, umysłową, emocjonalną. Kształtuje charakter i osobowość. Na poziomie fizycznym następuje wyraźna poprawa zdrowia, ponieważ praktyka pobudza krążenie, uzdrawia system nerwowy i reguluje pracę gruczołów. Joga kundalini wpływa na równowagę emocjonalną, podnosi odporność na stres, przynosi wewnętrzny spokój, poczucie radości i pewność siebie. Niweluje blokady emocjonalne, pomaga uwolnić się od toksycznej przeszłości i ograniczeń.

Praktyka (każda pojedyncza sesja) składa się z istotnych elementów, które tylko połączone w całość przynoszą szybkie i wymierne efekty:

- krije – zestawy asan (ćwiczeń fizycznych skomponowanych w określonej kolejności i czasie) dobrane precyzyjnie dla uzyskania określonego efektu;
- pranajama – techniki oddechowe;
- punkty skupienia wzroku – podczas ćwiczeń i medytacji wzrok zostaje unieruchomiony na punkcie między brwiami, „trzecim oku", co wyostrza intuicję, na czubku nosa lub na punktach w przestrzeni, co prowadzi do podniesienia poziomu koncentracji i skupienia;
- mudry – pozycje dłoni, które odpowiadają za przepływ energii;
- relaksacja – odpoczynek w pozycji leżącej, który powoduje wzmocnienie systemu nerwowego;

◆ mantry – „słowa Siły i Intencji" śpiewane lub słuchane podczas medytacji, w czasie śpiewania powodują neurochemiczną reakcję w mózgu, co skutkuje pozytywnymi zmianami na poziomie podświadomości oraz świadomości.

Joga ashtanga

Dynamiczna technika, której cechą charakterystyczną jest wykonywanie połączonych ze sobą sekwencji pozycji (asan) w ściśle określonej kolejności. Tworzą one niejako jeden płynny układ choreograficzny. W jednej serii występuje sześć asan, ułożonych stopniowo: od najłatwiejszej do najtrudniejszej. Ściśle określona jest kolejność, wejście i wyjście z pozycji oraz czas ich trwania. Nie ma pomiędzy nimi przerw. Ćwiczenia trwają płynnie przez całą sesję i są połączone za pomocą dynamicznego oddechu (zwanego *udżdżaji*), któremu towarzyszy charakterystyczny, gardłowy dźwięk. Oddech kumuluje silną energię, co pomaga w wykonywaniu pozycji. W jednej pozycji wykonuje się zwykle pięć oddechów (trwa to około pół minuty).

Cechą charakterystyczną jogi ashtanga są również specyficzne „zawory energetyczne" oraz punkty skupienia wzroku (najczęściej czubek nosa lub miejsce między brwiami, czyli „trzecie oko"). Unieruchomienie wzroku wzmacnia koncentrację oraz pomaga w panowaniu nad umysłem, co wpływa na wzrost świadomości.

Nauczyciele jogi ashtanga przykładają dużą wagę do ćwiczeń prowadzących do panowania nad umysłem, który podczas praktyki jest zmuszony do skupienia się na wielu elementach jednocześnie: asanach (kolejność, długość trwania, ilość oddechów), „zaworach energetycznych" oraz punkcie skupienia dla wzroku. Jeśli umysł się wyłączy, wszystko się rozsypuje. Taka praktyka zmusza do absolutnej koncentracji na tym, co dzieje się wyłącznie tu i teraz, oraz nie pozwala myślom dryfować w dowolnym kierunku.

Praktyka ashtangi wyraźnie poprawia sprawność i kondycję fizyczną, a także sprężystość i elastyczność ciała. Oczyszcza organizm z toksyn i wzmacnia.

Joga Iyengara

Nazwa tej praktyki pochodzi od nazwiska jej twórcy. Bellur Krishnamachar Sundararaja Iyengar urodził się w 1918 roku, w ubogiej rodzinie bramińskiej. Od ponad siedemdziesięciu lat praktykuje i naucza. Stał się jednym z najwybitniejszych współczesnych nauczycieli jogi. Magazyn „Time" uznał go za jedną ze stu najbardziej wpływowych osobistości XX wieku. Mistrz nieprzerwanie kontynuuje swoją praktykę, pomimo wieku zadziwiając sprawnością fizyczną i intelektualną, witalnością oraz niesamowitą energią życiową. Jest najlepszą reklamą kierunku, który stworzył.

Jak dziecko był bardzo słaby i chorowity. Gdy miał 9 lat, zmarł jego ojciec, a chłopiec zamieszkał ze swoją starszą siostrą i jej mężem, który był wybitnym znawcą jogi. Iyengar rozpoczął praktykę, a także stale asystował swojemu nauczycielowi. Kilka lat później wyjechał do Puny i sam został nauczycielem, wypracowując swoją własną, unikalną metodę nauczania.

Mistrz Iyangar uważa, że praktyka jogi daje nam szansę i możliwości, by zwalczyć negatywne tendencje, zarówno na płaszczyźnie fizycznej, jak i mentalnej. W jego metodzie wiele uwagi przykłada się do precyzji wykonywanych ćwiczeń oraz do ich personalizacji, co oznacza, że są one dobierane dla każdego indywidualnie. Istotna jest również kontrola oddechu, a wszystkie ćwiczenia stanowią swoistą medytację. Zostaje osiągnięta harmonia ciała, umysłu oraz oddechu. Zmysły znajdują się pod kontrolą, a świadomość staje się oczyszczona i klarowna.

Nauczanie asan zaczyna się od pozycji stojących. Mają one efekty zdrowotne, jak również dają poczucie fizycznej i psychicznej stabilności. Dopiero po opanowaniu podstawowych pozycji wprowadza się następne grupy asan.

Metoda Iyengara jest szczególnie ceniona za terapeutyczne podejście, które wynika również z tego, że ćwiczenia dostosowane są do indywidualnych możliwości i potrzeb każdej osoby. Praktykujący tę odmianę jogi korzystają również ze specjalnych narzędzi do pomocy (klocków, pasków, kostek, koców, ławek i tym podobnych). Jeżeli ktoś nie jest w stanie osiągnąć danej pozycji z powodu braku umiejętności lub siły, może użyć do pomocy podpórki. Dzięki temu nawet osoby niepełnosprawne lub chore mogą ćwiczyć i czerpać korzyści oraz radość z jogi. Pomoce pozwalają pozostać w prawidłowej pozycji przez dłuższy czas, co wpływa nie tylko na ciało, ale też na umysł. Dzięki temu

uczniowie mogą doświadczyć tego, co normalnie zajmuje całe lata praktyki, a czasem z powodów fizycznych ograniczeń jest zupełnie niemożliwe.

Hatha-joga

Jest jedną z pierwszych i najbardziej znanych technik jogi na Zachodzie. Charakterystycznymi pozycjami tej praktyki jest siedzenie ze skrzyżowanymi nogami (pozycja lotosu), stanie na głowie oraz świeca. Znanych jest ponad dwieście asan, za pomocą których hatha-joga wzmacnia system nerwowy, stymuluje pracę gruczołów i organów wewnętrznych, oczyszcza cały organizm. Ćwiczenia odbywają się w spokojnym, wolnym tempie.

Słowo „hatha" pochodzi od wyrażeń *ha* – słońce i *tha* – księżyc. Przepływ oddechu przez prawe nozdrze nazywany jest słonecznym, a przez lewe – księżycowym. Praktyka hatha-jogi polega na regulacji oddechu słonecznego i księżycowego.

Czy joga i filozofie Wschodu to w Polsce nowa moda?

Zafascynowana jogą zaczęłam zastanawiać się nad historią jej obecności w naszym kraju. Nurtowało mnie pytanie, czy joga rzeczywiście jest odkryciem ostatnich lat. Dlatego wybrałam się do antykwariatu na gruntowne poszukiwania. Ku mojej radości, ale również zdumieniu, udało mi się kupić kilka publikacji, które ukazały się w naszym kraju przed II wojną światową. *Hatha-joga* Jogi Rama Czaraka została wydana w Warszawie w 1922 roku! Jeszcze wcześniej opublikowano *Filozofię jogi i okultyzm wschodni* tego samego autora, a także *Bhagawadgitę*, którą z oryginału sanskryckiego przełożył Stanisław Franciszek Michalski-Iwieński. Przed II wojną światową ukazało się też polskie tłumaczenie książki *Ścieżkami jogów* Paula Bruntona, a Biblioteka Dzieł Wyborowych opublikowała *Radża-yogi Ramakriszna* autorstwa Jana Starży-Dzierżbickiego. Czytamy w niej:

Azja stała się modą.

*Uczeni nasi zaczynają podejrzewać coraz większe głębie duchowe w owych obja-
wieniach prastarych. W życiu codziennym wpływ Azji spotykamy na każdym
kroku: wszyscy rozprawiają już o jogach, reinkarnacjach, awatarach, karmie itd.
[...]*

*Uczeni nasi starannie przetrząsają najdalsze zakątki Azji, poszukując starych
tekstów, i można sobie wyobrazić łatwo, że przyjdzie czas, gdy wreszcie wszystkie
dostępne skarby starych kultur zostaną przełożone na języki europejskie.*

*Nawet stosunkowo późne kwiaty mistycyzmu Azji, jak hymny sufich lub średnio-
wieczne poematy tybetańskie i hinduskie, tłumaczone są w tempie pospiesznym.
Filozofowie nasi zachwycają się tymi nowymi źródłami. [...]*

Głębokie są te tchnienia Azji!

*Interesują one nie tylko filozofów zawodowych. Potężną falą rozlały się po Euro-
pie rozmaite tłumaczenia świętych ksiąg Azji. Księgarnie nie mogą nadążyć ich
drukować. Wystarczy wspomnieć, gdy pierwsze wydanie kanonów buddyjskich
zostało natychmiast wyczerpane, wydano drugie w sześciu tysiącach egzemplarzy.
Natychmiast uległo temuż losowi. Wydano więc trzecie w trzydziestu sześciu
tysiącach. A należy nadmienić, że są to szeregi dużych tomów, wydawnictwo
kłopotliwe i kosztowne. Jest to tylko historia jednego tłumaczenia z wielu istnie-
jących w danym języku!*

Tai-chi

Moi przyjaciele Emilka i Marcin od kilku lat trenują tai-chi. Marcin zaczął
ćwiczyć, ponieważ bardzo chciał nawiązać kontakt ze swoim ciałem, duchem
i energią. Jest urodzonym intelektualistą, zapragnął jednak więcej czuć, więcej
doznawać i poszerzyć skalę życiowych doświadczeń. Postanowił to osiągnąć
poprzez ćwiczenia tai-chi. Emilka, która miała spore problemy z kręgosłupem,
nie dawała się namówić na przyłączenie do grupy ćwiczących osób aż do chwili, gdy lekarz stwierdził, że jedyne, co może naprawdę jej pomóc, to tai-chi.
Pomimo początkowych oporów i obaw Emilka od dawna już chodzi na zajęcia, a stan jej kręgosłupa zdecydowanie się poprawił. Gdy spędzaliśmy razem
wakacje, codziennie rano wykonywali powolne, płynne ruchy na tarasie, pod
drzewami kwitnącej lipy. Czasem przyłączałam się do nich i odczuwałam niezwykłą energię.

Tai-chi jest rodzajem walki qigong, praktykowanym w Chinach od ponad siedmiuset lat. Ma na celu poprawę zdrowia, sprawności, uważności, koncentracji, uzdrowienie pola energetycznego, a także rozwinięcie umiejętności samoobrony. Tai-chi to bardzo spokojne ćwiczenia, które nie wymagają nadmiernego wysiłku czy wyjątkowej sprawności. Wręcz przeciwnie, są doskonałe dla osób, które nie są w idealnej formie fizycznej, ponieważ w powolny sposób zwiększają możliwości organizmu. Są przeznaczone zarówno dla kobiet, jak i mężczyzn, niezależnie od wieku. Mistrz T.T. Liang rozpoczął swoją przygodę z tai-chi po ukończeniu pięćdziesiątego roku życia, a teraz, mając blisko 100 lat, cieszy się doskonałym zdrowiem i jest cenionym nauczycielem tej techniki.

Podczas praktyki uczeń poznaje sekwencje tai-chi (składające się ze stu dwunastu form), metody relaksacji, wyczuwania i rozwijania cyrkulacji energii wewnętrznej, a osoby bardziej zaawansowane uczą się techniki miecza, pchających dłoni, rozwoju siły wewnętrznej oraz medytacji taoistycznej. Podczas pierwszych miesięcy treningu uczeń poznaje metody kontroli ciała, oddechu oraz umysłu. Poznaje różne techniki oddechowe oraz ćwiczenia podnoszące i regulujące poziom energii wewnętrznej. Uczy się również koordynacji oddechu z ruchami w taki sposób, żeby ćwiczenia stały się jak najbardziej efektywne.

Stała praktyka działa leczniczo w przypadku wielu chorób i dolegliwości: nadciśnienia, wrzodów żołądka, artretyzmu, astmy, chorób serca, dolegliwości żołądkowych, przepukliny i chorób na tle nerwowym oraz wszelkich problemów z organami wewnętrznymi. Głębokie oddychanie oraz specjalne ćwiczenia działają jak masaż organów wewnętrznych, wzmacniają je i podnoszą witalność całego organizmu. Ćwiczenia tai-chi są polecane szczególnie osobom ze wszelkiego rodzaju schorzeniami kręgosłupa oraz bólami pleców. Osoby zestresowane, nadpobudliwe czy znerwicowane już po kilku tygodniach praktyki stają się spokojniejsze i bardziej skupione.

Cudowna moc ćwiczeń

O świcie w publicznych parkach w Chinach można zobaczyć wiele osób, które w skupieniu, w rytm swoich oddechów, wykonują powolne ruchy. Są to często osoby starsze, które codziennie ćwiczą qigong lub tai-chi. Dzięki temu zachowują sprawność do późnych lat życia.

W Górach Sowich spotykam czasami siwowłosych, wiekowych mężczyzn, którzy dziarsko pną się pod górę, biegają lub pedałują na rowerach, zupełnie jak młodzi chłopcy. Zdumiewają mnie ich sprawność fizyczna i krzepkość. Tym bardziej że w Warszawie często mijam ich równolatków, którzy wsparci o laski z trudem stawiają kolejne kroki. Zauważyłam, że ludzie pozbawieni miejskich wygód, którzy nie spędzają życia w samochodach lub przed ekranami telewizorów, dłużej cieszą się sprawnością i pełnią życia. Wiem też, że na fizyczne zdrowie i pogodę ducha w późniejszym wieku już teraz muszę sobie zapracować. Jak większość z nas wiem również, że ruch jest świetnym sposobem na dobry nastrój i wzrost życiowej energii. To za jego sprawą w naszych organizmach podnosi się poziom endorfin. Mówi się o tym i pisze bardzo często, jednak niewiele osób chce korzystać z tego najtańszego i najskuteczniejszego sposobu na poprawę nie tylko zdrowia, ale również nastroju.

Wiele z nas traktuje ruch jako wroga, którego należy unikać. Środki masowego przekazu podkreślają często wagę ćwiczeń fizycznych jako remedium na bolączki codzienności. My jednak bojkotujemy te wiadomości, ponieważ uważamy, że jesteśmy zbyt zmęczone wyzwaniami życia i że jedyne, czego nam potrzeba, to wygodna kanapa i serial w telewizji. Czasem ćwiczenia łączymy wyłącznie z utratą wagi ciała, a ponieważ stosowanie przeróżnych diet okazuje się zbyt trudne i skomplikowane, zarzucamy i diety, i trening.

Organizm człowieka jest jednak stworzony do aktywności. Trwanie w bezruchu jest zaprzeczeniem jego naturze. Wożenie naszych ciał w samochodach, siedzenie przed ekranem komputera lub telewizora, korzystanie z wind i ruchomych schodów sprawiają, że mięśnie, które potrzebują się ruszać, zaczynają zanikać. W wyniku tego mamy coraz większe problemy z poruszaniem się, więc ruszamy się jeszcze mniej. I tak napędza się spirala, która doprowadzi nas do poważnych problemów zdrowotnych.

Ruch powoduje, że nasza potrzeba aktywności rośnie. Sprawia, że bardziej wierzymy w siebie, a nasz duch staje się silniejszy i gotowy do podejmowania nowych wyzwań. Każda z nas o tym wie i nikogo nie trzeba do tego przekonywać. Dlaczego w takim razie tak wiele z nas robi sobie krzywdę, uparcie unikając aktywności?

Dlaczego nie lubimy ćwiczyć?

Są na świecie kobiety, które twierdzą, że nie lubią ćwiczyć, jest też niewielki procent takich, które ćwiczyć uwielbiają. Każda z nas ma wokół siebie osoby, które nie chcą, nie potrafią i nawet nie próbują się ruszać. Wstyd się przyznać, ale ja też taka kiedyś byłam.

W szkole nie znosiłam zajęć WF. Szatnie przesiąknięte zapachem potu, brak czegoś do picia (w tamtych czasach nie było jeszcze mody na wodę w butelkach) i fakt, że prysznic był marzeniem równie abstrakcyjnym co lot na Marsa, powodowały, że ćwiczenia były ostatnią rzeczą, na jaką miałam ochotę. W liceum, podobnie jak większość moich koleżanek, ciągle byłam „niedysponowana". Każda z nas miała okres kilka razy w miesiącu. Nie widziałyśmy sensu w skakaniu przez kozła, rzucaniu piłką lekarską czy bieganiu wokół szkolnego boiska. Nikt nam nie tłumaczył, po co mamy to robić. Jedynym argumentem było zaliczenie ćwiczeń, żeby przejść do następnej klasy. Unikałyśmy zajęć WF, ponieważ były męczące i nudne. W dodatku intensywny wysiłek fizyczny między lekcją języka polskiego a matematyką, na którą przychodziłyśmy zgrzane i spragnione, był prawdziwą udręką.

Wszystko to sprawiło, że większość z nas na długie lata skojarzyła sport z czynnością bardzo nieprzyjemną i pozbawioną sensu. W konsekwencji wmówiłyśmy sobie, że ćwiczenia są nie dla nas, a my się do nich zwyczajnie nie nadajemy.

Wiele nastolatek nadal nie cierpi ćwiczeń. Trochę to smutne, ponieważ jako dzieci uwielbiamy się ruszać. Biegamy, tańczymy, spontanicznie rozciągamy się, wchodzimy na drzewa. Z czasem nasza potrzeba ruchu zostaje w nas zniszczona. Musimy spokojnie siedzieć w szkolnych ławkach, podczas gdy w głębi serca marzymy o tym, by się wiercić i ruszać.

W podstawówce godzinami grałam w gumę. Zdejmowałam buty, by jak najwyżej skoczyć, i ku rozpaczy mojej Mamy wracałam do domu z wielkimi dziurami w skarpetkach. Grałam w klasy, bawiłam się w berka, w chowanego, grałam w dwa ognie. Uwielbiałam badmintona, siatkówkę, jazdę na rowerze, hula-hoop. Łaziłam po drzewach, a wieczorem moi rodzice nie mogli zaciągnąć mnie do domu, bo ciągle chciałam biegać. Jednak podczas nauki w szkole wydarzyło się coś, co zablokowało moją naturalną, spontaniczną potrzebę ruchu na wiele kolejnych lat. Tak skutecznie, że nawet gdy pracowałam jako modelka, aby schudnąć, wolałam jeść mniej, byle tylko nie ćwiczyć.

W Nowym Jorku dostałam w prezencie karnet (wart kilka tysięcy dolarów) do jednego z najlepszych i najdroższych klubów w mieście. Skorzystałam z niego tylko jeden raz. Przez godzinę jeździłam na rowerku, wpatrując się ekran telewizora, by stwierdzić, że to nie dla mnie. Dzisiaj wiem, że po prostu nie potrafiłam ćwiczyć. Moja źle rozumiana duma, a może poczucie wstydu, nie pozwoliły mi poprosić o pomoc instruktora. W klubie wszystkie osoby wyglądały na bardzo doświadczone i miałam wrażenie, że takie się już urodziły. Uznałam, że widocznie ja się do tego po prostu nie nadaję, więc zrezygnowałam.

Gdy miałam 26 lat kupiłam rower i rolki, żeby jeździć ze swoim synem. To był strzał w dziesiątkę! Pomimo początkowej nieporadności szybko przypomniałam sobie poczucie radości, beżtroski i wolności, jakie daje ruch. Zachęcona tym doświadczeniem kupiłam sobie kilka kaset wideo i zaczęłam ćwiczyć

w domu. Wreszcie przełamałam poczucie wstydu i zapisałam się do jednego z warszawskich klubów. Kupiłam karnet i zaczęłam chodzić na TBC (*total body conditioning*). Każde zajęcia rozpoczynały się od dziesięciominutowej rozgrzewki i ćwiczeń aerobowych (podnoszących tętno), następnie były ćwiczenia z lekkimi ciężarkami, które kształtowały i modelowały sylwetkę, a potem relaksacja i *stretching* (rozciąganie).

Na początku było mi bardzo trudno. Wstydziłam się, że nie jestem tak wysportowana jak inne dziewczyny. Czasem czułam się bardzo zmęczona i nie dawałam rady nadążyć za instruktorką. Potem miałam zakwasy tak dotkliwe, że z trudem wchodziłam po schodach, a czasem rano nie mogłam podnieść się z łóżka. Po pewnym czasie ćwiczenia zaczęły sprawiać mi jednak wielką radość, a zadowolenie z własnego wyglądu wprawiało mnie niemal w stan euforii.

Ćwiczyłam do momentu, gdy jakimś cudem trafiłam na wpis w internecie, który umieściła jedna z osób chodzących ze mną na zajęcia. Napisała, że nie mogła uwierzyć własnym oczom, bo na zajęciach była Agnieszka Maciąg, ćwiczyła tuż obok niej i robiła to bardzo kiepsko. Chodziłam do normalnego, ogólnie dostępnego klubu. Pragnęłam czuć się jak normalna dziewczyna w otoczeniu normalnych ludzi. Grupa, z którą dotychczas ćwiczyłam, przywykła do mnie i mój widok nie robił na nikim wrażenia. Pojawiły się jednak nowe osoby, a jedna z nich mnie skrytykowała. Poczułam się bardzo niezręcznie i zrezygnowałam z zajęć.

Krytyka uderza w nasz słaby punkt, zwłaszcza gdy nie jesteśmy pewne siebie. A w kwestii ćwiczeń i własnego wyglądu niewiele z nas czuje się pewnie. Z powodu jednej opinii, jednej złośliwości zrezygnowałam z czegoś, co sprawiało mi wielką radość. Po pewnym czasie miałam do siebie o to żal. Ta osoba nie była przecież ważna w moim życiu. Nie wiem nawet, jak miała na imię. Prawdopodobnie skrytykowała mnie, ponieważ sama nie czuła się pewnie. Przecież większość z nas zwyczajnie się wstydzi. To jeden z głównych powodów, które blokują nas przed dołączeniem do grupy ćwiczących osób. Dzisiaj o tym wiem, ponieważ dużo rozmawiałam na ten temat z wieloma dziewczynami i kobietami. Jednym z głównych powodów, który sprawia, że nie ćwiczymy w grupie, jest strach przed kompromitacją i opinią innych osób. W grupie ćwiczących kobiet co najmniej 98% bardzo wstydzi się samych siebie! Nieważne, czy jesteśmy wysokie czy niskie, szczupłe czy pulchne, wiotkie czy spięte. Nasza kultura wymaga od nas, byśmy były idealne, a przecież żadna z nas taka nie jest. Wewnątrz własnego serca każda przeżywa podobne rozterki, cierpienia i niepewność.

Moje doświadczenie nauczyło mnie prostej prawdy – ćwiczymy wyłącznie dla siebie. Nie musimy na nikim robić dobrego wrażenia. Każda z nas ma swoje wady i zalety, zdolności i ograniczenia. Nie musimy być idealne. Jeśli nie bierzemy udziału w konkursie piękności czy sprawności, nie musimy spełniać żadnych wymogów. Liczą się tylko nasze potrzeby i prawo do życia w zdrowiu do późnych lat. Wyłączmy krytyka, który siedzi w naszej głowie, i przestańmy konkurować ze sobą nawzajem. Miejmy więcej życzliwości w stosunku do samych siebie i innych osób. Życie stawia przed nami wystarczająco dużo wyzwań, nie utrudniajmy go sobie nic nieznaczącymi problemami.

Z perspektywy czasu wiem, że zajęcia w grupie dają wielką radość. Dopingują i pomagają pokonać własne ograniczenia. Energia grupy działa wspierająco i motywująco. Ćwicząc jogę, spotkałam wielu życzliwych ludzi, którzy pomagają początkującym i podnoszą ich na duchu, ponieważ start zawsze jest trudny. To normalne, że z biegiem lat cierpimy na coraz więcej fizycznych dolegliwości. Problemy z kolanami, kręgosłupem czy barkami są powszechne. Jesteśmy spięte i daleko nam do ideału. Nie wstydźmy się tego. Z życzliwością dbajmy o siebie, a naszym jedynym celem niech będzie dbałość o zdrowie i stopniowy wzrost sprawności.

Jak ćwiczyć, żeby czuć się dobrze?

Każda z nas ma inny temperament i inne potrzeby. Niektóre kobiety odnajdują radość w tańcu, inne w jodze, tai-chi, pilatesie, joggingu, pływaniu, jeździe na rowerze, nordic walkingu lub spacerach. Nie ma znaczenia, jaki rodzaj ruchu wybierzemy. Najważniejsze jest, by znaleźć coś odpowiedniego dla siebie i ruszać się intensywnie przez co najmniej 30 minut dziennie. Tyle potrzebujemy, by zachować sprawność i zdrowie. Pamiętajmy, by robić to regularnie. Zrywy, po których będą bolały nas nieprzyzwyczajone do wysiłku mięśnie, nic nie dadzą. Nasza uroda tkwi nie w słoiczku drogiego kremu, ale w naszym sprawnym ciele. Nic tak nie postarza jak przygarbiona sylwetka, brak entuzjazmu i sił witalnych. To właśnie ruch ładuje nasze akumulatory.

Każda z nas wiele razy słyszała rady, by wprowadzić w codzienne życie większą ilość ruchu, dokonując prostych wyborów: zamiast windy – schody, zamiast samochodu – spacer lub rower, zamiast kolejnej kawy w czasie przerwy w pracy – przynajmniej 10 minut na świeżym powietrzu. Jeśli pracujemy w biurze lub przy komputerze, po każdej godzinie pracy należy zrobić krótką przerwę i się poruszać. Kilka skłonów, rozciąganie, lekkie przysiady, głębokie oddechy

na świeżym powietrzu lub przy szeroko otwartym oknie. Taka chwila ruchu jest bezcenna, ponieważ pomaga nam nie tylko w „naoliwieniu" ciała, ale również umysłu. Dzięki temu nasza praca będzie bardziej efektywna, a my zdrowsze.

Jeśli próbowałaś ćwiczeń w klubie fitness lub na siłowni i byłaś rozczarowana, nie ma powodów do zmartwień. Widocznie tego typu zajęcia nie są dla ciebie. Wiele osób nie znajdzie ukojenia, ćwicząc w kolejnym zamkniętym pomieszczeniu, jeśli w podobnym spędza wiele godzin. Zwłaszcza jeśli rozbrzmiewa tam głośna muzyka, a w zebraniu myśli i wyciszeniu przeszkadzają dodatkowo liczne ekrany telewizorów. Być może w takim przypadku najlepszym wyborem będzie świeże powietrze i kontakt z naturą.

NATURA

Kiedy już staniesz się prawdziwa, nie będziesz mogła znów być nieprawdziwa. To stanie się raz na zawsze.

Margery Williams

Wszystkie starożytne tradycje podkreślały znaczenie kontaktu człowieka z naturą. Ajurweda, o której pisałam w rozdziale o odżywianiu, opiera swą filozofię na ścisłym połączeniu człowieka z naturą i wszechświatem. Według niej istota ludzka jest mikrokosmosem, który odzwierciedla układ kosmosu.

Równowagę pięciu żywiołów (ziemi, ognia, wody, powietrza i przestrzeni) w ciele człowieka uznawano za niezbędną dla zachowania zdrowia, jak również właściwego funkcjonowanie w świecie. Tybetańska praktyka *bon* także dowodzi, że zarówno zdrowie, jak i energia człowieka mają silny związek z żywiołami. Połączenie z nimi jest równoznaczne z uzdrawianiem, a ich równowaga jest niezbędna dla utrzymania dobrego samopoczucia.

Starożytna tradycja Celtów odnajdywała boskość w rzekach, wzgórzach, morzu i niebie, a cała natura była według niej elementem łączącym bogów i ludzi. Do przebywania raz na jakiś czas w odosobnionym miejscu „w odległych górach lub ukrytych dolinach" namawiał Morihei Ueshiba, japoński mistrz aikido. Uważał, że to jedyny sposób, by odnowić swą więź ze „źródłem życia". Twierdził też, że siedząc na ziemi i wdychając energię świata, stajemy się „tchnieniem życia".

Święta Hildegarda z Bingen stworzyła naukę nazwaną przyrodolecznictwem, która opierała się na związku zdrowia człowieka i ścisłego kontaktu ze wszystkim, co go otacza: drzewami, kamieniami, roślinami, słońcem, żywiołami i całym kosmosem.

Również dzisiaj, gdy czujemy się zmęczeni, wypaleni, zablokowani czy pozbawieni kreatywności, możemy czerpać siłę, spokój, witalność i energię z kontaktu z naturą.

Wpływ żywiołów
na organizm człowieka

Ziemia

Żywioł Ziemi uruchamia systematyczność, silne poczucie własnej wartości i wiarę w swoje możliwości oraz ugruntowuje poczucie rzeczywistości. Zapewnia stabilność i wewnętrzny spokój.

Niezbalansowany żywioł Ziemi przejawia się podejmowaniem zbyt pochopnych, nieracjonalnych decyzji.

Jego nadmiar skutkuje konserwatyzmem, zbyt silnym przywiązaniem do dóbr doczesnych, materializmem, chciwością i zachłannością.

Woda

Żywioł Wody wyostrza intuicję, uczuciowość, opiekuńczość, prowadzi do harmonii i akceptacji siebie oraz tego, co przynosi życie.

Niezbalansowany żywioł Wody skutkuje stale utrzymującym się napięciem, niezdolnością odprężenia się i wyciszenia.

Nadmiar Wody powoduje apatię, melancholię i lenistwo.

Ogień

Żywioł Ognia dostarcza energii i radości. Wzmacnia chęć działania, entuzjazm i kreatywność.

Niezbalansowany żywioł Ognia powoduje bierność, zniechęcenie i ospałość.

Nadmiar prowadzi do agresji, nerwowości, nadpobudliwości i despotyzmu.

Powietrze

Żywioł Powietrza uruchamia zdolność abstrakcyjnego myślenia, poczucie niezależności, otwartości, wzmacnia możliwości intelektualne.

Niezbalansowany żywioł Powietrza prowadzi do zamknięcia, uzależnień, zaborczości i zbyt silnego przywiązania do rzeczy oraz innych ludzi.

Nadmiar żywiołu Powietrza powoduje lekkomyślność.

Kontakt z żywiołami

Tybetańska praktyka *bon* poleca wiele sposobów kontaktu z żywiołami. Dzięki nim możemy panować nad swoimi emocjami i odnaleźć harmonię. Nie musimy daleko wyjeżdżać ani robić nic specjalnie kosztownego i czasochłonnego. Wystarczy, że wykonamy kilka prostych czynności.

Ziemia

Udaj się na łono natury – nie musisz jechać daleko poza miasto, wystarczy park – i usiądź na ziemi. Skup się na tym, co Cię otacza i powoli, głęboko oddychaj przez nos. Możesz też położyć się na brzuchu, tak by pępkiem dotykać ziemi.

Poczuj jej stabilność i siłę, odnajdź w sobie poczucie równowagi, bezpieczeństwa i przynależności do tego świata.

Woda

Postaraj się pojechać nad jezioro, morze lub rzekę. Jeśli nie jest to możliwe, możesz skupić się na wodzie w naczyniu (nawet w szklance). Możesz też oglądać zdjęcia lub wyobrazić sobie bezkres oceanu, jego głębię, potęgę i spokój. To ćwiczenie wymaga od nas poczucia istoty wody, którą jest łagodność. Gdy ją odczujemy, zrozumiemy, że jest w nas niewzruszony spokój nawet wtedy, gdy wokół szaleje burza. Wówczas łatwiej będzie zaakceptować siebie, innych ludzi oraz zdarzenia w naszym życiu.

Ogień

Znajdź moment, kiedy będziesz mogła posiedzieć w promieniach słońca. Możesz też wpatrywać się w ogień i świadomie odczuwać jego ciepło. Jeśli nie jest to możliwe, możesz wpatrywać się w płomień świecy i skoncentrować się na jego istocie.

Poczuj, jak ciepło słońca lub ognia wypełnia całe Twoje ciało, ogrzewa serce i wszystkie narządy. Jeśli któryś z nich choruje, wyobraź sobie, że właśnie w tym miejscu ciepło się koncentruje. Pobudza to proces uzdrawiania.

Ogień to nasza twórcza energia, siła woli i wewnętrzna inspiracja.

Przestrzeń

Wpatruj się w niebo, najlepiej poza miastem, ale jeśli nie jest to możliwe, wejdź na wyższe piętra budynku albo stań na moście i skoncentruj się na przestrzeni. W podstawowym założeniu należy wejść na szczyt góry lub stojąc w otwartym terenie, głęboko i świadomie napełnić się przestrzenią.

Powoduje ona, że jest w nas „więcej miejsca" na nowe doświadczenia, umysł się oczyszcza, staje się jaśniejszy i spokojniejszy. Nie „dusimy się" wewnętrznie poprzez myśli, wydarzenia i sytuacje, które spotykają nas w życiu.

Powietrze

Udaj się w miejsce, w którym możesz poczuć ruch powietrza, wiatr. Możesz wyobrazić sobie, że silny wiatr usuwa z Ciebie wszystko, co negatywne: obawy, lęk, złe myśli i wydarzenia. Lekki wiatr symbolizuje energię, ciągły ruch, powietrze, którym oddychamy i które niezbędne jest do życia.

Sposób na kontakt z żywiołami świętej Hildegardy z Bingen

Święta Hildegarda z Bingen polecała wszystkim, niezależnie od wieku i stanu zdrowia, chodzenie na bosaka. Po ziemi, kałużach, kamieniach, a nawet po śniegu. Twierdziła, że poprzez bose stopy ziemia wyciąga z człowieka wszelkie choroby, a ucisk kamieni na podeszwy stóp poprawia funkcjonowanie organów wewnętrznych.

Podkreślała też znaczenie wody i jej wpływu na organizm człowieka. Zalecała częste picie wody, kąpiele i obmywania. Zdając sobie sprawę z wagi oddechu, twierdziła, że niedobór powietrza prowadzi do licznych chorób. W skrajnych przypadkach zalecała oblewanie chorych zimną wodą, aby szok termiczny wstrząsnął ciałem i zmusił do zrobienia bardzo głębokiego wdechu.

Uważała też, że „światło przez wszystkie czasy wykorzystywano w celach leczniczych". Zachęcała do kąpieli słonecznych o każdej porze roku, nawet w bladym zimowym słońcu.

Jak żyć w poszanowaniu dla świata?

- Kupuj produkty oznaczone znakiem „Fairtrade". Niemal jedna trzecia żywności konsumowanej w Unii Europejskiej pochodzi z krajów Trzeciego Świata, w których wielu ludzi cierpi głód, ponieważ sprzedają swoje plony za bezcen. Znak „Fairtrade" jest gwarancją, że sprawiedliwie opłacamy hodowców oraz szanujemy producentów żywności i odzieży z krajów ubogich.
- Nasze mieszkania zaopatrzone są w pitną wodę, która wcześniej została oczyszczona i poddana procesom uzdatniania. Jednak spożywamy jej zaledwie 1%. Reszta przeznaczona jest do mycia, prania, sprzątania i… spłukiwania toalety. Właśnie tam znika ponad jedna trzecia wody, którą zużywamy w ciągu roku. Zamontowanie wodooszczędnej spłuczki pozwala zmniejszyć zużycie wody o ponad 50%.

- Jeden pracownik w przeciętnym biurze zużywa średnio 75 kilogramów papieru rocznie, co odpowiada dwóm całym drzewom. Ogranicz drukowanie tekstów z komputera oraz wiadomości mailowych.
- Białe kulki przeciw molom umieszczone w szafach wydzielają opary naftaliny i para-dwuchlorobenzenu. Są to substancje rakotwórcze. Mogą zaatakować płuca i układ nerwowy. W garderobach i szafach umieszczaj kwiaty lawendy lub trociny cedrowe.
- Ponad 10% zużywanej przez nas energii elektrycznej pobierane jest przez urządzenia pozostawione w stanie czuwania. Dobrym rozwiązaniem jest podłączenie wszystkich urządzeń elektrycznych (telewizora, ładowarki do telefonu, wieży hi-fi i tym podobnych) do wspólnej listwy zasilającej z wyłącznikiem. Wystarczy nacisnąć jeden przycisk, by całkowicie wyłączyć wszystkie znajdujące się w pomieszczeniu sprzęty elektryczne.
- Jeśli podczas gotowania przykrywasz garnki pokrywkami, redukujesz zużycie energii potrzebnej do ugotowania potrawy o około 30% i oszczędzasz czas.
- Używaj środków piorących, które nie zawierają fosforanów.
- Kupując ubrania, wybieraj bawełnę bez pestycydów.
- Kupuj produkty bez opakowań. Podczas zakupów miej przy sobie torby wielokrotnego użytku.
- Kuchenka zasilana gazem zużywa średnio dwa razy mniej energii niż kuchenka elektryczna. W dodatku potrawy przygotowane na ogniu są zdecydowanie lepsze w smaku.
- Jak najczęściej jedz produkty lokalne.
- Unikaj używania plastikowych kubeczków na napoje.
- Jeśli możesz, adoptuj zwierzęta ze schroniska.
- Sadź drzewa. To niesamowita radość!
- Do usunięcia kamienia z ceramiki sanitarnej, czajnika, kranów czy żelazka nie używaj produktów chemicznych, ale octu.
- Segreguj odpady. Jeśli w pobliżu Twojego miejsca zamieszkania nie ma pojemników na śmieci do segregacji odpadów, zawiadom wspólnotę mieszkaniową lub zgłoś wniosek do administracji.
- Unikaj żywności modyfikowanej genetycznie. Takie produkty powinny być oznakowane znakiem GMO.
- Gaś niepotrzebne światło.

Więcej o tym, jak żyć w zgodzie z naturą i ją chronić, dowiesz się na stronach www.wwf.pl, www.viva.org.pl oraz www.ekologia.pl.

Sygnały wysyłane przez nasze ciało

Najsilniejsza i najpewniejsza droga do duszy wiedzie przez ciało.
Mabel Dodge

W pewnym momencie mojego życia doświadczyłam poczucia głębokiej dez-integracji. Przestałam wiedzieć, kim jestem i czego chcę. Czasami mogłoby się wydawać, że mamy wszystko, a jednak czujemy w sobie głęboką pustkę i tęsk-notę nie wiadomo za czym. Wtedy należy przyjrzeć się sobie uważnie. Inaczej niż zwykle, ponieważ jest to nasze wewnętrzne wołanie o potrzebę zmian. Dotychczasowe metody na rozwiązywanie wewnętrznych problemów okazują się nieskuteczne i trzeba znaleźć nowe.

Psychologią interesowałam się już jako nastolatka. Przeczytałam na jej temat setki książek i publikacji. Zdecydowałam się nawet na studia psychologiczne. Uznałam wreszcie, że moja wiedza w tym temacie jest już tak szeroka, że sama mogę sobie pomóc, gdy będę miała jakiś problem. Dużo rozmyślałam i ana-lizowałam. Samą siebie, swoje związki, sytuacje zawodowe, towarzyskie oraz rodzinne. Byłam w tym całkiem niezła. Myślenie analityczne sprawiało mi przyjemność, ponieważ dawało poczucie, że nad wszystkim panuję i wszystko kontroluję. „Muszę to przemyśleć" – to była moja odpowiedź na każde za-gadnienie. Tak bardzo zagalopowałam się w tym myśleniu i analizowaniu, że pewnego dnia poczułam zupełny chaos w głowie. Moje myśli robiły ze mną, co chciały. Gdy znajdowałam jedną odpowiedź, natychmiast pojawiało się kil-kanaście alternatywnych rozwiązań, które rodziły kolejne, i kolejne, i tak bez końca…

Zapragnęłam znaleźć wyjście z tego skomplikowanego labiryntu i pewnego dnia, ku mojemu ogromnemu zdziwieniu, trafiłam na kozetkę psychologa. Usiadłam naprzeciwko Małgosi, terapeutki psychologii Gestalt, zastanawiając się, co mnie tam zaprowadziło. Moja własna głowa?

Już na samym początku spotkania zaczęłam bardzo dużo mówić. Miałam prze-cież tak wiele przemyśleń na niemal wszystkie tematy. Były logiczne i poparte licznymi dowodami pochodzącymi z różnych teorii psychologicznych, książek i wykładów. Moja buzia nie zamykała się aż do chwili, gdy Małgosia zadała mi proste pytanie: „Co czujesz?".

Co ja właściwie czuję? Co ja czuję? – myślałam gorączkowo, wybita z mojego wywodu. Wszystko, co „czułam", znajdowało się w mojej głowie. Idąc tym tropem, zaczęłam opowieść o tym, co ja powinnam czuć w tej sytuacji, co prawdopodobnie czuję i co o tym wszystkim myślę. Małgosia wysłuchała mnie ze spokojem, po czym powiedziała:

– No dobrze, wiemy już, co o tym myślisz, a teraz opowiedz, co c z u j e s z.

Gdzie jest we mnie ten punkt, który odpowiada za czucie? W którym miejscu mam go szukać, jeśli nie w głowie? – zastanawiałam się całkowicie zagubiona. Nie znałam odpowiedzi na to pytanie i nie byłam z tego zadowolona. Byłam bezradna i chciało mi się płakać.

Od dziecka uczymy się w szkole logicznego, analitycznego myślenia. Nasz system edukacji nastawiony jest niemal wyłącznie na rozwijanie lewej półkuli mózgowej, która odpowiada za intelekt. Czy ktoś uczy nas korzystania z intuicji, słuchania wewnętrznego głosu oraz odczytywania sygnałów, które przekazuje nam nasze ciało? Czy uczymy się poprawnego oddychania i słuchania swoich najgłębszych pragnień? Nie. Krok po kroku, rok po roku przestajemy być świadomi siebie. Stajemy się rozszczepieni, zdezintegrowani i zupełnie zagubieni. A także samotni, ponieważ nie mamy kontaktu z najważniejszą osobą w naszym życiu – ze sobą. Bez tego kontaktu nie jesteśmy w stanie zbudować żadnej zdrowej, autentycznej relacji z drugim człowiekiem, ponieważ nie widząc i nie czując siebie, nie widzimy i nie czujemy innych.

Podobnie jak większość ludzi najbardziej zaufałam swojemu mózgowi. Czy to jedyny organ, jaki posiadam? Czy inne są mniej ważne? Wiara w intelekt i potęgę umysłu była jedną z największych pułapek i iluzji, jakim dałam się złapać.

Co nam mówi nasze ciało?

Każdego dnia wysyłamy tysiące sygnałów na temat swojego samopoczucia. Wysyłamy je nieświadomie do naszego otoczenia, ale również – a może nawet przede wszystkim – do samych siebie. Za pomocą naszych ciał nasza podświadomość komunikuje się z nami i wysyła ważne informacje. Czy potrafimy je zauważyć, dostrzec i odczytać? Ja nie umiałam.

Moim pierwszym zadziwiającym odkryciem było to, że właściwie nigdy nie było mnie jednocześnie w całości w jednym miejscu. Gdy moje ciało znajdowało się w porannej kąpieli, mój umysł wędrował albo do wydarzeń z przeszłości, albo planował przyszłość: co zrobię w ciągu tego dnia, za tydzień, za miesiąc… Zdarzało mi się wyjść z wanny zupełnie wyczerpaną, bo w ciągu 10 minut odbyłam długą podróż w czasie, rozwiązując po drodze liczne problemy, które być może nigdy się nie zdarzą. Zwykle znajdowałam się w przeszłości lub w przyszłości, ale prawie nigdy TU i TERAZ. Byłam tak bardzo zajęta analizowaniem wszystkiego, że nie widziałam i nie czułam tego, co TERAZ naprawdę jest. W takiej sytuacji żaden człowiek nie może czuć się zintegrowany, spójny i spokojny, ponieważ jest rozbity na kilka organizmów, a każdy z nich robi coś zupełnie innego. Ja też tak się czułam.

Takie poczucie jest bardzo męczące i prowadzi do wyczerpania, bo zużywamy energię na działania, które nie są konstruktywne. Nie czerpiemy siły z obecnej chwili bezpieczeństwa i spokoju, ponieważ jesteśmy nieobecni.

Jak nawiązałam kontakt z własnym ciałem?

Moją naukę bycia TU i TERAZ, która wiedzie do autentycznego zrozumienia tego, co czuję, rozpoczęłam od świadomych spacerów. Codziennie, niezależnie od pogody, szłam przynajmniej na pół godziny do parku. Spacerując, doświadczałam tego, co jest wokół mnie, i tego, co dzieje się ze mną w danej chwili. Nie z moją głową, ale ze mną w tym parku. W każdym stawianym przeze mnie kroku. Jak mówi moja przyjaciółka: „doznawałam".

Ze zdziwieniem odkryłam, że spacerowałam w tych parkach dziesiątki lub nawet setki razy, jednak wcale ich nie widziałam i tak naprawdę wcale w nich nie byłam. Teraz zaczęłam dostrzegać światło przenikające przez liście drzew, miliony barw, czułam wiatr na skórze, zapach trawy i ziemi. Uśmiechałam się jak dziecko na widok niezwykle zapracowanej wiewiórki. Czułam też samą siebie, każdy swój oddech i krok. Zaczęłam przyglądać się swojej postawie. Przez wiele lat, chodząc po parku, patrzyłam na drogę. Miałam wzrok wbity w ziemię, myśli skupione na analizach i lekko przygarbioną sylwetkę. Postanowiłam sprawdzić, jak się czuję, gdy idę wyprostowana, patrzę przed siebie i widzę wszystko wokół. Okazało się, że jestem lekka i swobodna. Mój umysł zareagował natychmiast na zmianę postawy. Gdy idziemy wyprostowane, z czystą, swobodną głową, na twarzy automatycznie pojawia się uśmiech.

Umysł ma wpływ na nasze ciało, postawę i sylwetkę. Ale również ciało ma taki sam wpływ na umysł. To działa w obie strony.

Gdy nauczyłam się odczytywać sygnały napięcia, które wysyła moje ciało, zaczęłam przyglądać się innym ludziom. Byłam zaskoczona, jak wiele można powiedzieć o stanie ich ducha, obserwując jedynie sylwetkę. Dłonie zaciśnięte w pięści, przygarbione plecy, zmarszczone brwi, niekontrolowane, nerwowe ruchy kolanem świadczyły o ich złym samopoczuciu. O symptomach napięcia nerwowego możemy czytać w książkach i uczyć się na wykładach, jednak jest to jedynie teoria. Staje się prawdziwą wiedzą i wiąże z doświadczeniem dopiero wtedy, gdy odnajdziemy je w sobie, rozpoznamy i nazwiemy. Są to sygnały uniwersalne, bliskie każdemu człowiekowi, ponieważ wszyscy jesteśmy gałęziami tego samego drzewa. Rozumiejąc i czując siebie, zaczynamy rozumieć i czuć innych ludzi. Wtedy kończy się poczucie osamotnienia.

Zacząć słuchać siebie

Każda prawdziwa przemiana jest procesem stopniowym i powolnym. Jeśli osiągniemy chwilową świadomość, staniemy jedynie na początku drogi. Wprowadzenie zmian w naszym myśleniu wymaga czasu. Przyglądanie się sobie, łapanie się na tym, że myśli uciekają w inną stronę (co będą robiły, bo do tego przywykły), jest długotrwałym procesem i nie przyniesie natychmiastowych efektów. Nie zmienimy sposobu, w jaki przywykłyśmy myśleć przez lata, jak za dotknięciem czarodziejskiej różdżki. To jest trening, nauka czegoś zupełnie nowego. Umysł musi mieć czas, by się przystosować do zmieniającej się sytuacji i zacząć wysyłać zupełnie inne informacje. To jest jak przebudzenie ze snu, który trwał przez wiele długich lat. Warto jednak starać się obudzić, ponieważ nowe spojrzenie na świat jest prawdziwą i bezcenną wartością. Daje poczucie spokoju i świadomość, które otwierają nas na radość.

Uważne spacery były moim pierwszym krokiem. Następnie nową świadomość zaczęłam przenosić na inne obszary życia. Wszystkie. Nauczyłam się dostrzegać proste przyjemności i czerpałam z nich wielką siłę. Dzięki temu mogłam napisać *Smak życia*, który powstał z prawdziwej radości przebudzonej świadomości. Nauczyłam się BYĆ w gotowaniu, krojeniu, nakrywaniu do stołu. Nauczyłam się BYĆ w kolorze pomidora, papryki, bakłażana i szafranu. W każdym zapachu, widoku i smaku. Czerpanie z tego, co JEST, rodzi poczucie prawdziwej wdzięczności. Ja naprawdę wtedy zrozumiałam, czym jest

smak życia! I nie mogłam pojąć, jak mogłam przez tak wiele lat trwać w stanie hibernacji i uśpienia. Jak mogłam nie zachwycać się, nie doceniać i nie dziękować za to, co jest w danej chwili. Gdy jesteśmy świadomi tego, co jest tu i teraz, możemy wgryzać się w życie, chwytać je garściami, zanurzyć się w nim, smakować je i czerpać z niego radość. Bo życie jest tylko TU i TERAZ. Nie istnieje nic poza tą chwilą.

Co nam mówi nasze ciało?

W naszej kulturze ciało traktujemy jako obiekt kultu albo wroga. Koncentrujemy się obsesyjnie na dbałości o nie i postrzegamy je jako jedyne źródło naszego zadowolenia i przyjemności lub obwiniamy je o to, że się starzeje, choruje, niedomaga lub nie wygląda tak, jak sobie tego życzymy. Uważamy, że jest zbyt obfite, zbyt niskie, zbyt słabe, zbyt masywne, zbyt wiotkie, jednym słowem: dalekie od ideału. A przecież ciało jest w istocie naszym przewodnikiem, nauczycielem, sprzymierzeńcem i kompasem w podróży życia. Reaguje na wszystko to, co nie jest zgodne z najwyższym dobrem całej naszej istoty. Ostrzega nas przed energią innych ludzi lub sytuacjami, które nie są dla nas korzystne.

Można nauczyć się obserwować reakcje swojego ciała, by odczytywać je jako wyraźne wskazówki. Nasz umysł często daje się nabrać, oszukać lub poddaje się manipulacji. Nie dotyczy to jednak naszej intuicji oraz reakcji ciała. Ich oszukać się nie da. Można zlekceważyć te znaki, zagłuszyć je i stłumić, ale jeśli pozwolimy im dojść do głosu, okażą się niezawodnym i bezcennym sprzymierzeńcem.

Są osoby, które pod pozorem chęci niesienia pomocy czy służenia dobrą radą pozbawiają nas energii i siły. Są też tacy, którzy korzystając ze swojej pozycji lub autorytetu, odbierają nam naszą wewnętrzną moc. Można ich nazwać wampirami energetycznymi, bo żywią się energią innych ludzi. Często robią to nieświadomie i wcale nie mają złych intencji. Nasz umysł będzie tłumaczył te osoby, starał się zrozumieć ich postępowanie. Nasze ciała będą jednak reagowały na kontakt z nimi bezkompromisowo. Pojawi się ból głowy lub brzucha, poczucie ogólnego zmęczenia, wyczerpania, osłabienia, rozdrażnienia i niepokoju. Nasz organizm będzie zupełnie wyssany z sił witalnych. I odwrotnie, po spotkaniach z osobami, które dobrze nam życzą, są serdeczne, otwarte, szczere i mają pozytywne nastawienie, czujemy się lepiej, lżej, jesteśmy promienne, wzmocnione, pełne entuzjazmu i inspiracji i mamy poczucie, że poradzimy sobie z życiowymi wyzwaniami. Nasze ciała są kompasami sytuacji i stosunków międzyludzkich. Nasze główne punkty nawigacyjne znajdują się w naszym brzuchu i okolicy serca. Jeśli uważnie i mądrze ich słuchamy, mogą nas poprowadzić do osób, sytuacji i miejsc, które najlepiej służą naszemu dobru. Pomogą nam nawet odnaleźć nasze powołanie i życiowy cel.

Kiedy ciało choruje

Dla wielu osób będzie zaskoczeniem, gdy napiszę, że nasze dusze przemawiają do nas poprzez choroby i dolegliwości. Wysyłają nam bardzo wyraźne sygnały dotyczące tego, jaki aspekt emocji lub mentalności (szkodliwe sposoby myślenia) należy w sobie uleczyć. Choroba jest wskazówką i szansą, by uzdrowić fałszywe przekonania, które szkodzą całej naszej istocie.

W naszej kulturze leczymy objawy choroby, traktując dolegliwości i schorzenia jako przeszkody, które należy szybko i radykalnie usunąć. Rzadko chcemy dostrzec prawdziwe przyczyny ich powstania. Jak zauważył Hipokrates: „Jeśli ktoś pragnie zdrowia, najpierw należy go zapytać, czy jest gotów pozbyć się przyczyny własnej choroby. Jedynie wówczas można mu pomóc".

Gdy nasze dziecko cierpi na ostrą anginę, być może przyczyną choroby jest nie tylko przeziębienie i zimne napoje, ale niewypowiedziana złość i blokowanie w sobie niewyrażonych emocji. Patrząc na chorobę z innego punktu widzenia, możemy pomóc naszemu dziecku nie tylko w pozbyciu się bólu gardła, ale również uleczyć zablokowane uczucia. Gdy uważnie przyjrzymy się wewnętrznej sytuacji, w jakiej znalazła się nasza pociecha, możemy lepiej ją zrozumieć i skuteczniej wspierać. Podczas choroby nie musimy złościć się na ciało, ale z większą uwagą i życzliwością przyjrzeć się naszym prawdziwym potrzebom.

W odczytaniu emocjonalnych blokad, które są przyczyną chorób i dolegliwości, a także w odnalezieniu sposobów na ich uleczenie, mogą pomóc nam książki Lise Bourbeau *Twoje ciało mówi: pokochaj siebie* oraz Louise Hay *Możesz uzdrowić swoje życie*. Zebrana w nich wiedza gromadzona była przez długie lata badań, rozmów, wywiadów, obserwacji i doświadczeń. Nie jest więc ulotną ezoteryką, która wzięła się z powietrza. Gorąco polecam te publikacje, które są dla mnie pomocą w głębszym zrozumieniu siebie i innych ludzi.

Po co nam dobry kontakt z własnym ciałem?

Składamy się z ciała, umysłu i duszy. Każdy z tych elementów wymaga uwagi, troski i dobrego traktowania, ponieważ wszystkie są ze sobą integralnie połączone. Trudno właściwie dbać o potrzeby ducha, traktując swoje ciało z lekceważeniem, pogardą czy brakiem szacunku.

Gdy jesteśmy w dobrym kontakcie z ciałem, nie dostarczamy mu dodatkowego stresu, jakim jest nieregularne odżywianie się, pomijanie posiłków (głodzenie się) lub przejadanie. Dokładnie wiemy, jakiego pożywienia nasz organizm w danym momencie najbardziej potrzebuje, ponieważ jego właśnie się domaga.

Od czasu gdy zaprzyjaźniłam się ze swoim ciałem, nie mam ochoty na pączki, ciastka, faworki czy inne niezdrowe przekąski. Moje ciało ma ochotę na pieczone buraki, marchewkę, fasolę, jabłka, migdały, kaszę gryczaną, razowe pieczywo, a czasem na kawałek gorzkiej czekolady lub filiżankę kakao. Nie dyskutuję z tymi potrzebami, po prostu je zaspokajam – są wyraźną wskazówką, jakich składników w danej chwili mój organizm najbardziej potrzebuje. Nie jestem zwolenniczką diet, które polegają na spożywaniu produktów zapisanych na kartce przez dietetyka, ponieważ taki sposób odżywiania się jest najprostszą drogą do utraty dobrego kontaktu ze swoim wewnętrznym przewodnikiem.

Od czasu gdy porozumiałam się z własnym ciałem, śpię osiem godzin na dobę. Mój organizm dostosowuje się do pór roku i zgodnie z zegarem natury reaguje na zmiany. Ubieram swoje ciało w naturalne, przewiewne, delikatne tkaniny i noszę wygodne obuwie. Używam naturalnych kosmetyków i środków do pielęgnacji domu. Bez wyraźnej potrzeby nie używam leków. Ćwiczę, ruszam się i chodzę po górach. Doskonale wiem, że najlepiej odpoczywam na łonie natury.

Wybieram towarzystwo osób, które służą mojemu dobru, nie blokują mnie, nie stresują, nie obciążają i nie pozbawiają energii. Wybieram pracę, która wyraża potrzeby mojego serca i jest zgodna z moim życiowym celem. Nauczyłam się już, że wszędzie dokąd idzie moje ciało, zabiera ze sobą duszę. Nie chodzę więc w miejsca, które ją ranią.

Wybieram filmy, muzykę i książki, które najlepiej mi służą. Gdy coś nie służy mojemu dobru, ciało natychmiast reaguje niepokojem, poczuciem dyskomfortu oraz bólem brzucha. Dzięki temu wiem, kiedy powinnam się chronić i czego powinnam unikać.

Gdy zaczęłam swoją przygodę z jogą, zrozumiałam, że jest wspaniałą metodą na poznanie siebie i nawiązanie dobrego kontaktu z własną fizycznością. Z kolei moi przyjaciele, którzy od lat ćwiczą tai-chi, doświadczają harmonii ciała, emocji oraz uczuć, co bardzo pomaga im w życiu.

W dzisiejszym świecie dokonywanie właściwych wyborów jest trudną sztuką. Każdego dnia pojawia się wokół nas mnóstwo możliwości, a także pokus. Gdy mamy w sobie wewnętrzny kompas, troskliwego przewodnika, możemy czuć się bezpiecznie, ponieważ sami doskonale wiemy, co jest dla nas dobre, a co nie.

Czy natura może nas uleczyć?

Przez większość mojego życia stale chorowałam. Odkąd pamiętam, cierpiałam na anginy, zapalenia gardła, tchawicy, strun głosowych, oskrzeli i przeziębienia wiele razy w ciągu roku. Co kilka miesięcy brałam antybiotyki. I choć były to leki najnowszej generacji, zdarzało się, że musiałam przyjmować kilka różnych pod rząd, ponieważ okazywały się nieskuteczne.

Mój organizm był bardzo osłabiony. Wystarczyło, by „zawiał wiatr", a ja natychmiast miałam problemy z gardłem. Szukałam różnych sposobów, by sobie pomóc. Przyjmowałam najdroższe i najnowocześniejsze witaminy i preparaty wzmacniające układ immunologiczny. Wszystko na nic. Dopiero gdy poznałam wspaniałego bioenergoterapeutę, który wytłumaczył mi, w jaki sposób chemia i natura wpływają na ludzki organizm, postanowiłam spróbować najprostszych i od dawna znanych metod walki z chorobami.

Nie było to proste. Przez lata borykania się z różnymi dolegliwościami stałam się niemal specjalistką farmakologii. Doskonale znałam nazwy wielu leków, a moją apteczką było spore pudełko. Każdy dzień zaczynałam od przyjęcia garści preparatów wzmacniających. Zawsze nosiłam przy sobie tabletki od bólu głowy, ponieważ cierpiałam na chroniczne migreny. Byłam pewna, że jestem meteopatką wrażliwą na każdą, najmniejszą nawet zmianę ciśnienia. Pod ręką zawsze miałam też tabletki od bólu gardła i leczące chrypkę.

Cały arsenał tych leków odstawiłam z dnia na dzień. Wcale nie był to proste, ponieważ po latach ciągłego zażywania środków farmakologicznych bałam się, że mój organizm sobie bez nich nie poradzi. Musiałam jednak spróbować, ponieważ zrozumiałam, że tylko w ten sposób mogę wyjść z błędnego koła chorób i ciągłego osłabiania układu immunologicznego.

Zaczęłam oczyszczać organizm. Zdałam sobie sprawę, że każdy lek i każda tabletka to ogromne obciążenie dla organizmu, a kumulowanie środków chemicznych zwyczajnie go zatruwa. Nic dziwnego, że cierpiałam na nieustanne bóle głowy.

Aby oczyścić ciało z toksyn, brałam kąpiele z soli kamiennej z dodatkiem sody oczyszczonej (na wannę wody ½ kilograma soli kamiennej i 3 opakowania sody oczyszczonej). Piłam lekkie herbatki ziołowe (na przykład z pokrzywy), by oczyścić krew. Codziennie wzmacniałam organizm pyłkiem pszczelim, a gdy czułam, że łapie mnie przeziębienie, przyjmowałam propolis. Zaufałam naturze, co wcale nie było łatwe, ponieważ w dzisiejszych czasach jesteśmy przekonani, że to, co skuteczne, musi być osiągnięciem naukowców, a dobry lek może powstać tylko w świetnie wyposażonym laboratorium najnowszej generacji.

Ponieważ przekonałam się, jak niezwykła jest moc natury, zaczęłam interesować się ziołami. Zachwyciła mnie ich siła. Od kilku lat nie przyjmuję żadnych leków, ponieważ nie są mi potrzebne. Mój organizm wzmocnił się na tyle, że sam doskonale sobie radzi. Jeśli istnieje taka potrzeba, wspomagam go w sposób naturalny. To przynosi fantastyczne efekty.

Nie twierdzę, że każdą chorobę można wyleczyć w ten sposób. Zdaję sobie też sprawę, że medycyna czyni cuda w przypadku wielu groźnych chorób, a jej dokonania są ogromne i godne podziwu. Wiem jednak, że zbyt łatwo sięgamy po antybiotyki oraz inne tabletki, nawet gdy nie są nam potrzebne.

Niezwykłe pszczoły

Gdy poznałam niezwykłą moc pyłku pszczelego i propolisu, zafascynowałam się pszczołami. Dopiero kiedy poznamy ich zwyczaje, czujemy się zdumione wielkością i mądrością natury. Nabieramy szacunku do każdego ziarenka pszczelego pyłku. Traktujemy go z zachwytem i wdzięcznością. Niestety nasza cywilizacja niszczy to, co w naturze najcenniejsze. Populacja pszczół z roku na rok maleje. Rośliny modyfikowane genetycznie zabijają owady, działanie telefonów komórkowych zakłóca ich zdolność powrotu do uli. A jak mówił Albert Einstein, jeśli wyginą pszczoły, ludzkość wymrze w ciągu kilku lat.

Pyłek pszczeli jest najwartościowszym odżywczym produktem naturalnego pochodzenia. Właściwości lecznicze i terapeutyczne pyłku pszczelego to zasługa jego niezwykle bogatego składu. Znajduje się w nim ponad 250 różnych naturalnych związków chemicznych. Są to między innymi węglowodany, białka, składniki mineralne, witaminy, fitocydy, antybiotyki-inhibiny, hormony, enzymy, kwasy organiczne, stymulatory wzrostu. W pyłku wykryto aż 32 aminokwasy, wiele makro- i mikroelementów (potas, fosfor, wapń, magnez, sód, krzem, mangan, żelazo, miedź, cynk, jod, selen i inne), witaminy (między innymi A, B1, B2, B3, B6, B12, E, C, PP, P, D, H), kwas foliowy, inozytol, kwas pantotenowy, kwercetynę, ponad 42 enzymy i wiele innych substancji.

Liczne badania wykazały następujące właściwości pyłku:

- odżywia – likwiduje niedobory aminokwasów, biopierwiastków i witamin, wzmacnia i regeneruje organizm;
- reguluje przemianę materii, normalizuje wagę ciała (spadek wagi osób otyłych, wzrost u osób bardzo szczupłych);
- działa antyanemicznie – zwiększa liczbę czerwonych krwinek oraz poziom żelaza we krwi;
- oczyszcza i odtruwa – eliminuje lub zmniejsza szkodliwe oddziaływanie wielu czynników chemicznych, osłania tkankę wątrobową przed zatruciem substancjami toksycznymi, ułatwia wydalanie toksyn, przyspiesza odnowienie tkanki wątrobowej uszkodzonej przewlekłymi chorobami i przyjmowaniem dużej ilości leków, wspomaga leczenie choroby alkoholowej, uzupełnia niedobory bioelementów;
- podnosi odporność – zwiększa ilość limfocytów i przeciwciał, przyspiesza leczenie zakażeń;
- działa antydepresyjnie i uspokajająco – wzmacnia system nerwowy, zmniejsza nerwowość, wspomaga leczenie depresji, nerwic wegetatywnych, zwiększa ukrwienie tkanki nerwowej, podwyższa sprawność psychiczną, podnosi koncentrację;
- jest antyalergiczny – choć niektóre osoby twierdzą, że są uczulone na pyłek pszczeli, w rzeczywistości zdarza się to dosyć rzadko; pyłek pszczeli może służyć do leczenia chorób alergicznych, leczy katar sienny, astmę lub znacznie łagodzi ich objawy (osoby, które cierpią na alergie, powinny kupować pyłek i miód, które zbierane są w okolicy możliwie niedalekiej od miejsca ich zamieszkania);
- działa przeciwmiażdżycowo – obniża poziom lipidów, hamuje zlepianie się płytek krwi, wspomaga leczenie stanów pozawałowych i nadciśnienia;
- ma właściwości antybiotyczne – ma silne działanie przeciwdrobnoustrojowe, działa na bakterie i grzyby, wraz z propolisem skutecznie leczy stany zapalne jamy ustnej, niszczy lub wstrzymuje działalność bakterii chorobotwórczych w przewodzie pokarmowym;
- a także: reguluje trawienie, wspomaga leczenie zaparć, choroby wrzodowej żołądka i dwunastnicy, schorzeń prostaty, cukrzycy (pyłek kwiatowy zwiększa wydzielanie insuliny), poprawia ostrość widzenia (duża zawartości ryboflawiny – witaminy B2), działa przeciwzapalnie, odżywia i odmładza skórę.

Propolis natomiast otrzymuje się z rozpuszczonego kitu pszczelego, który używany jest przez pszczoły do wewnętrznego uszczelniania ula.

◆ Stanowi ochronę przed najdrobniejszymi patogenami, bakteriami, grzybami, pleśnią i innymi mikroorganizmami.
◆ Ma bardzo silne właściwości bakteriobójcze i bakteriostatyczne, które są efektem synergistycznym zawartych w nim związków chemicznych, a tym samym ma zdolność niszczenia bakterii, grzybów chorobotwórczych, wirusów i pierwotniaków. Doskonale leczy więc wszelkie choroby zarówno bakteryjne, jak i wirusowe.

Osoby, które cierpią na alergie, mogą sprawdzić, czy nie są uczulone, wykonując następujący test: posmarować propolisem skórę na przedramieniu i jeśli po kilku godzinach nie wystąpi zaczerwienienie, można stosować propolis zewnętrznie i wewnętrznie. Należy zaczynać od małych dawek i w razie konieczności stopniowo je zwiększać.

Mimo że propolis jest naturalnym produktem, należy używać go w ściśle określonych dawkach, a w razie jakichkolwiek wątpliwości zasięgnąć porady lekarza. Zarówno pyłek pszczeli, jak i propolis należy kupować tylko u zaufanego pszczelarza.

Cudowna moc niepozornej pokrzywy

Pod koniec kwietnia można mnie spotkać na łące, biegającą z koszykiem. Jestem wtedy uzbrojona w kalosze, długie ogrodowe rękawice i nożyczki. Zbieram młodą pokrzywę. I jestem bardzo szczęśliwa! To pierwsze zbiory otwierające zielarski sezon wiosna / lato. Kończy się dopiero jesienią. Najcenniejsza jest właśnie młoda pokrzywa, którą należy zbierać od końca kwietnia do połowy maja.

Już w dzieciństwie uwierzyłam w jej wielką moc. Zbierał ją mój dziadek i mielił w maszynce, by wycisnąć sok. Pił go wczesną wiosną, by wzmocnić organizm osłabiony po zimie. Mój dziadek był wysoki i miał wielką krzepę. Ja soku z pokrzywy nie piłam wówczas z prostego powodu – zwyczajnie mi nie smakował.

Mój przyjaciel opowiadał mi kiedyś, że jego blisko dziewięćdziesięcioletni sąsiad, który został na wiele lat zesłany na Sybir, do dzisiaj mówi o pokrzywie z wielki entuzjazmem i wdzięcznością. Uważa, że dzięki niej zachował nie tylko zdrowie, ale także życie. Pokrzywa była tajną bronią sybiraków, wzmacniała ich organizmy w czasach największego głodu. Do dzisiaj człowiek ten zbiera młodą pokrzywę, ale jada ją również przez całe lato. Nie usuwa jej ze swojego ogródka, lecz zostawia część, by rano, gdy robi jajecznicę, zerwać solidną garść, posiekać i wrzucić na patelnię. Może dzięki temu zachowuje zadziwiającą witalność i pomimo podeszłego wieku biega po górach i jeździ na rowerze jak młody chłopak.

Pokrzywa, używana niegdyś przez prostych ludzi, wiejskich znachorów i wykształconych medyków, dzisiaj jest badana i opisywana przez naukowców. Liście pokrzywy zawierają bardzo dużo chlorofilu, który wpływa korzystnie na stan naszej krwi. Wzmacnia ją i oczyszcza oraz leczy niedokrwistość. Roślina ta jest też źródłem doskonale przyswajalnego żelaza, dlatego poleca się ją osobom cierpiącym na anemię. Wyciąg z liści pokrzywy i sporządzone z niej napary pomagają w pozbyciu się toksyn (zwłaszcza mocznika) z organizmu, oczyszczają krew, a także ułatwiają trawienie. Polecane są osobom cierpiącym na choroby wątroby. Pokrzywa zawiera także witaminy A, B, C i K oraz sole mineralne.

Ekstrakty i napary z pokrzywy doskonale nadają się do pielęgnacji włosów. Zapobiegają ich wypadaniu, a także przetłuszczaniu. Intensywny wywar można wcierać w skórę głowy, a rozcieńczonym płukać włosy.

Aby zrozumieć siłę tej niesamowitej rośliny, wystarczy przyjrzeć się, w jaki sposób rośnie. Pojawia się na naszych łąkach po zimie, jako jedna z pierwszych roślin. Nie potrzebuje ciepła i dużej ilości słońca, chociaż bardzo je lubi. Nie przeszkadza jej nawet ziemia bardzo niskiej jakości. W moim ogródku wyrasta między kamieniami. Oczywiście wielu ogrodników martwi, gdy pojawi się także u nich, jest dla nich bowiem jedynie trudnym do usunięcia chwastem. Jednak jej żywotność i siła są godne najwyższego podziwu.

Zbieram młode listki i je suszę. Dzięki temu zawsze mam spory zapas na zimę. Używam pokrzywy do naparów i jako dodatek do herbat, które zimą wzmacniają i oczyszczają krew. Suszonej pokrzywy używam także do pielęgnacji włosów. Z młodej wyciskam sok, a także siekam listki i dodaję je do różnych potraw. W pełni lata nadal korzystam z dojrzałych już liści pokrzyw, które dodaję podczas gotowania.

Zjeść pokrzywę

Liście pokrzywy polane wrzątkiem przestają parzyć. Dzięki temu zabiegowi możesz je swobodnie kroić i używać ich w kuchni do przyrządzania potraw. Młode liście pokrzywy są bardzo miękkie. Starsze stają się twarde i nadają się tylko do gotowania. Możesz je dodać do zup (obowiązkowo do rosołu). Wrzuć je garnka pod koniec przyrządzania zupy i gotuj do miękkości.

Młode liście możesz dodawać do wszelkich sałatek, nakładać na pieczywo lub posypywać nimi potrawy jak natką pietruszki.

Posiekane liście młodej pokrzywy wrzucone na gorącą oliwę z dodatkiem czosnku i świeżo mielonego czarnego pieprzu są doskonałym dodatkiem do potraw (podobnie jak szpinak) lub podstawą do jajecznicy.

Czosnek niedźwiedzi

Podczas przeprawy rzeką przez dżunglę na Kostaryce nasz przewodnik podpłynął do ogromnego drzewa, które rosło na brzegu. Zerwał liść, potarł go i podał nam do powąchania. Byłam bardzo zaskoczona, ponieważ liść miał bardzo intensywny zapach czosnku. Drzewo czosnkowe! Cóż za niezwykłe zjawisko! – pomyślałam. Byłam zaskoczona przewrotnością i poczuciem humoru przyrody.

Rok później przekonałam się, że na polskiej ziemi rośnie równie ciekawa roślina. Nazywa się czosnek niedźwiedzi, a jej liście do złudzenia przypominają konwalię. Chodząc po Górach Sowich, trafiłam na polanę, która po ciepłym, wilgotnym, wiosennym dniu wydzielała intensywną woń czosnku!

Czosnek niedźwiedzi uwielbia wilgoć i miejsca zacienione, dlatego należy szukać go w takich lasach. Sudety, Bieszczady, puszcze Kampinoska czy Białowieska są dla niego idealnym środowiskiem. Jednak dziko rosnący czosnek niedźwiedzi jest w naszym kraju pod ochroną. Można oczywiście kupić czosnek niedźwiedzi hodowany na plantacjach i w ogrodach, a także sadzonki, by samodzielnie go uprawiać. Czosnek hodowlany również posiada silne właściwości odżywcze i zdrowotne. Jadalne są tylko jego liście, zaś białe kwiaty zawierają trujące związki.

W liściach czosnku niedźwiedziego znajdują się substancje, które zapobiegają miażdżycy, obniżają podwyższone ciśnienie oraz dbają o kondycję żył i tętnic. Obniżają poziom cholesterolu i trójglicerydów we krwi. Podczas przeziębień działają jak naturalny antybiotyk, a jednocześnie zwalczają wirusy. Wzmacniają naszą odporność. Osoby, które cierpią z powodu wrzodów żołądka, powinny jeść czosnek niedźwiedzi tylko w niewielkich ilościach.

Ponieważ jest bardzo zdrowy, smaczny, lżej strawny od klasycznego czosnku i nie powoduje nieprzyjemnego zapachu z ust, używam go bardzo często. Dodaję go do jajecznicy, posypuję nim kanapki, dorzucam do sałatek, zup i innych potraw gotowanych i pieczonych. Liście czosnku niedźwiedziego należy dodawać pod koniec gotowania. Badania naukowe wykazały, że krótko gotowany zachowuje wszystkie lecznicze właściwości.

Moja przemiła sąsiadka, pani Ewa, robi pesto z czosnku niedźwiedziego. Wystarczy zmiksować liście z oliwą z oliwek i odrobiną soli. Po przełożeniu do słoiczka dodać taką ilość oliwy, by lekko pokrywała pesto. W ten sposób będzie zakonserwowane i nadające się do użycia nawet przez kilka miesięcy.

Sok z pokrzywy

Gdy byłam w Nowym Jorku, trafiłam przypadkiem do ciekawej kawiarni w sercu Manhattanu. Zamówiłam sobie sok ze świeżych pomarańczy i pijąc go, obserwowałam, co dzieje się w kafejce. Co chwilę podchodziła do lady jakaś osoba, zamawiała coś bardzo ciemnego, podawanego w małym kieliszku (jak do wódki), wypijała i wychodziła. Ruch był naprawdę ogromny! Byłam bardzo ciekawa, co takiego piją okoliczni nowojorczycy i co cieszy się aż tak ogromną popularnością około południa. Podeszłam do baru i zobaczyłam ustawione tam specjalne kuwety, w których rosło coś przypominającego młodą trawę. Barman obcinał całe garście roślin nożyczkami, wrzucał je do sokowirówki, wyciskał z nich sok i podawał klientowi. Ten wypijał zawartość kieliszka jednym duszkiem, płacił, dziękował i biegł dalej. Trawiasta roślina okazała się pędami młodych zbóż. Cena takiego „roślinnego espresso" była naprawdę porażająca! Zastanawiam się, ile by tam kosztował sok wyciśnięty ze świeżej, młodej, dziko rosnącej pokrzywy, zebranej na czystych polskich łąkach...

Najcenniejsza jest młoda pokrzywa zebrana pod koniec kwietnia lub na początku maja, przed kwitnieniem. W gumowych rękawicach wyciskam z niej sok w sokowirówce. Nie jest to proste, ponieważ pokrzywa jest dosyć twarda. Należy też zebrać sporą jej ilość, ponieważ nie jest zbyt soczysta. Jednak dla wzmocnienia organizmu i poprawy wyników krwi wystarczy pić zaledwie łyżkę soku dziennie przez 2 tygodnie.

PIĘKNO

Za dwadzieścia lat bardziej będziesz żałował tego, czego nie zrobiłeś, niż tego, co zrobiłeś. Więc odwiąż liny, opuść bezpieczną przystań. Złap w żagle pomyślne wiatry. Podróżuj, śnij, odkrywaj.

Mark Twain

Poczucie wiecznej młodości

Pozostaje się młodym tylko wówczas, jeżeli było się młodym kiedykolwiek.
Cesare Pavese

Byłam kiedyś stara. Pamiętam doskonale to uczucie. Dźwigałam na plecach wielki ciężar swojego życia. Wydawało mi się, że jestem starsza niż trzystuletni żółw, a bagaż doświadczeń mnie przygniatał. Miałam dwadzieścia kilka lat. Ponieważ nie odrobiłam wtedy wystarczająco starannie swojej lekcji życia, po raz kolejny poczułam się stara, mając lat trzydzieści kilka. Obiektywnie rzecz biorąc, byłam wtedy młoda i piękna, ale wcale tak się nie czułam. Dzięki tym doświadczeniom zrozumiałam, że pojęcie młodości jest sprawą indywidualną i bardzo subiektywną. Tylko od nas zależy, gdzie ustawimy granicę młodości i czy w ogóle chcemy ją ustawiać.

„Istnieją ludzie, którzy odnajdują swoją młodość dopiero u schyłku życia" – pisał Charles Louis de Goncourt. Ale my nie musimy czekać tak długo.

W oczach dziecka każda osoba, która skończyła 18 lat, jest stara. Jednak z punktu widzenia osiemdziesięciolatki osoba po pięćdziesiątce nadal jest młoda. Ocena młodości zależy wyłącznie od naszego punktu widzenia. Kto określa granice młodości? Pisarze, malarze, kolorowe magazyny, reżyserzy, fotografowie, projektanci mody, opinia społeczna? Tak naprawdę określamy ją sami. Czasami wyobrażam sobie, że jestem kobietą po osiemdziesiątce, którą kiedyś, mam nadzieję, będę. Z tej perspektywy moment, w którym znajduję się obecnie, jest zaledwie preludium dorosłości. Kiedy będę mieć 80 lat nie chcę wspominać, jak marnowałam swoje życie, zamartwiając się wiekiem i opinią innych ludzi na mój temat. Jeśli ktoś uważa, że jestem stara, to jego problem, nie mój.

Niedawno spotkałam panią dermatolog, która, opowiadając o swoich pacjentkach, powiedziała: „dwie panie w średnim wieku".

– Co to znaczy „w średnim wieku"? – spytałam.

– No, gdzieś tak po sześćdziesiątce.

Młodość to nie cyferki w metryce, choć ludzie tak bardzo liczby kochają. Sprowadzają do nich wszystko – młodość (liczbę lat), atrakcyjność (wagę, wymiary), wartość człowieka (liczbę zer na koncie). Jednak liczby wcale nie muszą nas interesować. Młodość to nie twarz bez zmarszczek. Wiem o tym, bo byłam stara, mając piękne ciało.

Młodość to nieustanny zachwyt światem, umiejętność dziwienia się i chęć odkrywania, poznawania, uczenia się, otwartość, pogoda ducha, gotowość do podejmowania nowych wyzwań. Poczucie, że jest wiele do zrobienia, bo życie zmienia się i stawia przed nami nowe zadania.

Przypomniał mi się dowcip o pewnej starszej pani, do której wiele już razy przychodziła Śmierć. Pukała do drzwi, ale nikt nie otwierał. Nieproszona zaglądała do środka i za każdym razem widziała starszą panią bardzo zajętą. Wycofywała się więc, mówiąc: „Przepraszam bardzo, nie chcę przeszkadzać. To ja przyjdę innym razem".

Gdy oglądałam wywiad ze stuletnią Leni Riefenstahl, poraziła mnie jej młodość! Miała pomarszczoną twarz, ale emanowała niesłychaną świeżością. Miała plany na przyszłość i nie mogła doczekać się, kiedy je zrealizuje. Tryskała entuzjazmem, jasność jej myśli i wypowiedzi była zachwycająca. Karta jej życia nie była zamknięta, stale czekała na to, co nadejdzie. Absurdalnie czułam, że jest ode mnie młodsza, a była przecież o 73 lata starsza.

„Nie starzeje się ten, kto nie ma na to czasu" – mawiał Benjamin Franklin. Leni nigdy tego czasu nie miała. Będąc kobietą po sześćdziesiątce, marzyła o tym, by pójść na studia. Nie udało jej się to tylko dlatego, że nie miała pieniędzy. Wiek nie był dla niej najmniejszym problemem. Pragnęła się uczyć i nic innego jej nie obchodziło. Widziała swoje marzenia oraz cele i ani wiek, ani nawet choroby nie były dla niej przeszkodą. Gdy miała 75 lat, postanowiła nauczyć się nurkować. Wiek mógł być tutaj przeszkodą, ponieważ istnieją przepisy, które określają jego limit. Co zrobiła Leni? Udawała, że jest młodsza o 10 lat. Nie tylko nauczyła się nurkować, ale przez następne lata robiła zdjęcia i filmy pod wodą. W swoim długim życiu była tancerką, aktorką, reżyserką, fotografką, podróżniczką, pisała scenariusze i książki, zajmowała się montażem filmów. Gdy kończył się pewien etap jej życia, zaczynała kolejny. Bez lamentowania i oglądania się wstecz.

Często wpadamy w pułapkę własnego myślenia. Ktoś ocenił, że jesteśmy zbyt stare, więc czujemy się niepotrzebne i bezużyteczne. Tymczasem na każdym etapie życia jesteśmy potrzebne. Mamy możliwość, by się uczyć nowych rzeczy i zmieniać zawody. Nie możemy pozwolić, by błędne, stereotypowe myślenie złamało naszego ducha. Odnalezienie nowej drogi jest możliwe w każdym momencie życia. Nie warto rezygnować ze stawiania sobie nowych celów tylko ze względu na to, ile się ma lat.

Wykonując zawód modelki, musiałam zmierzyć się z pojęciem starości znacznie wcześniej niż większość kobiet. Pracując u boku bardzo młodych dziewczyn i będąc pod presją opinii publicznej, musiałam sama dla siebie określić pojęcie młodości i starości. Okres młodości w potocznym rozumieniu tego słowa okazał się bardzo krótki. Mam wrażenie, że właściwie zupełnie go przegapiłam. Nie byłam beztroską nastolatką, zawsze rozważałam problemy egzystencjalne, byłam poważna i wiecznie z siebie niezadowolona. Wcześnie urodziłam dziecko, wyszłam za mąż i zaczęłam życie pełne obowiązków i odpowiedzialności. Wcześnie też przeżyłam rozstanie z mężem i poczułam, że wszystko jest już za mną. Myślałam, że nic dobrego mnie już nie czeka. Historia Leni zmieniła mój sposób myślenia i pozwoliła mi zobaczyć samą siebie z innej perspektywy. Dopiero dzisiaj czuję się naprawdę młoda. Znam wiele starych dwudziestolatek i młode siedemdziesięciolatki. Okazuje się, że młodość nie jest nam dana. Do młodości trzeba dojrzeć. A z każdym kolejnym rokiem stajemy się mądrzejszą i lepszą wersją samych siebie.

Postawa, sylwetka i wdzięk

Zasiadając w jury konkursów dla przyszłych modelek, a także biorąc udział w programie *Supermodelki,* spotkałam tysiące młodych dziewcząt. Większość z nich była zadbana, świadoma najnowszych trendów i dumna ze swojej rodzącej się właśnie kobiecości. Jedna rzecz przykuła jednak moją uwagę – większość z tych dziewcząt garbiła się. Zaczęłam uważnie przyglądać się otoczeniu i stwierdziłam, że prawidłowa postawa to dzisiaj prawdziwa rzadkość. Statystyki mówią, że z powodu problemów z kręgosłupem cierpi ponad 60% naszego społeczeństwa, zaś bólu pleców doświadczyła w życiu większość z nas. Początkowo go ignorujemy, ponieważ zwykle dopiero z upływem czasu zaczyna być przeszkodą w normalnym funkcjonowaniu.

Gdy byłam nastolatką, należałam do sekcji tańca nowoczesnego, a także przez krótki czas tańczyłam taniec towarzyski. Zmuszało mnie to do trzymania się prosto. Mimo to, gdy zaczęłam intensywnie rosnąć, bardzo wstydziłam się swojego wzrostu. Stojąc na mszy w kościele, górowałam ponad wszystkimi, włącznie z większością mężczyzn. Miałam wrażenie, że ksiądz, wygłaszając kazanie, patrzy prosto na mnie i podświadomie czułam się obarczona winą za wszystkie grzechy ludzkości… Zaczęłam chować się w swoim ciele, garbiłam się. Uginałam jednocześnie kolana, plecy i szyję, co ujmowało mi kilku centymetrów. W ramionach chowałam też swoje piersi. Nie dlatego, że były duże. Wręcz przeciwnie – dlatego, że były całkiem małe. Opuszczałam nisko podbródek, ponieważ wmówiłam sobie, że w ten sposób lepiej prezentuje się moja twarz.

Gdy po raz pierwszy brałam udział w pokazie mody, poznałam panią choreograf, która była niegdyś świetną tancerką baletową. Podczas przerwy w próbach wzięła mnie na bok i udzieliła ostrej reprymendy. Do końca życia nie zapomnę tego, co wtedy usłyszałam. Po pierwsze na podstawie mojej sylwetki dokładnie rozgryzła wszystkie moje kompleksy. Byłam w szoku! Do swojej postawy dorobiłam niesamowitą ideologię. Wmówiłam sobie, że wyraża szlachetną pokorę. Dlaczego mam być skruszona i pokorna? Tego pani choreograf pojąć nie była w stanie. Zaczęła od pokazania mi, w jaki sposób stoję i się poruszam. Trochę mnie zmroziło. Następnie wyjaśniła, jakich chorób i dolegliwości dzięki temu z pewnością się nabawię. Przestraszyłam się. Ale najbardziej przejęłam się groźbą, że jeśli nie będę nad sobą pracowała, to nie wypuści mnie na wybieg.

Poleciła mi kilka starych, prostych i bardzo skutecznych ćwiczeń. Pierwsze z nich polegało na noszeniu umieszczonego na plecach długiego kija od szczotki i utrzymanie go między łokciami. Miałam tak chodzić przez co naj-

mniej 10 minut dziennie. Dzięki temu mój kręgosłup prostował się, a ramiona otwierały. Taka postawa w naturalny sposób zmusza umysł do poczucia godności, a oddech staje się znacznie pełniejszy. Drugie ćwiczenie polegało na chodzeniu z książką na głowie – tak, by nie spadła – przez co najmniej 10 minut. Codziennie. Wymuszało to nie tylko utrzymanie wyprostowanych pleców i podniesionej głowy, ale również koncentrację i poczucie równowagi. Trzecia rada dotyczyła poruszania się nie tylko na wybiegu, ale w każdej chwili mojego życia – jakbym była marionetką, która ma umieszczony na czubku głowy sznureczek ciągnący ją ku górze. To nie tylko prostuje głowę, ale również nadaje całej sylwetce lekkości i smukłości. Czwartym ćwiczeniem było chodzenie po krawężniku, które rozwijało poczucie balansu, koncentrację i równowagę.

Ćwiczenia te pomagały mi w trzymaniu się prosto aż do chwili, gdy stres i życiowe problemy przygarbiły moją sylwetkę. Na szczęście na krótko. Codzienny trening, który zaleciła mi pani choreograf, przekazywałam całej rzeszy początkujących modelek. Niektóre z niego korzystały, inne nie. W programie *Supermodelki* była pewna śliczna, bardzo wysoka dziewczyna, idealny materiał na doskonałą modelkę. Wiele razy zwracałam uwagę na jej przygarbioną sylwetkę, która zupełnie dyskwalifikowała dziewczynę jako modelkę. Z jakiegoś powodu nie brała moich rad do siebie. Mówiła, że się stara, ale efektów zupełnie nie było widać. Aż do chwili, gdy zobaczyła samą siebie w programie. Była zdruzgotana, ponieważ nie zdawała sobie sprawy, że jej problem jest aż tak poważny. Zauważyła, że garbiąc się, wygląda po prostu fatalnie i odbiera sobie cały wdzięk. Myślała, że jej postawa wyraża luz i nonszalancję, a ja się czepiam i przesadzam. Usiłowałam jedynie jej pomóc. Od chwili gdy stała się świadoma swojej postawy, naprawdę zaczęła nad sobą pracować. Efekty tych wysiłków bardzo szybko były widoczne, a dziewczyna znalazła się w ścisłym finale.

Jedyną przygarbioną ikoną piękna była Greta Garbo. Spoglądała melancholijnie spod firanek opadających na oczy rzęs i paliła gigantyczne ilości papierosów. Była tajemnicza i dekadencka. Jednak czasy się zmieniły i wszystkie piękności, które nastały po niej, były proste jak strzała i lekkie w ruchach. Łopatki ściągnięte, gracja w każdym geście, stopy ledwo muskające ziemię. Wbiegały po schodach lekkie jak piórko, obracały się zwinnie jak koty i czarowały wdziękiem obecnym w każdym geście. Kiedyś nauka chodzenia była podstawą wychowania panien z dobrego domu. Dzisiaj, w dobie równouprawnienia, sylwetki i sposób chodzenia kobiet coraz częściej przypominają ciężki, męski styl poruszania się. Jednak kogo to zachwyca? Czy daje nam poczucie kobiecości? To właśnie piękny sposób poruszania się naprawdę oczarowuje. Dzięki niemu wyglądamy na bardziej radosne i pewne siebie. I takie się czujemy!

Podstawą wdzięku są mocne i proste plecy. Coś o tym wiem, ponieważ widziałam w życiu najpiękniejsze kobiety świata i z całą stanowczością muszę stwierdzić, że o ich urodzie decydowała postawa, a co za tym idzie, również sposób poruszania się.

Przekonałam się niejednokrotnie, że możemy nosić najpiękniejsze stroje, mieć zabójczą fryzurę i świetny makijaż, a przygarbiona sylwetka zniweczy cały wysiłek. Moja nauczycielka jogi mawia, że młodość kryje się w kręgosłupie. Nic tak nie postarza jak ciężkie, zgarbione ciało. Wiekowa pani, która trzyma się prosto i porusza lekko, z gracją i wdziękiem, z całą pewnością będzie wyglądała na młodszą, niż wskazuje metryka. Dlatego o kręgosłup musimy dbać od najwcześniejszych lat.

Jak dbać o swój kręgosłup?

O kręgosłup możemy i powinnyśmy dbać zawsze. Zwłaszcza jeśli mamy za sobą urazy i nawracające dolegliwości. Dobry specjalista z całą pewnością skomponuje zestaw ćwiczeń przeznaczony specjalnie dla nas, dostosowany do naszych potrzeb i możliwości. Na plecach znajdują się mięśnie, nad którymi należy pracować, by stały się mocnym stelażem dla kręgów. Podobnym (a może nawet ważniejszym) wsparciem są mięśnie brzucha, które trzeba regularnie ćwiczyć. Jeśli ból i urazy uniemożliwiają wykonanie pełnych skłonów, można robić „brzuszki" z ugiętymi nogami lub stopami opartymi na podłodze. Chodzi o wykonanie kilkudziesięciu spięć mięśni brzucha, by je wzmocnić. Ja robię takie ćwiczenia codziennie. Na doskwierający ból pleców nie wystarczy wcieranie maści przeciwbólowych. Nie należy lekceważyć żadnych oznak problemów, ponieważ z biegiem czasu mogą się one nasilić. Ból jest ostrzeżeniem, sygnałem wysyłanym przez ciało. Im szybciej zareagujemy i zaczniemy dbać o kręgosłup, tym lepiej dla nas.

- ❧ Najlepszą profilaktyką jest utrzymywanie prawidłowej postawy. Uczyłam się jej podczas zajęć jogi, która przykłada ogromną wagę do kondycji kręgosłupa. Należy unikać garbienia się, kulenia pleców i ramion, ale też nienaturalnego, przesadnego wyprostu. Sylwetka powinna być swobodna i prosta, ale nie spięta. Głowa powinna być ustawiona w pozycji neutralnej, nie za bardzo cofnięta ani wyciągnięta do przodu. Broda lekko opuszczona, tak by kręgosłup znajdował się dokładnie w linii prostej. Podniesiona zbyt wysoko powoduje napięcie karku i może prowadzić do bólów głowy. Ramiona powinny być otwarte, klatka piersiowa lekko wypchnięta do przodu, barki równe, a łopatki ściągnięte. Należy unikać przesadnego wypychania pośladków do tyłu, ponieważ powoduje to pogłębienie lordozy lędźwiowej.
- ❧ Nasz kręgosłup bardzo nie lubi pozostawać zbyt długo w jednej pozycji. Kiedy pracuję przy komputerze, co godzinę robię przerwę. Wstaję, chodzę, ruszam się i rozciągam. Podczas długiej podróży często zmieniam pozycję. Gdy jestem w samolocie lub w samochodzie i nie mogę wstać, opieram na siedzeniu zwinięte w pięści dłonie i unoszę na nich ciało, które wykonuje w tym czasie kilka ruchów. To zmusza kręgosłup do lekkich ćwiczeń i zmiany pozycji.
- ❧ Gdy kręgosłup jest przeciążony lub przemęczony, doskonałym odpoczynkiem jest dla niego, kiedy leżymy przez 10 minut na podłodze, z nogami umieszczonymi na krześle. Na siedzeniu powinny opierać się całe łydki, kolana mają być ugięte pod kątem prostym.
- ❧ Inną metodą jest leżenie na plecach z rękoma umieszczonymi pod naturalnym wygięciem pleców (w okolicy odcinka lędźwiowego). To ćwiczenie wykonywane codziennie przez 10 minut sprzyja także prostowaniu pleców, otwieraniu klatki piersiowej i ściągnięciu łopatek. Bardzo poprawia to wygląd sylwetki i dodaje wdzięku.
- ❧ Dobrym ćwiczeniem na odpoczynek kręgosłupa jest leżenie na podłodze z nogami zgiętymi na klatce piersiowej. Ramiona przytulają kolana. W tej pozycji wykonuję delikatne kołysanie ciałem w prawo i w lewo. Ćwiczenie to jest dobrym masażem, poza tym relaksuje i wzmacnia dolną część kręgosłupa.

◈ Jeśli mamy problemy z kręgosłupem, należy zwrócić szczególną uwagę na sposób podnoszenia ciężkich przedmiotów. Najlepiej jest robić to z przysiadu, nigdy ze skłonu w przód.

◈ Kręgosłup jest szczególnie wrażliwy na wszelkie napięcia i stresy, które obciążają go i się w nim kumulują. Doskonale działa więc regularne pływanie, joga oraz tai-chi.

◈ Jedną z tajemnic sylwetki pełnej wdzięku jest wybór punktu, w który patrzymy. Wbijając oczy w ziemię automatycznie się garbimy, dlatego najlepiej jest, idąc, patrzeć prosto przed siebie. Jest to pozycja otwartości. Kark od razu się prostuje, a klatka piersiowa wysuwa do przodu.

◈ Nasz sposób poruszania się powinien być elastyczny, pozbawiony maniery zarzucania ramionami, wymachiwania rękoma czy przesadnego kręcenia biodrami. Dobrym ćwiczeniem jest chodzenie po domu na bosaka, szukanie stabilnego punktu ciężkości i odnalezienie swojego naturalnego wdzięku, lekkości i swobody.

Sposób siedzenia

Siedzenie na sofie w skulonej pozycji nie jest korzystne, nie tylko dla naszego kręgosłupa, ale również organów wewnętrznych. Blokuje ich swobodną pracę i prowadzi do kłopotów z trawieniem. Siedząc na krześle, staraj się nie zakładać nogi na nogę, mimo że czasami dodaje to naszej sylwetce urody i pociągającej nonszalancji. Jest to jednak bardzo niekorzystne dla kręgosłupa i kości miednicy. Podczas siedzenia ciężar naszego ciała powinien rozkładać się równomiernie. Im bardziej prosto będziemy się trzymać (podczas siedzenia, spaceru, pracy przy komputerze, wypoczynku), tym lepiej dla całego organizmu. Oddech w naturalny sposób stanie się głęboki i swobodny, a mózg dotleniony. Gdy się garbimy, prawidłowy oddech w ogóle nie jest możliwy.

Moda

Byłam kiedyś w sklepie z damską odzieżą, gdy w pewnej chwili weszła do niego para w wieku około 50 lat. Ona prężnym krokiem, jakby wybierała się na polowanie. On, trochę za nią, niepewnie.

– Kochanie! Musimy znaleźć coś w kwiaty! – powiedziała stanowczym tonem kobieta i skupionym wzrokiem, jak komandos, skanowała ubrania na wieszakach. – W tym sezonie kwiaty są bardzo modne! Musimy kupić coś w kwiaty! – powtórzyła dobitnie, by mąż dobrze zrozumiał dramatyzm i powagę sytuacji. Po chwili cicho dodała: – A jak tak bardzo nie lubię ubrań w kwiaty...

Zawiesiła głos, by małżonek pojął skalę jej poświęcenia. Po chwili dotarło do niej, że nie może się poddać, musi się pozbierać, być dzielna i stanowcza, by wytrwać w decyzji zakupu. Inaczej nie wróci do domu, a sezon wiosna / lato nie będzie miał prawa się zacząć.

– Trudno! Taka jest moda i muszę mieć coś w kwiaty! – zakończyła rozmowę sama ze sobą, ponieważ małżonek nie powiedział ani słowa i przez cały czas miał bezradny wyraz twarzy. Wyglądał, jakby dotarło do niego z porażającą jasnością, że już nigdy nie będzie w stanie pojąć zawiłości kobiecej natury. Zrezygnowany podążył wolnym krokiem za małżonką, która odważnie i dziarsko ruszyła między wieszaki. Postanowiła być kobietą modną i kropka. Nic nie mogło zmienić tej decyzji, nawet jej osobiste preferencje.

Dla kogo się ubieramy?

Niedawno koleżanka zadała mi pytanie:

– Agnieszka, a dla kogo ty się ubierasz? Bo mówi się, że kobiety ubierają się dla mężczyzn, a moim zdaniem to nieprawda. Ubieramy się do innych kobiet – odpowiedziała sama sobie.

Jej zdaniem ubieramy się po ty, by zrobić wrażenie na koleżankach. Gdyby zechciała posłuchać mojej odpowiedzi, usłyszałaby, że ubieram się dla siebie. Jednak nie zawsze tak było.

Mam wrażenie, że w dziedzinie mody przeżyłam wiele wcieleń. Był taki czas, gdy wypełniała ona moje życie od rana do nocy. W pracy byłam ubierana, malowana i czesana. Spotkałam wiele osób, z którymi rozmawiałam głównie o ostatnich pokazach, sesjach zdjęciowych, kolekcjach i innych sprawach związanych ze światem mody. W czasie wolnym uważnie śledziłam najbardziej opiniotwórcze oraz awangardowe magazyny, które przywoziłam z podróży. Znałam najnowsze trendy i potrafiłam przewidzieć te, które mają nadejść. Nauczyłam się obserwować świat i z dużym wyprzedzeniem określić, co będzie chciał nosić w przyszłości.

Modą nie były dla mnie jedynie stroje, ale także całe zjawisko społeczne i socjologiczne, jakie się z tym wiąże. Przeczytałam wszystkie publikacje na ten temat. Znałam życiorysy najważniejszych projektantów, stylistów, fryzjerów, edytorów pism, makijażystów. Wiedziałam wszystko o historii mody, jej współczesności i przyszłości. Nie istniało nic, co mogłoby mnie zaskoczyć. Wszystko w moim świecie obracało się wokół mody. Poczułam wreszcie, że w naszej kulturze opakowanie liczy się o wiele bardziej, niż powinno. Pracowałam jako modelka i w ten sposób definiował mnie świat, a także ja samą siebie. Czułam, że to za mało.

W poszukiwaniu własnego stylu

Zrozumiałam, że mój uniform modelki był dokładnie tym samym, czym uniform każdej innej osoby wykonującej jakiś inny zawód. Identyfikujemy się z tym, co w życiu robimy i w ten sposób siebie określamy. Jestem lekarzem. Jestem nauczycielką. Modelką. Księgową. Aktorką. Bizneswoman. Przychodzi jednak dzień, gdy zdajemy sobie sprawę, że jesteśmy kimś więcej.

Zaczęłam się zastanawiać, co mój uniform modelki wyraża i co komunikuje światu. Czy określa człowieka, którym jestem? Nie robił tego. Postanowiłam zrobić sobie przerwę od mody, by poszukać siebie i dowiedzieć się, kim naprawdę jestem. Wyruszyłam w kreatywną podróż.

Kupiłam duży, gruby notatnik w formacie A4, wygodne, lekkie nożyczki i klej w sztyfcie. Obiecałam sobie, że oglądając czasopisma, nie będę myślała, analizowała i krytykowała. Będę jedynie wycinała zdjęcia, które w jakiś sposób mnie poruszą i zwrócą moją uwagę, a następnie wkleję je do zeszytu. Gdy ten się zapełni, obejrzę fotografie i dopiero wtedy wyciągnę wnioski. Robiłam to przez następne miesiące, gdy miałam wolny czas przed pójściem spać. Okazało się to fantastyczną zabawą, dawało mi totalną wolność. Wyłączyłam wewnętrznego krytyka, nie słuchałam opinii innych ludzi ani głosu w mojej głowie. Wycinałam i wklejałam. Bawiłam się jak mała dziewczynka papierowym światem, na nowo poznawałam i odkrywałam siebie.

W moim zeszycie pojawiały się zdjęcia modelek i strojów, jednak większość z nich stanowiły obrazy przyrody, sztuki, artystyczne fotografie, kadry z filmów i ciekawe portrety ludzi w różnym wieku, którzy wykonują różne zawody. Powstał dziennik tego, co naprawdę m n i e zachwyca i inspiruje. Mój osobisty album.

Dotarłam do osoby wewnątrz siebie, którą kiedyś gdzieś porzuciłam. Zrozumiałam, że decyzje o tym, co mi się podoba, a co nie, pozwoliłam podejmować innym ludziom. Cudze opinie uczyniłam ważniejszymi od własnych. Nareszcie zobaczyłam, co naprawdę mnie pobudza i daje mi natchnienie, i byłam zaskoczona! Odkryłam rzeczy, które wypierałam i krytykowałam. Swoje marzenia i uśpione tęsknoty. Poczułam, jak na nowo budzi się we mnie ciekawość świata i pasja życia.

Jeśli chodzi o modę i kobiece piękno dowiedziałam się, że wcale nie zachwyca mnie strój, fryzura czy makijaż, ale CZŁOWIEK, jego emocje i energia. Odkryłam, że moim ideałem piękna są Hinduski w barwnych sari, noszące oryginalną, niepowtarzalną, ręcznie robioną biżuterię, kobiety z mocnym makijażem, henną na dłoniach i tęsknotą w oczach. Ale ja nie jestem Hinduską i do świata, w którym żyję, taki strój jest zupełnie nieadekwatny. Moim ideałem piękna są również tancerki baletowe – wiotkie, zwiewne i subtelne, z gładko zaczesanymi włosami. Ale ja nie jestem i nigdy już nie będę baletnicą. Moim ideałem piękna jest również Frida Kahlo, nosząca barwne stroje, z kwiatami we włosach, krzaczastymi brwiami i pasją życia, którą widać w jej oczach. Ale ja nie jestem meksykańską malarką, a w moim ogrodzie nie żyją papugi i nie kwitną kaktusy. Moim ideałem piękna jest również Audrey Hepburn, w eleganckich, stonowanych strojach od Givenchy, ale ja nie jestem Audrey. Nie jestem tak wiotka jak ona i nie mam tak dużych, sarnich i łagodnych oczu, z których bije wrażliwość, mądrość i dobro.

Jednak te wszystkie kobiety są we mnie. I chociaż nigdy nie będę wyglądała tak jak one, ich piękno może we mnie żyć i mnie inspirować. Odpowiadać złożoności mojej kobiecej natury, wyzwalać moją subtelność, wdzięk i zmysłowość. Nie chcę naśladować swoich ideałów piękna ani starać się ich doścignąć,

ponieważ chcę być sobą. Ale wszystkie kobiety, które są teraz i były kiedyś na tej planecie, mogą mnie inspirować. Jestem wdzięczna za dar ich urody. Są ozdobą mojego świata. Budzą moją kobiecość.

Kobieta idealna

Młoda, piękna, podziwiana przez cały świat i bardzo hojnie wynagradzana za swoje wdzięki modelka w wywiadach często mówi, że ma istotną wadę i kompleks – zbyt szerokie biodra. Przy wzroście 179 centymetrów mają one „aż" 88 centymetrów w obwodzie. Jest to dla niej duży problem. Nie może już przecież jeść mniej…

Beata, która ważyła blisko 90 kilogramów, w ciągu roku schudła 20. Uważa, że teraz wygląda genialnie. W biodrach ma ponad 115 centymetrów. Zapisała się na lekcje tanga. Kiedyś siebie nie akceptowała, a teraz czuje się niewiarygodnie seksowna, chociaż nie ma figury modelki.

Anka nie myśli o swoich wymiarach. Nigdy nie miała z nimi problemu. Narzekała na swoje włosy. Chciała, by były proste, a one uparcie się kręciły. Teraz, gdy na jej głowie odrastają krótkie włoski po chemioterapii, uważa, że ma najpiękniejsze włosy na świecie. Głaszcze je kilka razy dziennie. Wraca do życia. Do swojej kobiecości.

W kwestii własnego wyglądu niemal wszystkie czujemy się niepewnie. Niemal każda z nas pragnie poprawić, zmienić, upiększyć jakiś element w sobie. Czasem musimy coś stracić, aby móc to docenić. Jesteśmy omamione przez nasze własne niezadowolenie, udręczone wątpliwościami i codziennym, mniej lub bardziej dobrotliwym lekceważeniem siebie. Poszukujemy akceptacji i uznania na zewnątrz. A jak postrzegamy same siebie? Jak często siebie komplementujemy?

Najważniejszy związek w naszym życiu to przecież związek z samą sobą. Jak byś określiła najistotniejsze składniki dobrego związku? Na czym powinien się opierać? Na szacunku? Akceptacji? Zaufaniu? Wdzięczności? Życzliwości? Czy wszystko to czujemy w naszym osobistym związku z samą sobą?

Nie możemy zacząć budować swojego autentycznego stylu, jeśli naprawdę nie docenimy i nie polubimy tego, co mamy. Niektóre cechy naszego wyglądu możemy zmienić. Możemy lepiej się odżywiać, więcej się ruszać, częściej się uśmiechać, wcierać kremy, by nasza skóra była gładka i zadbana. Na inne elementy wpływu jednak nie mamy. Nie dodamy i nie odejmiemy sobie 10 centymetrów wzrostu ani 10 lat. Nie wydłużymy swojej szyi i nóg. Nie zmienimy konstrukcji naszych bioder i nie zawsze możemy zmienić kształt naszego nosa. To, czego pragniemy i co możemy zmienić, zmieniajmy. Ale to, czego zmienić nie możemy, po prostu pokochajmy. To właśnie te cechy decydują o naszej wyjątkowości.

Doceń siebie

Gdy prowadziłam program *Metamorfozy Fashion Cafe* poznałam dziesiątki kobiet, które za sprawą zmiany fryzury, makijażu i stroju stawały się piękniejsze i atrakcyjniejsze. Wiem jednak z całą pewnością, że to nie ubiór, kosmetyki i nowa fryzura dokonały ich prawdziwej metamorfozy. Najistotniejsza zmiana dotyczyła sposobu postrzegania samych siebie. Otoczone życzliwymi osobami, które odkrywały ich zalety i pokazywały plusy tam, gdzie one same ich nie widziały, kobiety odkrywały w sobie coś zupełnie nowego. To była prawdziwa metamorfoza. Zachodziła w głowach uczestniczek programu. Zaczynały patrzeć na siebie z ciepłem i życzliwością. Dzięki temu naprawdę promieniały.

Niektóre z tych kobiet miały tak niskie poczucie własnej wartości, że nigdy nie były u fryzjera. Nigdy się nie malowały, nie nosiły butów na obcasach, biżuterii ani modnych strojów. Jakby chciały zrezygnować z siebie, udać, że ich nie ma.

Czasem jesteśmy tak bardzo skupione na swoich wadach, na przykład szerokości bioder, która daleka jest od tej „idealnej", że przestajemy dbać o włosy, skórę i ubiór. Z powodu kompleksów niektóre z nas przez całe lata zapominają o sobie, ich kobiecość jest uśpiona, a one same żyją nieświadome swojego wewnętrznego i zewnętrznego piękna.

Pragniemy być piękne, to jest wpisane w nasze kobiece DNA. Jednak oglądając magazyny mody, stwierdzamy, że daleko nam do „ideału". Wydaje się tak odległy, że w ogóle przestajemy się starać. Nie wyglądamy jak długonogie, wychudzone, szesnastoletnie modelki. Wiele z nas rezygnuje wtedy z mody

w smutnym przekonaniu, że i tak nic już nie pomoże. To zabija cały nasz entuzjazm, radość i chęć zabawy!

Kobiety, które rezygnują z mody i zupełnie przestają interesować się swoim wyglądem, często są zwyczajnie zmęczone lub zniechęcone presją osiągnięcia nierealnego ideału. Jednak to nie moda i trendy są ich wrogiem, ale one same. Projektanci nie mogą decydować o tym, jak wygląda ideał kobiety. Oni mogą przedstawić nam jedynie swoją wizję. Ale to, czy ją przyjmiemy czy nie, zależy tylko i wyłącznie od nas, mamy przecież wolną wolę. Dał ją nam ktoś postawiony nieco wyżej niż autorytety do spraw kobiecego piękna, prawda?

Co by było, gdyby pojawiła się na świecie osoba, która z miną znawcy oznajmiłaby, że najpiękniejszym i najbardziej wartościowym kwiatem jest żonkil? Ponieważ jest smukły, podłużny i nie ma zbędnych liści i kolców jak róża. Czy opinia tej osoby miałaby moc sprawczą? Czy byłaby w stanie odebrać urok niezapominajkom, azaliom, chryzantemom, liliom, storczykom, piwoniom i orchideom, i tysiącom innych kwiatów? Raczej nie. Jednak opinie dotyczące kobiecego piękna powierzamy innym ludziom.

Zaufajmy sobie i uwierzmy w to, co nam się podoba. Doceńmy osobę, którą jesteśmy. Naszym zadaniem jest ochrona siebie i świadomy wybór tego, co jest dla nas najkorzystniejsze. Każda z nas jest wyjątkowa i niepowtarzalna. Nigdy na świecie nie było i nigdy już nie będzie kogoś takiego jak Ty.

„Tutaj, w mym ciele, znajdują się święte rzeki. Tutaj jest słońce i księżyc, jak i miejsca pielgrzymek… Nie spotkam żadnej innej świątyni, która byłaby tak radosna jak moje własne ciało" – pisała tybetańska poetka i nauczycielka duchowa Saraha.

Mamy w sobie doskonałą nawigację. Kierujmy się wewnętrznym kompasem naszych uczuć. To wszystko, co nie wnosi do naszego życia entuzjazmu, światła i radości, po prostu nie jest nam potrzebne. Odrzućmy to, co budzi w nas zniechęcenie i sprawia, że czujemy się gorsze. W naszym życiu najważniejsze jest dobre samopoczucie. Czy myślą o tym projektanci mody, prezentując swoje kolekcje na wychudzonych do granic możliwości modelkach? Raczej nie. Ale również nie mają takiego obowiązku. Oni mają wolność tworzenia, a każda z nas wolność wyboru.

Nie musimy nosić modnych ubrań w kwiaty, jeśli ich nie lubimy. Dajmy sobie prawo decydowania o tym, co nam się podoba, a co nie. I wcale nie musimy rezygnować z zewnętrznego piękna, wręcz przeciwnie. To poczucie wewnętrznej wolności sprawia, że możemy rozbłysnąć naszym własnym, indywidualnym, niepowtarzalnym blaskiem.

Skąd czerpać inspiracje?

Poznałam w życiu wiele fascynujących osób związanych ze światem mody. Najlepsi projektanci i stylistki znają najnowsze trendy, ale również historię i sztukę. Odwiedzają galerie i muzea, podróżują. Nieustanną inspiracją jest dla nich film, muzyka, literatura i natura. Wszystko to, przepuszczone przez ich kreatywną wrażliwość i poczucie estetyki, owocuje stworzeniem nowej jakości i niepowtarzalnego stylu.

Osoby, które zamykają się wyłącznie w świecie mody i trendów, zabrnęły w ślepy zaułek. Ich światem rządzą nazwiska, marki i persony, a nie wolność i prawdziwe, inspirujące piękno. Każdą rzecz porównują: „To jest takie jak u Chanel, a to jest takie jak u Yamamoto, a to jest takie jak na ostatnim pokazie Gucciego". Takie opinie sprawiają, że atmosfera wokół staje się duszna i klaustrofobiczna. Dla mnie znacznie więcej informacji niosą porównania z pogranicza sztuk, na przykład kiedy ktoś mówi: „Ten płaszcz coś mi przypomina… pamiętasz tę scenę ze *Śniadania u Tiffany'ego*? Ona stoi na Piątej Alei, tuli kota do piersi, jest zapłakana, nie wie, co ma ze sobą począć i pada deszcz…".

- ❧ W szafie lub garderobie możemy stworzyć swój własny, przyjazny, radosny i inspirujący świat mody. Z takim nastawieniem skompletujemy stroje i dodatki, które sprawią nam radość. Trendy mody to nie obowiązek i ograniczenie, ale szerokie ramy, w obrębie których możemy się poruszać. Mając twórczy umysł, bawmy się modą, zamiast się jej bać. Instynkt zabawy pochodzi z naszego wnętrza. I to jest właśnie kwintesencja prawdziwej mody, która jest przygodą!
- ❧ Obserwujmy świat. Zobaczmy, co nas naprawdę zachwyca i co najbardziej współgra z naszym wnętrzem. To są nasze drogowskazy. Nie odrzucajmy ich, ale uważnie się im przyglądajmy. Zobaczmy, do czego nas doprowadzą.
- ❧ Istnieją w świecie mody wspaniałe osoby, projektanci i styliści, którzy mają wiele sympatii i zrozumienia dla kobiet. Ich styl może być dla nas

cudowną inspiracją. Oni szanują kobiety i ich potrzeby. Warto takich osób poszukać i śledzić ich propozycje, by na przyszłość ułatwić sobie życie.

Czy mój styl to prawdziwa ja?

Znalezienie indywidualnego stylu wymaga odkrycia w sobie najlepszych i najmocniejszych stron i skupienia się na nich. Styl jest wypadkową tego, co nosimy i kim jesteśmy. Składa się na niego nasza inteligencja, wrażliwość i mądrość, zaufanie do siebie i odwaga, ale także sztuka dokonywania odpowiednich wyborów.

- Bez uznania i zaakceptowania kobiety, która jest w Tobie, nie znajdziesz swojego autentycznego stylu.
- Zaczynamy doceniać piękno i wagę prostoty z chwilą, gdy poznajemy i doceniamy siebie. Róża nie potrzebuje przybrania, by zachwycić. To, co prawdziwe i naturalne, stanowi pełnię i nie potrzebuje dodatków.
- Szlachetna elegancja jest sztuką ograniczania. Ale Ty nie musisz być elegancka i minimalistyczna, jeśli drzemie w Tobie dusza szalonej artystki.
- Daj sobie czas na pozbycie się z szafy tego, czego tak naprawdę nie lubisz. Jednak głównie zrezygnuj ze starego sposobu myślenia o sobie. Ze wstydzenia się siebie, zakrywania i wypierania się tego, kim naprawdę jesteś.
- Obiecaj sobie, że nie będziesz kupowała niczego, co nie sprawia Ci prawdziwej radości, co nie budzi w Tobie ekscytacji i Cię nie zachwyca. Jeśli nie czujesz wewnętrznej radości podczas zakupów, oznacza to, że możesz się obyć bez nowej sukienki czy spodni i że za każdym razem, gdy będziesz je zakładała, odnajdziesz w sobie podobne wątpliwości, jakie towarzyszyły Ci w sklepie.
- Nie kupuj tego, co nie wyraża Ciebie, gdy czujesz, że to do Ciebie nie pasuje lub jest kiepskiej jakości. Jeśli coś nie współgra z Tobą w 100%, oznacza to, że nie jest Ci potrzebne. Otaczaj się takimi przedmiotami i noś takie ubrania, które budzą w Tobie zadowolenie i radość. Kupuj tylko takie rzeczy, w których wyglądasz i czujesz się świetnie. Życie to nie próba generalna. Możesz być autentyczna i zadowolona teraz albo nigdy. Bo jedyne, co naprawdę istnieje, jest TERAZ.
- Codziennie rano, gdy wychodząc z domu, wybierasz garderobę na cały dzień, dobrze wsłuchaj się w siebie, w swój nastrój i emocje. Czasami mamy w sobie moc, by zdobywać świat. Wtedy możemy założyć garson-

kę, buty na wysokich obcasach lub coś w odważnych barwach. Są jednak dni, gdy czujemy się słabe, niepewne i potrzebujemy otulenia. Wtedy zaopiekujmy się sobą. Nie przebieraj się za kobietę wampa czy waleczną bizneswoman, bo będziesz jeszcze bardziej męczyła i osłabiała samą siebie. Bądź dla siebie łagodna. Wybierz ciepłe, przyjazne barwy, delikatne i miękkie tkaniny, w których poczujesz się bezpiecznie i komfortowo.

Ubiorem opisać siebie

Nasz wygląd określa i opisuje nas światu. Jest pierwszym sygnałem, który wysyłamy na temat tego, kim jesteśmy. Niezależnie od tego, czy przywiązujemy wagę do tego, co mamy na sobie, nasze ubranie przekazuje wiadomość na temat naszej płci i wieku oraz informacje lub dezinformacje o naszej osobowości, zawodzie, guście, nastroju i pragnieniach. Za pomocą takich samych sygnałów Ty również „odczytujesz" innych ludzi. Robisz to odruchowo i podświadomie. Sygnały wysyłane za pomocą wyglądu to najstarszy, uniwersalny język świata. Gdy zaczynamy żyć świadomie, możemy się zorientować, że przez całe długie lata nasz sposób ubierania się, ukształtowany przez rodzinę, społeczeństwo, obyczaje, konwenanse, modę lub nasze obawy i kompleksy, wysyłał w naszym imieniu sygnały, które nie mają z nami nic wspólnego. Pochodziły od jakiejś innej, obcej osoby, której nawet nie znamy.

Mamy do zaoferowania coś więcej niż tylko wygląd, ale reszta świata nie musi o tym wiedzieć. Przy pierwszym kontakcie z drugim człowiekiem to właśnie wygląd przyciąga lub odstrasza, wzbudza zaufanie lub zniechęca. Jeśli nie za-

stanawiamy się nad tym, co na siebie zakładamy, wysyłamy w świat błędne sygnały na swój temat.

Jeśli pragniemy zmiany, odnalezienia własnego stylu, najważniejsze jest nawiązanie dobrego kontaktu ze swoim wnętrzem. Joga, medytacja, relaks, wyciszenie, twórcze wycieczki, dziennik inspiracji – wszystko to pomoże nam odkryć prawdę o nas samych.

Następnym krokiem jest oczyszczenie się z bałaganu dawnych wcieleń. Przewietrzenie i odnowienie. Pozbycie się rzeczy, które do nas nie pasują lub budzą niechciane wspomnienia, i stworzenie w ten sposób przestrzeni na nowe. Wtedy jest czas, by przyjrzeć się nie tylko sobie, ale naszemu życiu. To dobry moment, aby ze świeżym spojrzeniem skompletować najlepsze, najwygodniejsze i najbardziej adekwatne stroje do pracy, po pracy, na wieczór i do domu.

Wiele osób powtarza, że w prostocie jest siła. Prostota wcale nie jest nudna czy płaska. Może być delikatna i subtelna, dobitna, nonszalancka lub ostentacyjna. Skromna, szykowna, elegancka, awangardowa, nowoczesna lub klasyczna. Ale Ty możesz szaleć. Wybór należy do Ciebie!

Kolory

Patrząc na nasze ulice, zwłaszcza jesienią i zimą, nietrudno jest odkryć, jaki kolor lubimy najbardziej. Czerń. Czy jednak rzeczywiście przez 6 miesięcy w roku ubieramy się na czarno, ponieważ tak bardzo ten kolor kochamy? Wydaje się nam, że czerń jest najwygodniejsza, najbezpieczniejsza i najbardziej uniwersalna. W dodatku wyszczupla. Prawda jest taka, że czerń sprzyja izolacji. Ma właściwości ochronne, daje poczucie wsparcia. Noszą ją osoby pewne siebie, o ustalonym światopoglądzie, ale również osoby zagubione, poszukujące, porządkujące wartości w swoim życiu. Czerń uwielbiają artyści, ale również osoby ze skłonnością do depresji. Czerń jest bez wątpienia kolorem bardzo tajemniczym. Z praktycznego punktu widzenia czarny kolor w ciągu dnia wcale nie jest tak bezpieczny, jak się nam wydaje. Aby naprawdę dobrze się prezentował, ubrania muszą być nowe, czyste i bardzo dobrej jakości. W przeciwnym razie wyglądają niechlujnie. Doskonale widać na nich włosy, kurz, wszelkie zanieczyszczenia i „ząb czasu".

Czarny, dopasowany golf będzie wyglądał fantastycznie na bardzo młodej osobie. Najlepiej na blondynce. Jeśli w dodatku ma świeżą, alabastrową cerę i czerwone usta, będzie prezentować się oszałamiająco. Jednak szatynka lub brunetka po czterdziestce może sobie zrobić sporą krzywdę, nosząc w okolicy szyi coś, co rzuca na jej twarz ponurą poświatę.

Jestem postrzegana jako osoba, która ubiera się przeważnie w czerń, jednak lubię ją głównie na oficjalnych przyjęciach. Prywatnie rzadko noszę ten kolor. Przekonałam się, że wpływa on na mój nastrój i nie napawa mnie optymizmem. Ciężkie, czarne stroje w środku zimy naprawdę przygnębiają. Wieczorowa sukienka z odkrytymi plecami lub ramionami to zupełnie co innego. Wokół twarzy jest kolor ciała, co stwarza wrażenie lekkości. Gdy noszę czerń w ciągu dnia, zwykle łączę ją z innymi kolorami. Dopasowuję do niej białą koszulę, rozświetlające szale lub dodatki.

Zimą ubieram się w stonowane barwy, ponieważ w szaroburym tłumie nie chcę rzucać się w oczy, zwracać na siebie uwagi szalonym kolorem, nawet jeśli jest bardzo modny. Krzyczenie swoim ubiorem: „Halo, tutaj jestem!", nie jest w moim stylu. Wolę przyglądać się ludziom, niż być obserwowana.

Nie mam czasu, by codziennie nadmiernie przejmować się ubraniami, więc moja garderoba jest stonowana. Większość rzeczy doskonale do siebie pasuje i wcale nie jest czarna. Uwielbiam kolory natury i świetnie się w nich czuję, ponieważ harmonizują nie tylko z moją karnacją, ale również z osobowością. Są mi bliskie, ponieważ czuję je w sobie. Natura zachwyca mnie, zdumiewa i inspiruje. Ale co to właściwie znaczy „kolory natury"? Zwykle myślimy o tych neutralnych, ale gdy przyjrzymy się przyrodzie, okaże się, że występują w niej wszystkie możliwe barwy i ich odcienie! Ich bogactwo jest oszałamiające.

Kompletowanie garderoby według klucza barw natury wcale nie ogranicza, wręcz przeciwnie – wyzwala i wzbogaca! Pomyśl o kolorze malin, oberżyny i szafranu. Albo połączeniu kwiatu lipy i nagietka lub maków i niezapominajek. Wyobraź sobie kolory ściętej trawy, chabrów, cytryny i lawendy. Można dostać zawrotu głowy! Aby to okiełznać, kompletując garderobę, najlepiej jest zacząć od podstaw.

Podstawą garderoby są kolory klasyczne: czernie, biele, szarości, granaty, grafity, beże, brązy, karmele, khaki, kość słoniowa, kolor rdzy i czerwonego wina. To jest baza, jednak w obszarze tych barw istnieją tysiące odcieni, które możemy idealnie do siebie dopasować. Kompletując garderobę na bazie kolorów klasycznych, w szybkim czasie stworzymy kolekcję, która jest ponadczasowa, nie wychodzi z mody i daje nam możliwość łączenia i tworzenia stale nowych zestawów. Do niej możemy wprowadzać nowe barwy.

Aby odnaleźć kolory, które najlepiej do nas pasują, musimy po prostu zrobić eksperyment. Stanąć przed lustrem i ocenić, która barwa odświeża wygląd naszej cery, włosów i oczu. To naturalne, że niektóre kolory harmonizują z naszą karnacją, a inne nie. Jednak dobrze, jeśli barwy, które na sobie nosimy, współgrają również z naszą osobowością. Gdy mamy na sobie kolory, które są nam obce i nie harmonizują z naszym wnętrzem, z całą pewnością będziemy się czuły jak w niewygodnej, uwierającej, cudzej skórze.

Jeśli na zakupach zachwyci Cię strój lub barwa, o której wcześniej wcale nie myślałaś, warto iść za wewnętrznym głosem. Czasami po prostu „zakochujemy się" w strojach lub dodatkach. Zakochanie to jednak nie to samo co kaprys. Możemy nauczyć się odróżniać te dwa uczucia. Zakochanie wypływa z wewnętrznego impulsu, który powstał w naszym wnętrzu. Ten instynkt to prawdziwa Ty, która chce coś powiedzieć. W Twojej szafie takie rzeczy będą największymi skarbami, przetrwają próbę czasu, niezależnie od tego, jak bardzo zmienią się mody, i zawsze będziesz dobrze się w nich czuła.

Dom

Gdy byłam mała, odwiedzałam czasami koleżankę, która mieszkała w jednym z bloków na białostockim osiedlu. W jej domu, ku mojemu ogromnemu zdumieniu, na kanapie w salonie leżała przezroczysta folia. Przez całe lata kanapa stała nierozpakowana, z obawy, że się pobrudzi. Czekała prawdopodobnie na moment, w którym życie naprawdę się zacznie. Widocznie tamten czas był punktem przejściowym, rodzajem poczekalni przed nadejściem lepszych i ważniejszych czasów. Nigdy nie zapomnę uczucia siedzenia na zafoliowanej kanapie. Plastik szeleścił przy każdym ruchu, a nogi pociły się i przylepiały do niego. Podobna folia leżała tam również na dywanie. Przez cały czas czułam się spięta, ponieważ miałam wrażenie, że jestem intruzem. To mieszkanie powinno być puste, bez domowników i gości, którzy mogą coś zniszczyć. Rzeczy były tam ważniejsze od ludzi.

Gdy byłam starsza, odwiedziłam wiele domów i mieszkań na świecie. W Nowym Jorku, Paryżu, Mediolanie, Monachium, Rzymie, Londynie, Los Angeles, Helsinkach, na Ibizie, w Meksyku, Marrakeszu, Irlandii, Tajlandii, Grecji, na Bali czy na Alasce. Czasem byłam do nich zapraszana przez osoby, które poznawałam. Często jednak mieszkania, które miałam okazję odwiedzić, wykorzystywane były jako scenografia. Stawały się planem sesji zdjęciowych lub filmowych podczas produkcji reklam czy teledysków, przy których pracowałam. Wiele z tych wnętrz było tak unikalnych i wyjątkowych, że pokazywano je w najbardziej cenionych magazynach wnętrzarskich świata. Przebywanie w nich to jednak coś zupełnie innego niż oglądanie zdjęć. Żadne, nawet najlepsze fotografie nie zastąpią poczucia energii miejsca, dotykania przedmiotów, doświadczania przestrzeni i kontaktu z jej mieszkańcami.

Nieraz zdarzyło mi się przebywać w domach, które były tyle luksusowe i nowoczesne, co pozbawione serca i duszy. Zaspokojenie najnowszych trendów designu nie zawsze idzie w parze z zaspokojeniem ludzkiej potrzeby ciepła, wygody, swobody i komfortu. Wielokrotnie widziałam, jak obłędnie drogie, wyszukane meble czyniły domowników niewolnikami przedmiotów, którymi się otaczali. Osoby te były dumne ze swojego stanu posiadania i z prestiżu, który dobra te podkreślały. „Mam w domu stół, który jest wart więcej niż średniej klasy samochód. Proszę się nie opierać". W swoich domach ludzie ci byli obcy, jak widzowie galerii sztuki lub muzeum. Nie wiem, gdzie odpoczywali, ponieważ życie na pokaz jest bardzo męczące. Niezależnie od tego, czy dzieje się to w bloku na białostockim osiedlu czy też w luksusowym apartamencie na Manhattanie.

Bywałam również w mieszkaniach, z których nie chciałam wychodzić. Od pierwszej chwili czułam się w nich tak dobrze, ciepło i bezpiecznie, jakbym została otulona troskliwymi ramionami. Każdy przedmiot zachwycał prostym pięknem i zapraszał do korzystania. Kanapy dawały wypoczynek, a na stołach bez skrępowania stawiano naczynia. Jedzenie było tam prawdziwą przyjemnością. Przyjazne otoczenie powodowało, że podczas spotkań ludzie otwierali się, inspirowali wzajemnie i emanowali ciepłem. Obiecałam sobie, że właśnie taki będzie mój dom. Obiecałam sobie, że nigdy nie stanie się miejscem na pokaz, ale będzie otulał, przytulał i koił. Będzie tak bezpieczny i wygodny jak gniazdo, które z troską wiją ptaki, by pielęgnować w nim to, co najcenniejsze. Moimi kruchymi „jajkami" i drogocennymi „pisklętami" jest moja rodzina, ale również moje marzenia, plany, pasje i sny. Wszystko, co inspiruje, wzmacnia ciało i rozwija wrażliwość. Obiecałam sobie, że mój dom będzie bezpieczną przystanią dla domowników i dla osób, które nas odwiedzą.

Ponieważ widziałam w życiu bardzo wiele inspirujących miejsc, pewnego dnia musiałam odpowiedzieć sobie na pytanie, jak ma wyglądać m ó j dom. Jakie ma być to moje gniazdo? Ducha mojego domu miałam już w sobie. Teraz musiałam jedynie nadać mu materialny wymiar. Poprzez wystrój pragnęłam stworzyć wyjątkowy, przytulny i inspirujący klimat. Postanowiłam otworzyć się i pobawić w artystkę, która bez skrępowania i obaw kreuje swoją rzeczywistość. Zanim malarz stworzy obraz, wykonuje szkice, przygotowuje płótno, miesza farby. Na to wszystko potrzebne są czas, próby i rozeznanie. Zdecydowałam się na metodę podobną do moich dzienników inspiracji. Kupiłam duży segregator w formacie A4 i sporą ilość „koszulek". Z magazynów wnętrzarskich wyrywałam każde zdjęcie, które zwracało moją uwagę, i wkładałam je do segregatora. Bez analizowania, ocen i krytyki. W ten sposób powstał mój prywatny album. To była moja baza, która miała mi pomóc uporządkować pragnienia, dokonać wyborów i wyklarować mój indywidualny gust.

Idealny dom

Dom to nie są ściany, meble i przedmioty – to ludzie, uczucia i emocje. Czasem o tym zapominamy, skupiając się jedynie na wyborze tapety, kafelków, mebli czy podłogi. Mury i wystrój wnętrza to nie jest dom, to martwa przestrzeń, w którą trzeba tchnąć ducha. I to właśnie ten duch powinien nas prowadzić podczas wyboru elementów dekoracji wnętrza.

Jak powinien wyglądać idealny dom? Jest tylko jedna uniwersalna recepta – jego „osobowość" powinna wyrażać naszą osobowość. Cała reszta nie ma znaczenia i jest kwestią gustu, o którym dyskutować po prostu się nie da. Niektórzy lubią otaczać się przedmiotami, kochają eklektyczną mieszankę stylów, inni wolą wnętrza czyste, minimalistyczne i sterylne. Ja najlepiej czuję się w naturalnych barwach i materiałach. Lubię drewno, kamień, tkaniny, żywe rośliny, rękodzieło i zapach kadzidełek. Ale znam osoby, które najlepiej czują się otoczone plastikiem, szkłem, ceratą, sztucznymi roślinami, cukierkowymi barwami i syntetycznymi zapachami. Nasz dom jest wyrazem naszej osobowości. Jeśli prawdziwie akceptujemy osobę, którą w istocie jesteśmy, nie przyjdzie nam do głowy, by urządzając go, kierować się modą lub chęcią zaimponowania znajomym. Prawdziwa wolność wyraża się poprzez akceptację naszego gustu, naszych potrzeb i inspiracji.

◈ Jeśli nie czujesz się pewnie w sprawach estetyki, możesz oczywiście poprosić o radę specjalistę lub osobę, której ufasz. Niezależnie jednak od ich zdania, prawdziwie szanując siebie, otocz się wyłącznie przedmiotami, kolorami i fakturami, które budzą w Tobie autentyczny zachwyt. Nie myśl o tym, co wypada mieć w mieszkaniu. Nie stawaj się niewolnikiem drogiej podłogi, kanapy czy modnego, ale bardzo niewygodnego stołu. Kupuj tylko takie meble, które dadzą Ci poczucie swobody. Uczyń komfort i wygodę swoimi priorytetami.
◈ Twoje mieszkanie zmienia się tak samo jak Ty. Dylemat co do aranżacji wnętrza dotyczy nie tyle samego wyboru stylu, ile Twojej życiowej wędrówki. Kto z Tobą mieszka? Jakie poczucie estetyki mają te osoby? Jakie potrzeby? Nasze domy są inaczej urządzone, gdy mieszkamy same czy mamy małe dzieci, a inaczej wtedy, gdy dzieci są już duże. Niech dom zmienia się nie tylko wraz z rozwojem naszej osobowości, ale również sytuacji życiowej.

Kolory w naszym domu

Podczas wyboru koloru ścian wiele z nas nie umie się zdecydować i toczy z bliskimi dyskusje i spory, ponieważ preferencje w tej kwestii są bardzo różne. Ja kieruję się jedną zasadą – w domu powinno być ciepło i przytulnie. W Polsce jest tak wiele szarych dni bez słońca, że ściany wnętrza naszego domu powinny ogrzewać i wprawiać nas w dobry nastrój, niezależnie od tego, jaka aura panuje na zewnątrz. Chociaż uważam odcienie kolorów gołębich za wysmakowane i wyrafinowane, z doświadczenia wiem, że nie oddziałują pozytywnie na uczucia.

Wibracje kolorów mają na nas pozytywny lub negatywny wpływ. Barwy piaskowe i ich odcienie z palety delikatnej, ciepłej, słonecznej żółci doskonale wpływają na samopoczucie, niezależnie od indywidualnych gustów i preferencji. Posługując się tym kluczem, możemy wybrać naturalny i wysublimowany kolor, który nie będzie miał nic wspólnego z plastikiem czy tandetą. Moim zdaniem kolor ścian najlepiej jest wybierać w szary, ponury dzień, ponieważ ich zadaniem będzie pozytywne nastrajanie domowników przez całą jesień, długą zimę i początek wiosny. Latem i tak mamy świetne humory, a w domu spędzamy najmniej czasu.

- Każdy kolor ma ogromną ilość odcieni: od intensywnych i głębokich, poprzez krzykliwe i jaskrawe, aż po delikatne, subtelne, pastelowe. W obrębie każdej barwy możemy znaleźć taką, która najbardziej nam odpowiada.
- W wyborze koloru ścian ogromne znaczenie ma kontekst – do czego ten pokój służy, jakiej wielkości ma okna, jak pada światło, jaka jest barwa mebli i innych elementów wystroju. Jednak najważniejszy jest wpływ koloru na psychikę i samopoczucie mieszkańców.
- Osoby drażliwe, zmęczone i zestresowane powinny wybierać barwy, które działają kojąco, zaś osoby apatyczne i ospałe potrzebują wibracji kolorów działających pobudzająco. Nie należy z tym jednak przesadzać. Mój brat pomalował jedną ze ścian w swoim gabinecie na czerwono, w efekcie czego podczas pracy miał problemy z koncentracją i stał się rozdrażniony. Unikał przebywania w tym pomieszczeniu, co niestety odbiło się na jego zarobkach!
- Zanim podejmiemy tak odważną decyzję, jaką jest pomalowanie ścian na intensywny kolor, dobrze jest spróbować wyobrazić sobie efekt. Moim pomysłem jest kupienie tkaniny w odcieniu najbardziej zbliżonym do tego, który rozważamy, i powieszenie jej w pomieszczeniu na próbę.

Pomoże to ocenić, w jaki sposób wybrana barwa rzeczywiście na nas działa, co oszczędzi niepotrzebnych wydatków i zamieszania.

۞ Zdecydowane barwy sprawdzają się raczej jako akcenty (na jednej ze ścian) w salonie lub w pomieszczeniach przejściowych. W gabinetach, pokojach do pracy czy nauki dobrze jest wybierać barwy sprzyjające koncentracji i wysiłkowi intelektualnemu (na przykład odcienie zieleni) i niezbyt nachalne czy absorbujące. W sypialni najlepiej sprawdzają się kolory, które uspokajają i sprzyjają wypoczynkowi.

۞ Ciepłe barwy, takie jak odcienie żółci i pomarańcze, wpływają na poprawę nastroju, budzą radość i ocieplają wnętrze. Powodują, że staje się ono bardziej przytulne. Wszelkie barwy chłodne, takie jak odcienie niebieskiego, fioletu i zieleni, czynią pomieszczenia optycznie bardziej przestronnymi, ale również mniej przytulnymi.

۞ Kolorystyczny wystrój wnętrza w łatwy sposób możemy zmienić za pomocą tkanin. Zasłony, obrusy, narzuty na kanapy i łóżka, pokrowce na poduszki – to wszystko może nam pomóc w zabawie aranżacją. Ja z biegiem czasu zgromadziłam sporą ilość tkanin, które zmieniam w zależności od pory roku i nastroju. Dzięki temu szybko mogę odświeżyć i odmienić przestrzeń, która mi się znudziła. Tkaniny wieszam również na ścianach. Kupuję je podczas podróży. Moje ukochane kilimy pochodzą z targów w Kairze, Marrakeszu i Damaszku. Piękne tkaniny kupiłam też na targu Portobello w Londynie. Zaopatrzyłam się również w stare, ręcznie robione angielskie koronki, które romantycznie i odświętnie zdobią mieszkanie podczas świąt.

۞ Barwne akcenty mogą również stanowić kwiaty i rośliny doniczkowe, które mają nieskończenie bogatą ilość odcieni – zaczynając od lekkiej, świeżej, delikatnej zieleni wpadającej w kolor seledynowy, poprzez odcienie głębokie, soczyste i ciemne. Możemy bawić się kolorami natury, świadomie stosując jej jasne albo głębokie odcienie, które rozświetlają lub tonują wystrój wnętrza.

Kobieca mistyka

Określenie „kapłanka domowego ogniska" straciło w dzisiejszych czasach sporo na znaczeniu. W dobie równouprawnienia oczekujemy od mężczyzn, że będą opiekowali się domem i dbali o niego na równi z nami. Jest to jak najbardziej słuszne, jednak nikt nie potrafi nadać przedmiotom takiego ciepła jak kobieta. Mężczyzna buduje dom, ale to my go tworzymy. Nasza energia wypełnia przestrzeń, daje jej siłę i życie. Zapach domowego jedzenia, suszona lawenda w szafie i garderobie, kwiaty na toaletce, aromatyczna świeca na biurku… To my odpowiadamy za domowe ciepło. Potrafimy zaczarować martwą przestrzeń. Upiększyć świat. Wiemy, jak tchnąć w niego ducha. To jest nasze powołanie, tak się wyraża nasza kobieca mistyka.

- Prawdziwy dom pachnie domowym jedzeniem. Piekę ciastka i ciasta, zwłaszcza zimą. Jesienią smażę powidła i konfitury. Gotuję tak często, jak to tylko możliwe. To jest najlepsza domowa aromaterapia – zapachy dają poczucie ciepła i bezpieczeństwa.
- Kupuję kwiaty do domu i na swoje biurko. Bez okazji. Wystarczającym powodem jest celebrowanie dnia codziennego. Kwiaty są szczęśliwym darem natury. Budzą we mnie poczucie piękna i wdzięczności. Ich widok wzmacnia moją energię.
- Umieszczam w różnych miejscach domu inspirujące zdjęcia, słowa mocy, znaki i symbole oraz dobre, pozytywne książki, tomiki poezji. W mojej kuchni jest mała tablica, na której piszę kredą. Od czasu gdy napisałam: „W tym domu jest miłość!", domownicy są bardziej radośni. Dobre słowa i znaki stanowią afirmację, podświadomie działającą na nas wszystkich.
- Uwielbiam zapachy. Wpływają na dobry nastrój i poczucie bezpieczeństwa. Zapalam w domu kadzidełka, kominki z naturalnymi olejkami eterycznymi, naturalne świece zapachowe. W szafach i garderobach umieszczam lniane lub bawełniane woreczki z suszonymi kwiatami lawendy i płatkami róży. Zapachy natury przywołują wspomnienia dobrych, letnich dni.
- W różnych miejscach domu umieszczam pozytywne, radosne zdjęcia i inspirujące pocztówki. Na jednym zdjęciu dziewczyna trzymająca kadzidła modli się w buddyjskiej świątyni. Inne przedstawia słowa dziękczynne wyryte na zielonych łodygach bambusów. Są też pędzle od kaligrafii, radośni ludzie, człowiek, który wspiął się na szczyt. „Tablice marzeń" mogą znajdować się w każdym miejscu: na drzwiach lodówki, szafy, ustawione na półce. Przypominają o naszych pragnieniach i życiowym celu. Wzmacniają postanowienia.

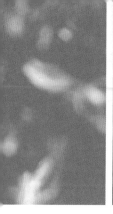

Magia domowego ogniska

Domowe ognisko często jest już jedynie przenośnią, jednak w naszym życiu naprawdę potrzebujemy kontaktu z ogniem, nie tylko po to, by nas ogrzewał. Żywy ogień jest energią, a wpatrywanie się w płomień to najlepsza naturalna medytacja. Większość mieszkańców miast jest praktycznie odcięta od kontaktu z ogniem. Zapominamy, że ludzie ogrzewali się przy nim i czerpali z niego siłę przez tysiące lat. Brak kontaktu ze światłem i ciepłem płomieni prowadzi nas do apatii i sezonowej depresji podczas długich zim. Jeśli nie mamy w domu kominka, naszym lekarstwem może być płomień świecy. Ja zapalam świece od końca października do kwietnia.

- ❧ Gdy zapalam w domu świece (najlepiej zapałkami), robię to powoli i myślę o specjalnych intencjach: uzdrowieniu, miłości, wzmocnieniu, spełnieniu marzeń… Myślę o rozwiązaniu konfliktów, łasce zrozumienia lub przebaczenia. Wysyłam intencję i dobrą energię moim bliskim, przyjaciołom i światu. Myślę o osobach, które odeszły.
- ❧ Gdy dowiem się o śmierci artysty, którego twórczość inspirowała mnie i poruszała, zapalam w intencji tej osoby świecę, która stoi na parapecie. Dziękuję za talent i wszelkie wzruszenia, jakich dzięki tej osobie doświadczyłam. Jestem pewna, że w ten sposób trafiają do adresata.
- ❧ Gdy na świecie dzieją się niepokojące wydarzenia, zapalam świece w intencji załagodzenia konfliktów, pomocy ofiarom i oczyszczenia energii.
- ❧ Gdy słyszę o kimś, kto doznał bólu, cierpienia lub niesprawiedliwości, zapalam w jego intencji świecę. Wysyłam mu energię wzmocnienia i uleczenia. To przynosi często lepsze efekty niż złoszczenie się na winnych czy okoliczności.
- ❧ Za każdym razem, gdy spoglądam na płomień świecy, myślę o swoich intencjach. To dodaje im sił i pozytywnej energii.

Oczyszczanie domowej przestrzeni

Czy istnieje jakiś związek między nieporządkiem wokół nas a bałaganem w głowie? Moim zdaniem zdecydowanie tak. Zanim się o tym przekonałam, wiodłam życie pogrążone w artystycznym nieładzie. Nonszalancko rozrzucałam wokół siebie różne przedmioty. Odkryłam jednak, że czuję się zdecydowanie lepiej, gdy dookoła panują ład, czystość i harmonia. Od razu przejaśnia mi się w głowie, mam lepsze samopoczucie i odczuwam wewnętrzny spokój. Korzysta na tym nawet moja kreatywność. Jestem przekonana, że bałagan tłumi naszą energię. Jednak porządek nie polega jedynie na poukładaniu przedmiotów. Najważniejsze pytanie dotyczy tego, c o w naszym domu naprawdę powinno się znajdować.

Mamy skłonności do sentymentalizmu i przywiązujemy się do rzeczy, które nie są nam potrzebne albo których tak naprawdę wcale nie lubimy. Czasem po prostu upychamy je w kącie albo szafie, bo nie bardzo wiemy, co z nimi zrobić. Wszystkie te przedmioty blokują dopływ świeżej energii i powodują stagnację w naszym życiu, zatrzymują nas w miejscu. Jeśli pragniemy oczyścić głowę i życiową przestrzeń, aby zrobić miejsce na nowe, często musimy bezkompromisowo pozbyć się tego, co stare. Inaczej przeszłość nie pozwoli nam ruszyć z miejsca. Wiem o tym, ponieważ wszystkie najważniejsze zmiany w moim życiu zaczęły się od gruntownych porządków.

Mam znajomego, bardzo kreatywnego i twórczego człowieka. Prawdziwie artystyczna dusza. Kolegujemy się od wielu lat. Podróżując prywatnie i zawodowo, przywoził z całego świata piękne przedmioty: tkaniny, obrazy, a nawet meble. Przez te wszystkie lata w jego życiu naturalnie miało miejsce mnóstwo zdarzeń, dobrych i złych. Po zakończeniu kolejnego nieudanego związku, który przyniósł mu wielkie rozczarowanie, poczuł się wypalony również zawodowo. Pragnął zmiany, ale czuł, że nie jest w stanie ruszyć z miejsca. Mimo że bardzo o siebie dbał, dobrze się odżywiał i regularnie ćwiczył, był stale zmęczony, osłabiony i apatyczny. Nie wiedział, co się z nim dzieje. Pewnego dnia odwiedziła go znajoma, do której przyjechał przyjaciel z Meksyku, bioenergoterapeuta i szaman. Po wejściu do pięknego, wymuskanego mieszkania mojego znajomego, patrząc na jedno z wyjątkowych, artystycznych zdjęć wiszących na ścianie, powiedział krótko:

– Musisz je spalić.

– Spalić??? – spytał zdumiony gospodarz. – Czy ty wiesz, ile ono jest warte? To unikat!

– To twój wybór – usłyszał w odpowiedzi. – Ale osoby sfotografowane na tym zdjęciu są pełne zła. Ich energia każdego dnia i z każdą chwilą wpływała na ciebie. Całe twoje mieszkanie przesiąknięte jest energią smutku, bólu, złości i zwątpienia, które tutaj przeżywałeś. To cię blokuje i zatrzymuje. Jeśli nie pozbędziesz się wszystkiego, co się w twoim mieszkaniu znajduje, utkniesz w przeszłości i nie ruszysz naprzód.

Mój znajomy nie wierzył własnym uszom! Cała ta historia o energii raczej go śmieszyła. Nigdy nie miał do czynienia z podobnymi „czarami". W zdjęciu widział jedynie artystyczne piękno i wartość kolekcjonerską, podobnie jak w innych rzeczach, które go otaczały. Był oburzony tym, co usłyszał. Przez wiele lat zdobywał te wyjątkowe, piękne i unikalne przedmioty, był z nich tak dumny. Wszyscy jego znajomi byli pod wielkim wrażeniem wystroju wnętrza, jakie stworzył. Miał się teraz tego pozbyć? Był zdruzgotany. Chciał zignorować wszystko, co usłyszał, ale nie dawało mu to spokoju. Czuł niemal fizycznie, że istnieją w jego otoczeniu rzeczy, które go blokują i prawie duszą. Długo się wahał, ale jednak spalił zdjęcie. Potem z bólem serca pozbył się wszystkich przedmiotów ze swojego mieszkania. Z niektórymi rozstawał się, niemal płacząc. Zrobił remont. Blokada puściła. Jego życie zmieniło się diametralnie. Złapał wiatr w żagle i rozpoczął wielką przemianę również w swoim życiu zawodowym. Tworzy na nowym poziomie, jakiego nie doświadczył jeszcze nigdy przedtem. Rozpoczął wielki projekt i miał w sobie siłę, by go ukończyć. Wspierała go świeża, pozytywna energia.

Moje oczyszczanie domu nie było tak radykalne. Odbyło się bez udziału szamana z Meksyku i trwało stopniowo. Gdy stałam się bardziej świadoma, w pewnym momencie sama zaczęłam czuć, co w mojej przestrzeni ciąży i przeszkadza. Na początku pozbyłam się niektórych mebli, przedmiotów i ubrań. Następnie przyszła kolej na dokumenty, listy, notatki, dzienniki i wszelkie inne sentymentalne pamiątki. Najpierw zaczęły przeszkadzać mi te w bliskim otoczeniu, ich obecność powodowała, że nie byłam w stanie swobodnie myśleć, pracować i tworzyć. Zebrałam wszystkie niepotrzebne już pamiątki przeszłości, których obecność odczuwałam jako blokadę. Włożyłam je do dużego pudełka i postawiłam wysoko, na samym szczycie szafy. Było lepiej. Zapomniałam więc o kartonie. Jednak po kilku miesiącach obudziłam się rano i wiedziałam, że musi on zniknąć z mojego domu. Wyniosłam go do piwnicy. Kilka tygodni później podjęłam ważną decyzję, której obawiałam się od ponad… 15 lat! Pozbycie się duchów przeszłości otworzyło moją życiową przestrzeń na pojawianie się nowego. Myślałam, że na tym się skończy. Jednak pewnego dnia poczułam, że muszę zrobić porządek w szafce z książkami, która stoi w mojej sypialni. Zaczęłam robić selekcję. Intuicyjnie wyjmowałam książki, które odbierałam jako blokujące. Kierując się jedynie umysłem, nigdy bym tego nie zrobiła, ponieważ w moim przeświadczeniu książka jest dobrem najwyższym. Prowadził mnie jednak wewnętrzny impuls. Wyjęłam wszystkie książki o samotności, toksycznych związkach, umieraniu i bólu. Książki pisane przez ludzi zagubionych, smutnych, przybitych, rozdartych, złych i zgorzkniałych. Doceniam ich geniusz oraz artyzm ich twórczości, jednak w pewnym momencie poczułam, że wszystkiego, czego miałam się od nich nauczyć, już się dowiedziałam. Nie chciałam takiej energii w moim otoczeniu, w miejscu, w którym śpię i wypoczywam. Intuicyjnie stworzyłam przestrzeń, która wkrótce wypełniła się nowymi, świeżymi, inspirującymi myślami wnoszącymi w moje życie wyższą samoświadomość i więcej radości.

Domowe miejsce mocy

Zanim na Bali powstanie dom, w miejscu, w którym ma stanąć, budowana jest najpierw niewielka świątynia lub mała kapliczka. Miejsce odosobnienia, skupienia, modłów i spotkania z bóstwami. Zachwycił mnie ten zwyczaj. Czytałam o kobietach, pisarkach, artystkach, które posiadają takie „miejsce mocy" (bo tak je nazwałam) w swoich domach. Nie musi to być od razu cały pokój przeznaczony do medytacji. Wystarczy jedno małe miejsce obok łóżka lub nawet na parapecie, które stanie się punktem skupienia i odrodzenia. Miejsce, w którym znajdą się przedmioty budzące nadzieję i wdzięczność. Mała przestrzeń, która pomoże wycofać się ze świata codziennej aktywności, aby przyjrzeć się swojemu wewnętrznemu życiu.

Przez długi czas zastanawiałam się, jak mogłoby wyglądać takie moje osobiste miejsce. Nie chciałam tworzyć w domu ołtarzy. Nie szukałam też niczego na siłę. Byłam otwarta i cierpliwa. Pewnego dnia zobaczyłam w małej galerii nepalskiej niewielką szafkę, ręcznie robioną i misternie malowaną w piękne roślinne i kwiatowe motywy. Od razu wiedziałam, że to jest to! Postawiłam ją w rogu sypialni, tak że widzę ją z łóżka. Okazało się, że tybetański obraz medytującego buddy, który wcześniej kupiłam, doskonale do niej pasuje. Powiesiłam go nad szafką. Z biegiem czasu stanęły na niej dwie figurki aniołów, które kupiłam w Paryżu, potem obrazek Matki Boskiej. Położyłam obok nich muszle i kamienie przywiezione z podróży, pełne dobrych wspomnień, duże nasiona afrykańskiej rośliny, które podarowała mi przyjaciółka po powrocie z dalekiej wyprawy, zdjęcie moich bliskich, kochanych osób i postawiłam ręcznie robioną świecę z naturalnego wosku. W małej szkatułce umieściłam różaniec, który jest moim talizmanem. Obok stanęły pudełko, do którego wkładam listy dziękczynne i błagalne, podstawka na kadzidełka i mała doniczka z kwitnącą rośliną. Na ramie obrazu powiesiłam tybetański sznur modlitewny. To elementy, które są dla mnie dobre i szczęśliwe. Za każdym razem gdy spoglądam na swoje „miejsce mocy", czuję się chroniona, spełniona i pełna nadziei. To miejsce jest dla mnie punktem zaczepienia, gdy moje myśli wędrują w niechcianym kierunku. Pomaga w koncentracji, gdy medytuję. Każdego ranka, gdy otwieram oczy, wiem, że jestem na swoim miejscu, w swoim osobistym „miejscu mocy", które jest we mnie.

Dom w podróży

W związku z charakterem mojej pracy bardzo często musiałam podróżować. Mieszkałam w różnych miejscach, sypiałam w hotelowych pokojach. Życie na walizkach na początku jest bardzo ekscytujące. Podróże niesamowicie rozwijają, dają okazję, by poznać nowe rzeczy, spojrzeć na siebie i na świat z innej perspektywy. Otwierają głowę. Dają też możliwość, by pożyć życiem innych ludzi. Gdy jednak zbyt często bywamy w innych miastach lub krajach, przychodzi moment, gdy pragniemy swojego własnego życia. Ja miałam potrzebę stabilizacji i poczucia bezpieczeństwa. Za sprawą podróży zrozumiałam znaczenie powiedzenia „dom nosimy w sobie". Od prawdziwego zakorzenienia się w swoim wnętrzu rozpoczynamy tworzenie naszego ziemskiego domu. Mogą w tym pomóc bliskie nam przedmioty. Wymyśliłam proste metody aranżowania przestrzeni – takie, bym niemal natychmiast czuła się w niej dobrze, ciepło i bezpiecznie. Stworzyłam swój mały podróżny świat, który daje poczucie „uziemienia" i bycia u siebie niezależnie od tego, w jakim miejscu na mapie świata jestem tym razem.

- Zapalam kadzidełka. Dokładnie takie same jak te, których zapach wypełnia mój dom. Dzięki nim już na poziomie zmysłu węchu tworzę swoją „bazę".
- Na szafce obok łóżka stawiam fotografie bliskich osób, obrazek Matki Boskiej (który jest moim talizmanem) oraz kładę mały kamyk pochodzący z miejsca, które kocham.
- Zawsze wożę ze sobą inspirujące książki i osobisty notatnik pełen zapisków, zdjęć i rysunków.
- Zapalam świeczkę, której światło daje mi poczucie, że jestem chroniona.
- Słucham ulubionej muzyki, która tłumi nowe, nieznane odgłosy.
- Parzę moją ulubioną herbatę, którą zawsze wożę ze sobą.
- Podróżuje też ze mną cienka, lekka, ręcznie malowana tkanina, którą kupiłam w porcie Saint-Tropez. Spełnia ona bardzo wiele funkcji. Czasem staje się paero lub szalem, a innym razem przykrywa łóżko. Opalam się na niej, medytuję, a czasem wieszam ją na ścianie lub w oknie.

Domowa muzykoterapia

Wpływ muzyki na nasz organizm i samopoczucie został potwierdzony naukowo. Wiemy już, że podnosi ona lub obniża tętno i wpływa na emocje. Wiedzę tą wykorzystują nie tylko lekarze i terapeuci, ale również właściciele salonów SPA, restauracji czy sklepów. Muzyka, która towarzyszy nam podczas robienia zakupów, może mieć tak duży wpływ na naszą podświadomość, że czując się radośnie, beztrosko i swobodnie, wydamy dużo większe sumy, niż planowałyśmy.

Gdy byłam nastolatką, w pewnym okresie młodzieńczego buntu słuchałam mrocznej, dołującej muzyki, która potęgowała poczucie zagubienia i niezadowolenia z otaczającego świata. Muzyka wciągała mnie w wir energii, w którym dobrze się czułam. Wtedy nie byłam świadoma, że intuicyjnie szukamy utworów, które idealnie harmonizują z naszymi nastrojami. Osoby pełne agresji słuchają muzyki agresywnej, mocnej i ciężkiej. Osoby, które noszą w sobie wewnętrzny ból, będę dobrze się czuły, słuchając smutnych utworów.

Możemy jednak sterować naszymi nastrojami, wybierając rodzaj muzyki, który pomoże nam w osiągnięciu stanu, jakiego pragniemy. Wystarczy tylko obserwować swój organizm, by poczuć, w którym miejscu naszego ciała daną muzykę czujemy. Jeżeli w okolicach serca lub wyżej, prawdopodobnie wpłynie ona pozytywnie na nasz nastrój i go podniesie. Jeżeli w okolicy splotu słonecznego (miękkie miejsce u dołu żeber) – doda nam energii. Muzyka, którą czujemy poniżej splotu słonecznego, prawdopodobnie wzbudzi w nas smutek lub agresję.

Japoński naukowiec doktor Emoto Masaru od wielu lat bada wpływ muzyki, słów, obrazów oraz modlitw na cząsteczki wody. W jego książce *Woda. Obraz energii życia* możemy obejrzeć szereg zdjęć, które pokazują, w jaki sposób energia i wibracje zawarte w muzyce wpływają na kształt cząsteczek wody. Muzyka, która łagodzi i uspokaja, tworzy piękne, regularne kryształy, muzyka pełna smutku burzy je, a muzyka agresywna zupełnie rozbija i tworzy chaos. Ponieważ w 70% składamy się z wody, możemy przypuszczać, że muzyka wywiera podobny wpływ również na nas.

Kiedy intuicyjnie wybieramy jej rodzaj, możemy zaobserwować, w jakim stanie emocjonalnym jesteśmy. Mając świadomość wpływu, jaki muzyka wywiera na nasz nastrój, możemy nim kierować. Kiedy chcę się uspokoić, słucham muzyki relaksacyjnej, *lounge*, *chillout* lub łagodnych utworów muzyki klasycznej. Gdy sprzątam lub potrzebuję dawki dodatkowej energii, wybieram utwory szybkie, melodyjne, rytmiczne i radosne. Gdy maluję, słucham takich, które otwierają wyobraźnię i wewnętrzną przestrzeń. Gdy piszę, wybieram muzykę, która wzmacnia koncentrację (czyli muzykę klasyczną). W niedzielne poranki słucham radosnych utworów Mozarta. Podczas medytacji słucham ciszy, łagodnej muzyki medytacyjnej, dźwięków natury lub mantr.

Specjalny rodzaj muzyki towarzyszy mi podczas gotowania. Wybieram lekką i radosną, bo chcę, żeby posiłek, który przygotuję, niósł ze sobą pozytywne emocje. Wierzę, że nastrój osoby, która przygotowuje jedzenie, ma wpływ na energię, jaka się w nim znajduje. Podczas jedzenia najlepiej służy nam muzyka, która uspokaja i ułatwia trawienie.

Uśpiony artysta

Pisanie choćby kiepskich wierszy o wiele bardziej uszczęśliwia,
niż czytanie najpiękniejszych.
Hermann Hesse

Znasz to uczucie z dzieciństwa, kiedy rysując, lepiąc żabę z plasteliny albo pisząc opowiadanie, przestałaś czuć upływający czas? Zatopiłaś się w tworzeniu, wpadłaś w „dziurę czasową", a wszystko wokół przestało istnieć? To były chwile, kiedy miałaś doskonałe połączenie ze swoim wnętrzem, kierowała Tobą prawdziwa pasja. Przypomnij to sobie i pomyśl, dlaczego to straciłaś. Może ktoś powiedział, żebyś nie marnowała czasu na głupstwa? Że to, co robisz, nie ma wartości? A może sama zaczęłaś tak oceniać swoje prace? Trudno bowiem o surowszego krytyka niż ten, którego nosimy w sobie. Spróbuj wrócić do uczucia z dzieciństwa i rób to, czego nie możesz kupić za pieniądze – to, co wykonasz własnymi rękami i z sercem, jest bezcenne. Wyzwól się od oceniania i krytyki. Twórz.

„Mamy bowiem bardzo dziką, namiętną naturę i szkodzimy sobie tylko wtedy, gdy nie pozwolimy jej dojść do głosu" – pisał szwajcarski psycholog Carl Gustaw Jung. Podczas swoich podróży po Afryce na początku lat dwudziestych XX wieku obserwował życie miejscowych plemion. Zauważył silny związek pomiędzy potrzebą ekspresji oraz tworzenia własnymi rękami wszystkiego, co potrzebne do codziennego funkcjonowania, a poczuciem zadowolenia z życia i spełnienia. Jung uznał, że ta zależność jest głęboko zakodowana w psychice człowieka. Zauważył też, że uprzemysłowienie, a co za tym idzie zmiana stylu życia ludzi cywilizacji Zachodu, spowodowało oderwanie od korzeni. „W każdym skrywa się coś w rodzaju artysty – pisał Jung. – W naszym zmechanizowanym świecie to dążenie do kreacji artystycznej zostało wyparte przez jednowymiarową pracę wykonywaną w czasie ośmiu godzin, co często bywa przyczyną frustracji, a nawet depresji. Z mroków nieświadomości należy wydobyć zapomnianego artystę i przetrzeć szlaki wiodące do kreacji artystycznej niezależnie od tego, czy stworzone w ten sposób malowidło czy napisany wiersz wydadzą się nam mniej czy bardziej bezwartościowe".

Moc tworzenia jest niezwykła. Jesteśmy zabiegane, zestresowane, nastawione na efekt i sukces. Zapominamy o zwykłej, ludzkiej potrzebie kreacji, bez

konkretnego celu, samej dla siebie. W świecie specjalizacji i pogoni za ideałem zapominamy, że ważniejszy od efektu jest sam proces tworzenia.

Bardzo łatwo jest powiedzieć: „nie umiem malować", „nie umiem śpiewać", „nie potrafię pisać", „inni zrobią to lepiej ode mnie". Pozwoliłyśmy sobie wmówić, że sztuką mogą zajmować się tylko artyści. Prawdą jest, że tylko niektóre z nas mają wielki talent i tworzą wybitne dzieła, ale każdy jest artystą swojego życia, a każda praca jest wartościowa i niepowtarzalna. Sztuki nie można przeliczać na pieniądze. Jakie znaczenie ma to, że prace Van Gogha sprzedawane są za kilka milionów dolarów, a nasze nigdy nie trafią do galerii? Żadnego. Kiedy otworzymy się i pozwolimy płynąć naszej kreatywności, okaże się, jak wielką radość może sprawić narysowanie pastelami dyni z naszego ogrodu, upieczenie ciastka w kształcie serca, zrobienie naszyjnika z jarzębiny czy serwetki na szydełku.

Vedic Art

Dzieła sztuki, którego ja nie stworzę, nie stworzy nikt inny.
Simone Weil

O terapeutycznych właściwościach mandali pisał Carl Gustav Jung, który sam je tworzył i wykorzystywał w terapii. Gdy poszukiwałam wiadomości na ten temat, trafiłam jednak na coś zupełnie innego. Znalazłam informację poświęconą Vedic Art, o której nigdy wcześniej nie słyszałam. Poczułam podobny stopień ekscytacji, który towarzyszy chwili, gdy intuicyjnie sięgam w księgarni po książkę stojącą na półce pomiędzy tysiącem innych, a po jej otwarciu okazuje się, że znajduje się w niej zdanie, którego w tym momencie najbardziej potrzebowałam. Natychmiast zapisałam się na kurs.

Co to jest Vedic Art?

Na początku dowiedziałam się, że wiedza o sposobie tworzenia została zawarta w Wedach. Jest to zbiór ksiąg spisanych w sanskrycie, uznawanym przez wielu językoznawców za język pierwotny, z którego wywodzą się greka, łacina oraz większość języków zachodnich. Słowo „weda" oznacza wiedzę absolutną, uważa się więc, że Wedy przekazują wiedzę o absolucie.

Potocznie mówi się, że są to księgi hinduskie, jednak powstały wcześniej niż hinduizm, w kraju, który nazywał się Bharata Varsa (obecnie Indie). Najnowsze badania wskazują, że kultura Bharaty liczy sobie ponad dziesięć tysięcy lat, a Wedy stanowią najbardziej kompletny zapis starożytnej historii, a także największe źródło starożytnej wiedzy duchowej na naszej planecie. Mądrość Wed zdumiewa – są podwaliną wiedzy w takich dziedzinach jak matematyka, astrologia, astronomia, architektura, muzyka, medycyna (ajurweda), wiedza o żywieniu czy rolnictwo. Wedy są starsze niż egipskie piramidy, które, jak wiemy, zostały zbudowane w ścisłym związku z zadziwiającą znajomością astronomii.

Vedic Art (*vedic* w języku angielskim oznacza Wedy) jest praktyką, której celem jest rozbudzenie wewnętrznej siły i kreatywności oraz czerpanie inspiracji z intuicji i obaszarów, które wykraczają poza intelekt i wiedzę analityczną. Początkowo rozwój i przemiana pojawiają się w obrazach i pracach plastycznych, a następnie nowa, twórcza ekspresja emanuje na wszystkie dziedziny życia.

Tajemnica kreacji opisana została w 17 zasadach, które poznać można na specjalnych kursach przeznaczonych zarówno dla osób, które miały już kontakt z pracami plastycznymi, jak i dla zupełnie początkujących, które nigdy nie malowały. W 1974 roku Mahariszi Mahesh Yoga przekazał owe zasady Wed Curtowi Källmanowi, szwedzkiemu malarzowi, prosząc o zbudowanie fundamentów nauczania sztuki wedyjskiej i dostosowanie jej do potrzeb człowieka Zachodu. Källman rozpoczął medytacje i długą pracę, która miała na celu przekazanie innym nowego sposobu tworzenia. Będąc wykładowcą na szwedzkiej uczelni artystycznej, zastosował stworzoną praktykę najpierw na sobie, a następnie na swoich studentach. Efekty okazały się zdumiewające, a jednocześnie rewolucyjne, biorąc pod uwagę tradycyjny sposób edukacji studentów sztuk pięknych. Nowe metody zostały przyjęte entuzjastycznie przez uczniów,

nie spodobały się jednak władzom uczelni. Källman porzucił więc karierę akademicką i wyruszył w podróż po krajach Europy, przekazując mądrość Vedic Art. Bez żadnej reklamy w krótkim czasie liczba jego uczniów zaczęła rosnąć. W 1988 roku Källman założył na południu Szwecji pierwszą szkołę Vedic Art, a w 1993 roku przeniósł ją na wyspę Öland. Początkowo nikt nie wierzył, że na mało znanej wyspie utrzyma się jakakolwiek szkoła. Obecnie odwiedzają ją uczniowie, malarze i twórcy z całego świata. Tysiące osób przyjeżdżają tam, aby malując, doświadczyć przebudzenia wewnętrznej siły i kreatywności w sztuce oraz życiu.

W samej Szwecji jest obecnie kilkuset nauczycieli, a malowanie Vedic Art zostało wprowadzone w niektórych przedszkolach i szkołach. Na kursy udało się również kilku szwedzkich parlamentarzystów, ponieważ technika ta otwiera umiejętność samodzielnego, twórczego myślenia w wielu dziedzinach. W Szwecji wiele osób po ukończeniu kursów zbiera się w grupy, by wspólnie wynajmować studia malarskie, a nawet mieszkania, w których spotykają się, by razem tworzyć.

W Polsce pierwsze tego typu warsztaty odbyły się w 2005 roku i brało w nich udział 5 uczniów. Rok później liczba osób wzrosła do kilkunastu uczestników. W tej chwili jest w Polsce kilkudziesięciu rekomendowanych nauczycieli Vedic Art.

Dla mnie okazała się ona wspaniałą podróżą do własnego wnętrza. Już podczas pierwszych warsztatów miałam wrażenie, że o twórczości dowiedziałam się więcej niż podczas 5 lat nauki w liceum sztuk plastycznych. Tworząc w duchu Vedic Art, przestajemy tworzyć dla innych lub dla zaspokojenia własnego *ego*. Pozbywamy się chęci oceniania i przestajemy być nastawieni na efekt. Doświadczamy prawdziwej wolności tworzenia. Oczywiście nie każdy z nas zosta-

nie wielkim i cenionym twórcą. Jak mówił Curt Källman podczas warsztatów: „Są artyści, których prace wystawiają największe galerie świata, jednak nie trzeba z nimi rozmawiać, by wiedzieć, co czują. Wystarczy poczuć energię tego, co tworzą. Są też twórcy, których prac nikt nie wystawia, ale tworzenie daje im ogromną radość i spełnienie".

Wiadomości na temat Vedic Art znajdziesz na stronie www.vedicart.pl.

ZAKOŃCZENIE,
KTÓRE JEST NOWYM POCZĄTKIEM

Wczoraj postanowiłam wejść na szczyt góry. Zupełnie inną drogą niż zwykle. Mam swoje ścieżki, przetarte szlaki, którymi uwielbiam chodzić. Widziałam je o różnych porach roku, w różnych godzinach dnia. Szłam nimi w różnym natężeniu światła i oddychałam powietrzem o różnej wilgotności. Za każdym razem droga była inna. Wczoraj postanowiłam wejść na szczyt zupełnie inaczej niż zwykle. Zamiast pójść w prawo, poszłam w lewo. Ruszyłam szlakiem, o którym świat dawno już zapomniał. A potem porzuciłam drogę i szłam przez las. Wdrapywałam się pod górę, opierając stopy o konary drzew. Chwytałam gałęzie, a czasem prawie biegłam. Byłam swobodna. Czułam, że tą drogą nie szedł nikt przede mną. Odkrywałam ją po raz pierwszy. Przez chwilę czułam się jak dzikie zwierzę. Wolne, prowadzone przez instynkt, zapach, wiatr i wewnętrzny kompas. Zobaczyłam otaczający mnie świat zupełnie na nowo. Nieznana droga zmusiła mnie do wyostrzenia wszystkich zmysłów i uważnego przyglądaniu się temu, co mnie otacza. Musiałam być bardzo ostrożna, żeby się nie zgubić. Zwyczajny spacer zmienił się w wyprawę i przygodę.

Podobnie jest w życiu. Możesz wybrać przetarte ścieżki lub samotnie przedzierać się przez las. Przetarta droga jest wygodniejsza i pewniejsza. Droga przez las wymaga więcej wysiłku i odwagi, jest niepewna, ale gdy wejdziesz na szczyt, będziesz zupełnie inną osobą. Pełniejszą. Bardziej autentyczną. Zmęczoną, ale szczęśliwą. Zmienia nas wędrówka i to, czego doświadczamy podczas niej. Hartuje nas każda przeszkoda i sposób, w jaki ją pokonujemy.

Poszukaj swojej własnej niepowtarzalnej drogi. Weź głęboki oddech, podnieś głowę i spójrz przed siebie. Przed Tobą tyle wspaniałych przygód! Tylko Ty możesz je przeżyć.

Powodzenia!
Agnieszka

Książki mojego życia

Czy książka może zmienić życie? Moje zmieniło wiele z nich. Chciałam się nimi z Wami podzielić, poniżej przytaczam więc listę tych dla mnie najważniejszych.

Książki są dla mnie najintymniejszą, najgłębszą rozmową. Czasami dotykają mojej duszy, inspirują, zmieniają sposób myślenia, a innym razem otwierają we mnie magiczne szkatułki mojej własnej wrażliwości, które przez całe lata były zamknięte. Książki dodają mi odwagi, pomagają łamać stereotypy, poszerzają świadomość, użyźniają pasje. Nie wyobrażam sobie życia bez książek. Jestem za nie wdzięczna, a ich autorzy są dla mnie bliskimi przewodnikami i nauczycielami.

Pisząc, można powiedzieć więcej.

Czytając, można więcej poczuć.

Katie Byron, *Kochaj, co masz! Cztery pytania, które zmienią twoje życie*
Paul Brunton, *Ścieżkami jogów*
Leo Buscaglia, *Miłość. O sztuce okazywania uczuć*
Eric Berne, *W co grają ludzie*
Yehuda Berg, *Moc Kabbalah*
Karen Blixen, *Pożegnanie z Afryką*
Joan Borysenko, *Ogień w duszy*
Emily Brontë, *Wichrowe wzgórza*
Frances Burnett, *Tajemniczy ogród*
Sophy Burnham, *Księga aniołów*
Julia Child, *Moje życie we Francji*
Deepak Chopra, *Budda. Podróż ku oświeceniu*
Stephen R. Covey, *7 nawyków skutecznego działania*
Lewis Carroll, *Alicja w Krainie Czarów*
Mihály Csíkszentmihályi, *Przepływ. Psychologia optymalnego doświadczenia*
Anthony de Mello, *Przebudzenie*
Dalajlama i Howard C. Cutler, *Sztuka szczęścia. Poradnik życia*
Dalajlama, *Droga do wolności*
Masaru Emoto, *Woda. Obraz energii życia*
Thomas Stearns Eliot, *Poezje wybrane*

Laura Esquivel, *Przepiórki w płatkach róży*
Fannie Flagg, *Smażone zielone pomidory*
Erich Fromm, *Mieć czy być?*
Khalil Gibran, *Prorok*
Georgij Gurdżijew, *Spotkania z wybitnymi ludźmi*
Louise Hay, *Możesz uzdrowić swoje życie*
Esther Hicks, Jerry Hicks, *Potęga świadomej intencji*
Hermann Hesse, *Siddhartha, Podróż na Wschód*
Gustaw Carl Jung, *Wspomnienia, sny, myśli*
Henry Miller, *Książki mojego życia*
Gabriel García Márquez, *Miłość w czasach zarazy*
Yann Martel, *Życie Pi*
Thich Nhat Hanh, *Cud uważności*
Pablo Neruda, *Poezje wybrane*
John O'Donohue, *Anam Cara*
Paul Pitchford, *Odżywianie dla zdrowia*
Don Miguel Ruiz, *Cztery umowy*
Leni Riefenstahl, *Pamiętniki*
Patrick de Rynck, *Jak czytać malarstwo*
Rainer Maria Rilke, *Listy do młodego poety*
Ramana Mahariszi, *Nauki duchowe*
Ramtha, *Biała księga*
Hyrum W. Smith, *To, co najważniejsze*
June Singer, *Współczesna kobieta w poszukiwaniu duszy*
Baird T. Spalding, *Życie i nauka mistrzów Dalekiego Wschodu*
Bogumiła Wiktoria Siedlecka, *Historia jednego marzenia*
Colin P. Sisson, *Podróż w głąb siebie*
Tiziano Terzani, *Nic nie zdarza się przypadkiem*
Eckhart Tolle, *Nowa Ziemia*
Morihei Ueshiba, *Sztuka pokoju*
Ken Wilber, *Integralna teoria wszystkiego*
Martyna Wojciechowska, *Przesunąć horyzont*
Carlos G. Valles, *Sadhana z Anthonym de Mello*
Paramahansa Jogananda, *Autobiografia jogina*
Gary Zukav, *Siedlisko duszy*

Copyright © by Agnieszka Maciąg

Projekt okładki: Eliza Luty

Fotografie: Copyright © by Robert Wolański

Opieka redakcyjna: Małgorzata Olszewska

Redakcja tekstu: Maria Kula

Adiustacja: Joanna Mika-Orządała

Korekta: Marta Stęplewska / Agencja Wydawnicza MS,
Agnieszka Stęplewska / Agencja Wydawnicza MS,
Arletta Kacprzak

Opracowanie typograficzne: Pracownia Register

Łamanie: Agata Gruszczyńska / Pracownia Register

ISBN 978-83-7515-383-5

Cytowana literatura:
definicja diety na s. 13 – *Mały słownik języka polskiego*, Wydawnictwo Naukowe PWN,
Warszawa 1997;
opis najlepiej skomponowanej diety na s. 19 – http://www.euro.who.int, dostęp: 16.09.2011

OTWARTE
www.otwarte.eu

Zamówienia: Dział Handlowy, ul. Kościuszki 37, 30-105 Kraków,
tel. (12) 61 99 569

Zapraszamy do księgarni internetowej Wydawnictwa Znak,
w której można kupić książki Wydawnictwa Otwartego: www.znak.com.pl

Wydawnictwo Otwarte sp. z o.o.,
ul. Smolki 5/302, 30-513 Kraków. Wydanie II, zmienione, 2015. Dodruk.
Druk: Toruńskie Zakłady Graficzne „Zapolex" sp. z o.o.